▲ 在河南登封古观星台前（1998 年）

▲ 在英国格林威治双脚跨越 0 度经线（2000 年）

▲ 吉日（刘心武的油性笔画）

刘心武

杂文自选集

当代名家杂文精品文库

百花文艺出版社

DANG DAI MING JIA ZA WEN JING PIN WEN KU
BAI HUA WEN YI CHU BAN SHE
ZONG CE HUA FAN XI WEN JI XIU RONG
ZHUANG ZHENG SHE JI WANG SHU PENG

《眼睛》丛书

女性
与
城市

刘心武

中国城市出版社

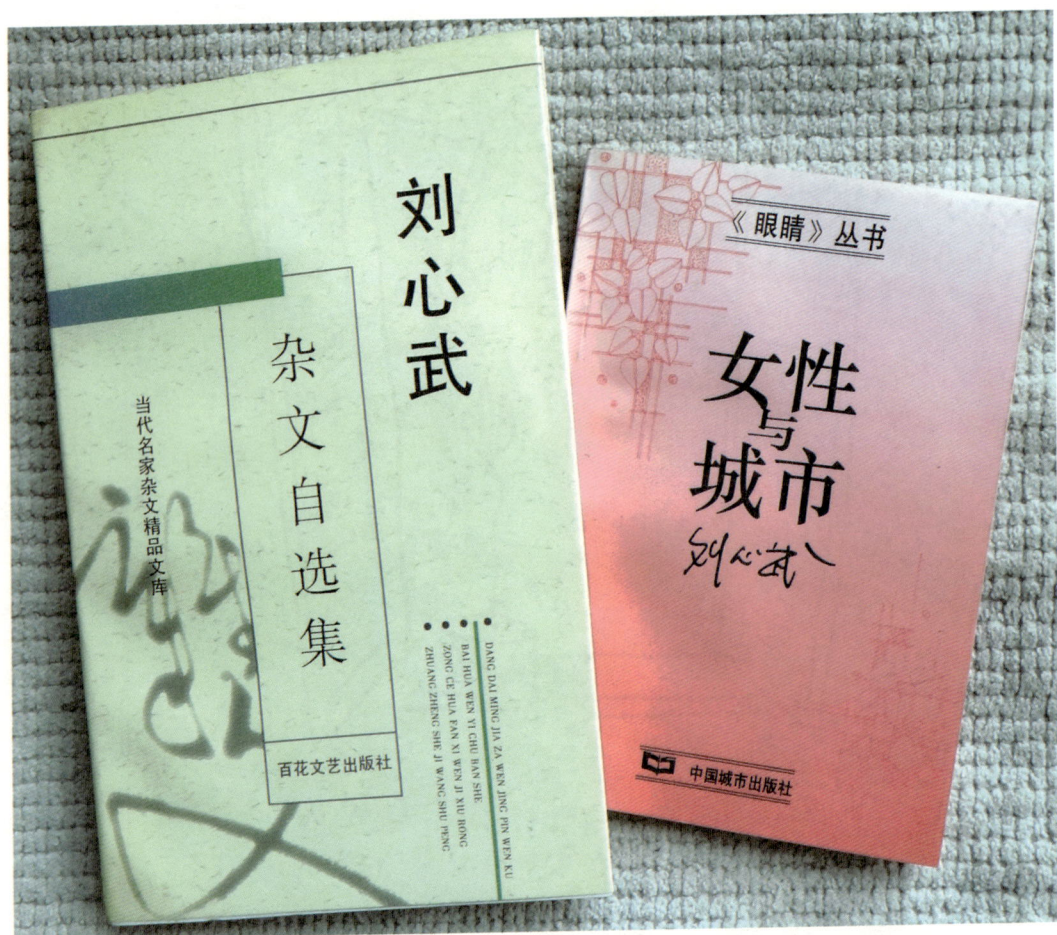

▲ 刘心武杂文集书影

刘心武文存34

[1958-2010]

杂文卷
难以忏悔

刘心武◎著

江苏人民出版社

图书在版编目（CIP）数据

难以忏悔／刘心武著．—南京：江苏人民出版社，
2012.11

（刘心武文存；34. 杂文卷）

ISBN 978-7-214-08506-1

Ⅰ．①难 … Ⅱ．①刘… Ⅲ．①杂文集－中国－当代
Ⅳ．① I267.1

中国版本图书馆 CIP 数据核字（2012）第 152297 号

书　　　名	难以忏悔
著　　　者	刘心武
责 任 编 辑	刘 焱
统 筹 编 辑	李 丹
特 约 编 辑	朱 鸿
文 字 校 对	陈晓丹　郭慧红
装 帧 设 计	门乃婷工作室
出 版 发 行	凤凰出版传媒股份有限公司
	江苏人民出版社
出版社地址	南京湖南路1号A楼　邮编：210009
出版社网址	http://www.book-wind.com
经　　　销	凤凰出版传媒股份有限公司
印　　　刷	三河市金元印装有限公司
开　　　本	700毫米×1000毫米　1/16
印　　　张	22.25
字　　　数	346千字
彩　　　插	4
版　　　次	2012年11月第1版　2012年11月第1次印刷
标 准 书 号	ISBN 978-7-214-08506-1
定　　　价	70.00元

（江苏人民出版社图书凡印装错误可向本社调换）

《刘心武文存》出版说明

　　《刘心武文存》收录刘心武自 1958 年 16 岁至 2010 年 68 岁公开发表的文字约 900 万字。《文存》共 40 卷，按文章门类收录，计有长篇小说 5 卷、中篇小说 4 卷、短篇小说 5 卷、小小说 1 卷、儿童文学 1 卷、建筑评论 2 卷、《红楼梦》研究 4 卷、散文随笔 11 卷、杂文 1 卷、海外游记 1 卷、多品种（图文交融文本、报告文学、诗歌、剧本、足球评论、译述）1 卷、创作谈 1 卷、理论批评 1 卷、早期（1958 年至 1976 年）作品 1 卷、自述 1 卷。因跨越时间达半个世纪以上，收录定有遗漏，但其此期间的主要作品，相信均已收入。

　　《刘心武文存》各卷均附有《刘心武文学活动大事记》及《刘心武著作书目》，可备检索。

　　编辑出版《刘心武文存》的目的，意在供各方面人士阅读欣赏、分析研究、批评批判、收藏保存。

目录

节聚三忌

小 G 算我的一个忘年交，我们是在书店里认识的，那天我们俩不约而同地去收银台问有没有丹钦柯的回忆录，人家说没有，我们俩因此互相称奇，后来到书店旁边一家小餐馆喝啤酒聊天，发现不仅我们的读书爱好重叠处甚多，生活趣味也较接近，比如都爱猫而不怎么喜欢狗，家里摆放植物喜欢绿叶却不怎么追求花朵。我们从那以后有所来往，都是约到书店见面，先各自选书买书，然后到那家小餐馆喝啤酒聊天。去年年底他从网上淘到了《丹钦柯回忆录》，特意买下二册，赠我一册。如今除了戏剧学院的学生，大概很少有人知道丹钦柯了，他和斯坦尼斯拉夫斯基都是跨越沙俄和苏联两种体制的戏剧家，创办了莫斯科小剧院，形成了影响至今的戏剧表演体系，也都得善终，两个人都写了回忆录，不仅对自己的戏剧生涯、艺术理念进行了总结，从中也反映出时代的嬗变与人事之沧桑。

前几天又和小 G 购书后在餐馆小聚，他问我春节期间是否还来书店，我说节间聚会较多，恐怕不来了。于是不免问他，是否有多方邀聚？他说那是当然。家族间的聚会另说，大节邀聚，多有横向性的，"发小"、同窗、"插友"（他的同龄人多有到农村插队或到生产建设兵团屯垦戍边的）、早期工作时的同事等等，如果每拨都参加，那么节期就别干别的了。他表示虎年春节，他决定一律敬谢不敏。我说横向节聚，能展拓视野，开阔胸臆，增添乐趣，点缀人生，何乐而不参？他就告诉我，时下节聚，难免有三种现象出现，他对之很不以为然，为不受刺激、避免不快，他觉得还是缺席为上。我请他一一道来。

小 G 说，去年国庆节期聚会，他所置身的群体，突显一个话题，说破了，就是比富，而富的判断标准,是拥房状况。"你新买了吗?""还不到二百平米吗?""什么?在南边?为什么不在北边买?""是双卫吗?""第几套?"……弄得多年没有迁新居的,包括他那种虽有改善却并不豪阔的,席间多有不快。虽然聚会中也有另叙别的话题的,但总有一两个活跃分子,到头来把买房话题吵大,买不起的抱怨声与买到手的得意声此起彼伏,更有自己未必多阔,偏详述其亲友别墅豪宅景象:超六十平米大客厅,三角钢琴,古瓷陈列室,热带植物暖棚……小 G 说,如此俗不可耐的节聚气氛,还是躲开为妙。

又说去年节间,母校校庆,搞了个校友光荣榜,彩色相片头一名,注明是某机关主任,括弧正厅级;第二名,某公司总裁,注明副局级……这不是媚官是什么?他当即找到一位副校长,提出意见,跟他同届的某某,搞基础理论研究多年,所发论文在国际上影响很大,怎么榜上无名?又有低他两届的某某,虽已下岗,但其见义勇为的行为,是上过电视、报纸的,怎么也名落孙山?请上主席台的,怎么都是当官、经商和演艺界出了名的,而且商人财富再多、演艺圈里光环再亮,竟也还是要排在当官的后头,而当官的,怎么又非得按级别高低排序?这样搞校庆,究竟在价值观方面对小师弟小师妹们进行什么样的引导?那位副校长倒是满脸微笑耐心听取他的意见,但一转身,就口唤"王局"老远伸手连说"没忘母校难得难得",迎过去了。

小 G 言道,比富、媚官之外,节聚中还有一种陋习,就是宠星。如果真是某明星的粉丝聚会,倒也罢了,明明是老同事聚会,那明星只是某公之侄女,邀来聚餐,本无不可,但召集者竟把那明星当作了主角,明星绝不准时,众人皆饿,召集人还嘱服务员热菜慢上,明星姗姗来迟,多人哄然称快,挨近合影,索要签名,其实明星纯为顾及其伯面子,方来蜻蜓点水,热菜未碰,以水代酒,略作礼贤之态,便匆匆翩然引退,而席间话题,从此明星及彼明星,又多并不涉及其演技,而是曝其唱一次演一集入几位数,虽多有不平之音,亦以见到真佛为荣。小 G 说那次旁边某公问他:明星凭什么挣那么多?他答曰:答案不就在此地吗?你不如此追宠,其身价何至天文数字?

听罢小 G 之言,我说:你这描绘,属于典型化手段,若按契诃夫剧作,及丹钦柯、斯坦尼之道，或者再冲淡些表现，可能更接近真实。但也觉得小G所痛陈之节聚三陋，实可提醒我们应自觉恭行节聚三忌：忌比富、忌媚官、忌宠星，庶几可令节聚之时，多些平等气氛、纯净乐趣。

龙来了

主：记得十几年前，你头一回访问西方国家回来，兴奋地说起超级市场，详细描述那摆满琳琅满目商品的货架子，还有商品包装上的"斑马纹"，以及收银小姐如何用手中的"电眼"照那"斑马纹"，麻利地算妥顾客应交的费用；又形容那供顾客自选商品时随便取用的手推车，"银闪闪的呀！"你眉飞色舞，我们全家听得津津有味……

客：可是现在，光你们家楼下就开着三家"超市"。

主：那时你给我们形容西方的快餐店，"麦当劳"啦，"肯德基"啦，"必胜客"啦……我们听得入神，都说：唉，什么时候我们这儿也能有那么漂亮的快餐店呀？

客：现在从你这窗子朝下一望，马路对面不就是一家"肯德基"么？

主：往北一点就是一家"麦当劳"。最近"罗杰斯"也在北京开了好几家连锁店。那时候你把那边拍回来的照片拿给我们看，啊呀，你身后的摩天楼，不但高得让我们吐舌头，整座楼怎么都是玻璃，不见水泥板啊？我们真是惊奇得不得了！

客：现在那种玻璃幕墙大楼在中国一点都不稀奇了，有个北京人甚至皱着眉头跟我说："玻璃幕墙，哼，臭一条街！"

主：你还给我们形容过迪斯尼乐园，为了说明什么是"过山车"，你还在纸上给我们画了出来，给我们解释"离心圈"的原理……

客：现在光是北京一地，就有三个类似的娱乐场所吧？龙潭湖边的"北京游乐园"，石景山游乐园，密云好像还有一个……

主：是呀，现在中国不仅有了当年你绘声绘色跟我们说起的这些个玩意儿，而且，还往往是"后来者居上"，比如说，世界上营业面积最大的一家"麦当劳"，它并不在美国，或什么其它的西方国家，恰恰在中国北京……

客：在王府井南口？最近好像是为了建"东方广场"，拆迁了。不过，一旦恢复，它可能会更大。最大的一家"肯德基"也在中国北京，而且就在天安门广场边上，与毛主席纪念堂为邻……记得我十年前到西欧访问，入住的那些星级饭店虽说都很雅致，却没有任何一家拥有宽敞的大堂，可是现在北京的星级饭店，五星级的中国大饭店、王府饭店、昆仑饭店等，大堂的宏阔华贵自不消说，就是四星级的，比如说天伦王朝大饭店的"罗马大堂"，差不多足有两千平方米，好气派！连西方发达国家的客人走进去，都不禁叹为观止！

主：是呀，前年你访问新加坡回来，跟我们形容圣淘沙岛上的水族馆，说那里头有穿行水下的透明通道，不劳参观者自己移步，自动路轨便能把参观者从入口从容地送至出口……可是前两天北京的一个类似场所已然试营业，报上说是亚洲最大的一个，可见新加坡的那个已被比下去了……

客：是呀，现在的上海，尤其是那个浦东，世界上最高的建筑已经在那里破土动工，而且是请西方名建筑师设计的。现在很不少西方的建筑设计师在忙着给中国搞设计，而且都是"大活儿"……

主：记得十几年前，你去参加一个西方国际电影节回来，说起感受，一是觉得西方的片子新颖得让人眼亮，一是为中国参赛的片子"寒酸"或"生硬"自卑、叹息；可是没过多久，中国电影在西方电影节上摘取奖项就跟玩儿似的了，什么柏林金熊、威尼斯金狮、戛纳金棕榈枝……全都拿到过了，甚至于连还是个少年人的夏雨，又是首次上银幕，也能击败保罗·纽曼等西方红星，摘取 A 级国际电影节的最佳男演员奖……

客：那时候，在西方见到一些台湾去的人，有的在大学里当了教授，有的著书立说，在华人文化界名声大噪，很是羡慕……现在，大陆去留学，取得博士学位，留在那边，被大学聘为教授的，也多起来了，有的还成了终身教授，甚至担任了名

牌大学东亚系的系主任。至于著书立说，现在已经不是住在那边，用中文写作，在
这边出名，而是干脆直接用英文、法文等西方文字来写，来出书，并且是要打入西
方的主流文化；有的确实也取得了一定的成功，比如在西方图书市场进入畅销书排
行榜、获得相当著名的奖项……

主：记得十几年前，有一回你小声告诉我："知道吗？我那电影剧本，实际上贯
穿着存在主义意识……"仿佛是吃到了多么大的一个禁果似的。现在存在主义算得
了什么？很古典了嘛！最近北京就在上演萨特的舞台剧《死无葬身之地》，有个小青
年去戏院前跟我这么说："嗨，都什么时候了，他们还演这号博物馆里的戏！"

客：是呀，那时候，我看了他们一部电影，里头有同性恋的内容，好惊奇呀！现在，
陈凯歌的《霸王别姬》不是满大街地演过了吗？至于小说家的笔下，什么同性恋呀、
忘年恋呀、乱伦恋呀、变态恋呀、自慰恋呀……差不多都涉及了。

主：文学批评，像什么"新批评"啦，"解构主义"啦，"后现代"啦，"后殖民主义"
啦，"女权主义"啦……也都早就在这边时兴开啦！

客：最近我拿到一家杂志的合订本，打开一看，嗬，满眼美国"语言哲学"的
味道……其实，在那边，什么索绪尔呀，福柯呀，乔姆斯基呀，知道的人反而很少，
像你提到的种种批评方法，在西方只是大学文科课堂里的玩意儿，一个普通的，或
者说正常的西方作家，或给报纸书评版写文学评论的人，他根本不理会那些东西，
而是只顾用个人的方式表达个人的意绪……

主：这么说我们这儿反倒比他们那边闹腾得还红火了！也是，国门大开快二十
年了……

客：十几年前作家出国访问，仿佛是一桩多么了不起的事，有的作家写自己小传，
还要郑重其事地在里头写上：某某年某月曾参加中国作家代表团到某国访问……

主：现在除了"官方"安排的出访，应国外种种机构或私人邀请出国访问的也
很多，比如一位写抒情诗的诗人，他现在持有因私护照，几乎年年都要去几个国家，
光是近三四年他就去了韩国、日本、新加坡、俄罗斯、芬兰、南斯拉夫、澳大利亚……
现在有的经济效益好的报刊、出版社的编辑，也在川流不息地出国，比如我认识的
一位报纸副刊编辑刚从欧洲游完七国回来，而另一位正在报上连载访问美国、西班牙、

捷克的随感，显然，那是绕了地球一整圈。

客：是呀，记得曾有作协官员自诩为"外交部长"，其实现在有的作协一般会员就比外交部长还有见识，外交部长是不能去没建立外交关系的国家和地区的，对不对？一位东北的作协会员却去过某些至今还没跟我国建交的地方，比如某些中美洲国家、南非什么的……

主：他怎么能去呢？

客：他是搞外贸的，跟那些地方有生意来往。

主：说到生意，也就是市场经济，十几二十年前我们聊天的时候，提起股票、期货、信用卡、房地产、花园别墅、写字楼、综合性大商厦……什么的，真有点望洋兴叹的劲头……

客：记得那时候我提到"写字楼"这个词儿的时候，你还撇嘴，说我是"香港腔"……

主：是呀，我说，应当说成"办公楼"；你就郑重地提醒我说，这些楼宇，几乎都是卖给或租给商家，用来安置商家的"白领"办事的，而且，所办的完全不是公家的事情，是用来为商家董事会谋取利润的，既然不是"办公"而是"办私"，怎么能叫作"办公楼"呢？只好随香港的叫法，称之为"写字楼"，尽管现在用笔写字的时候并不多，都是用电脑做事了……

客：现在据我所知，中国大陆作家，尤其北京、上海两地，使用电脑写作的极多，似乎不用电脑的反倒成了少数派了！

主：时代潮流嘛！

客：时代，还潮流？可是据我所知，香港、台湾，还有海外的华文作家里头，使用电脑写作的反而不多，比如香港的梁凤仪——关于对她的那些"财经小说"的评价问题暂放一边——她每个月至少要推出两部新书，可是，她就不用电脑，完全是用笔一个字一个字在稿纸上写出来的。按说她也算得一个"富婆"，又生活在眼下世界上电脑化程度最高的地方，可是她就不用电脑写作。台湾的作家我认识很多，他们当中甚于还没有一个人是用电脑写作品的，我认识的在美国的华人作家，也如是。当然，这不等于说他们家里没有电脑，或不使用电脑，他们主要是用电脑来储存、查阅资料,到"网"中漫游,有时也用电脑发"电子邮件",可是,他们却很少有用电脑来写华文的,甚至于给朋友写信,也还是用手写。

主:你的意思,是中国大陆作家在现代化方面,已然很超前了?

客:所谓现代化,其实也就是以科技和经济牵头的全球一体化,弄得地区、民族的固有特点越来越少,到处是差不多一个规格的高速公路、绿底子有英文的荧光路标、有棚顶和自动记数储油箱的加油站、分割成小厅的电影院、铺着人工草坪的足球场、泛滥到全球的"垃圾食品"如"麦当劳"汉堡包,还有摇滚乐、可口可乐、冰淇淋、健身器材、空调机、色拉酱、信用卡、旅行支票、彩票、轿车卡车和大巴小巴、立体交叉桥、有斜拉钢索的高架桥、集装箱、玻璃幕墙摩天楼、格局相同的写字间、设备雷同——从抽水马桶到自动感应干手机——的卫生间、面目相似的自选超市、一律黑色格调的音响设备、几可互相乱真的星级饭店标准间、出租车和类似的计价器、微笑得一模一样的空姐、高瘦得毫无道理的服装模特儿以及他们走猫步的 T 形台、浑身抹着橄榄油的健美(实际上往往是健丑)运动员、西装与领带、茄克与 T 恤、电子游戏机、"大哥大"与 BP 机、油性签字笔、双面胶带、一次性纸杯与纸盘、微波炉、工业式生产培育出的像蜡制品的大香蕉,以及到处摆放着的盆栽巴西木与散尾葵……

主:是呀,从最大的方面到最小的方面,都讲究"与世界接轨"。

客:尤其是观念上的接轨,比如,都要讲究"效益"。

主:你怎么这么一个口气?难道你多年来所企盼的,不就是这么一个局面吗?

客:那时真没想到,会这么快地跨到了这么个局面!

主:这局面怎么了?难道讲效益不好么?

客:什么是效益?

主:就是……

客:就是赚钱!效益是以赢利多寡来衡量的!所谓"数字化管理",就是统统以精确的钱数来使一切标准化!而钱的量度,对不起,得用硬通货,特别是美元来作为单位!你这个机构效益怎么样,首先得看你创了多少汇!就是你挣了多少外汇,一般指的也是美元!现在人民币暂时还不能自由兑换成美元,或别的几种硬通货……

主：听说正在积极准备条件，尽快实现自由兑换……

客：那在观念上就更向硬通货靠拢了！衡量一个人或一桩事，首先要看其值多少美元！

主：你的口气怎么变得这样激愤？

客：不是我这人爱激愤。事实上，拿文学界来说，不是凡沾美元的事儿——好，退一步说，含蓄点说——凡是"涉外"的事儿，似乎都是——且不说物质收益——挣脸的事儿，既为国争光也为己争光的事儿么？你看报上的那些个消息：某作家得了外国的什么奖项了，某作家某作品被外国翻译出版了，某作家出国访问了、讲学了，某某人被外国的什么《名人录》收入词条了，某作品被外国报刊介绍了……

主：这确实都是些个好事呀，至少不是什么坏事吧……

客：而最令人齿冷的，是所谓"诺贝尔文学奖情结"，有的中国杂志，它就公开标榜，它的宗旨是把中国作家推到斯德哥尔摩瑞典文学院的颁奖名单上……

主：这也不失为一种可贵的努力啊，至少，这是一种有趣的做法吧？

客：有趣？如果有个西方国家的文学杂志，它说它的宗旨是把他们国家的作家推荐到中国来，你不觉得古怪吗？

主：有这种情况存在吗？

客：闻所未闻。而我们这边渴望与西方文学"接轨"的情绪甚浓。你不觉得肉麻么？

主：你也太尖刻了！而且，正像我们开始谈话时所回忆到的，十几年前，恰恰是你，口头禅便是"人家那边"已经如何如何，"我们这边"却还如何如何……我还记得有一回你教我欣赏布鲁斯乐曲，你说："再不补课，我们会变成恐龙的！"那时候我听了既自惭形秽，又战战兢兢。现在我们都没成为恐龙，而你所向往的那条美丽的"龙"，它却在中国现出了须牙鳞爪……

客：（笑）你别光说我，你自己呢？我还记得，你那时候说过，干脆把现在的这些个都辞了、免了、推了、弃了……干干净净地，做一个自由撰稿人，可现在怎么样呢？

主：那时候……现在……

客：那时候，确实不可能，进行每一步骤起码会都遇到技术性困难；可是，现在从技术层面说，只要你有决心，完全可以做到。比如王小波——当然，他不幸仙逝，祝他灵魂能继续快乐——就做到了。现在自动辞职，或自动退职，不会被视为反动。现在不拿国家工资可以自己挣钱过日子。现在你打开《为您服务报》或《精品购物指南》那样的小报，在广告版上可以看到密密麻麻的供你租用的房屋信息，你既可以租条件好租金贵的，也可以租条件差些租金便宜的，比如与别人合住一个单元。你现在只要有一个身份证，可以买飞机票，住旅馆……如果有一个因私护照，那就更事事方便了，你要出国，只需那国家或地区给你签证……你卖稿子更不成问题，现在不是有人以百万元的高价征稿吗？他只要求你的稿子达到他开列出的几个条件，绝不会再要你出具"单位证明"，说不定因为你是个自由撰稿人还更优礼有加呢！你也还可以向境外投稿，王小波就得过台湾《联合报》的大奖，据说奖金很不老少，他在郊区的住房便是用那笔奖金买的。总之，你那时候所向往的，现在如要下定决心，都可以成为活生生的现实……

主：可是坦率地说，我还是……习惯于多少年延续下来的这个活生生的现实了，我不能想像，倘若我真的辞了职，没了固定工资，搬出分配给我的福利房，还失去了公费医疗和退休后的"份儿银"，并且也失去了若干头衔，纵使我发表作品不会有人为的障碍，那我……

客：别说下去了。彼此彼此。

主：合算咱们说了半天，全是白说。

客：没白说。只是一时似乎都说不明白。

主：那就都再想想。赶明儿再说！

1997 年 12 月 5 日绿叶居

明天对着看

据说有的西洋人初学中文，连"再见"这句话都记不住，只记得中文老师对字面所作的解释，于是下课跟老师告别时，结结巴巴地说："老师……我们……明天……还要对着看！"由此倒引出了我对几本书的联想。最近时事出版社出了一套"西方视野里的中国形象"丛书，首先选译了四本较早的著作：美国传教士阿瑟·史密斯于1899年初版的《中国乡村生活》；英商立德之妻阿绮波德·立德1901年初版的《穿蓝色长袍的国度》；英国传教士麦高温初版于1909年的《中国人生活的明与暗》；美国威斯康辛大学教授罗斯初版于1911年的《变化中的中国人》。这四部书都写在中国辛亥革命之前，老书新印，真可谓是"明天对着看"了。四位作者本身自认是对中国和中国人抱有善意的，我们现在读来，也确实能感受到他们的那一份善意，他们也都努力想通过自己的著作，来使西方人（首先是他们各自国家，又首先是他们国家里跟他们在一个社会圈子里的人）了解中国和中国人，他们写下了大量目睹身受的事情，有的事情他们自己还参与其中，并据此发挥出他们的感慨、分析、评价与判断，四本书里还都附有颇多随文的"同步"照片，读来生动活泼，绝不枯燥。但这四位著作者，也都自觉不自觉地充当着为西方开拓新殖民地的情报员的角色，其中史密斯的《中国乡村生活》最为露骨，且看其部分章节题目："乡村结构"、"乡村名称"、"乡村道路"、"乡村渡口"、"乡村水井"、"乡村地痞"、"乡村头面人物"……其最后一节干脆是"基督教能为中国做什么？"

这些"西方视野里的中国形象"，本来并不是写给中国人看的，又因为中国自辛亥革命后，所发生的变化已经不是一个"大"字所能形容的了，因此，这样的一些著作在西方和中国图书馆里头，早已属于鲜有人翻阅的压架"冷书"，现在时事出版社将它们翻译出版，当然是为了给现在的中国人看，那么，我们现在来看这些西方死人眼里的旧中国的"形象"，意义何在呢？当然，头一个意义，是大家都容易想到的：从中可以作新旧对比，忆苦思甜，进一步，还可以悟出为什么中国本世纪会有后来的一系列发展变化；第二个意义，是可以从中看出中西文化的差异，这种差异虽经近百年的世道沧桑，而体现于某些方面竟还是那么鲜明；但，我以为，还有一个意义，便是从这四本书里，也还可以发现，中国的某些问题，中国人中所存在的某些通病，他们指出了，不管他们当时的用意何在，我们现在看到他们的描述，以及某些议论，却难于平静，因为那些问题和毛病，直到今天，竟仍未彻底解决和克服！例如罗斯在他的书里指出："实际上，中国贫穷落后的主要原因仅仅在于有限的土地上养活了过多的人口……中国首先必须在人口数量与就业机会之间作一彻底的调整。""中国人……经常将陌生人与其收入、生活方式、财产花销等方面结合起来评判……他们精明地在死人坟上以纸钱代替真钱来燃烧，并设计出一些他们认为有价值的、用纸张制成的、在葬礼上燃烧的祭祀的东西。他们渴望得到的是物质利益而非精神祝福。""在中国，一般人还没有形成一种维护那些不应分配的公共利益的观念……所以团体利益为个人利益而牺牲，公共利益为地方一小部分人的利益而牺牲，子孙后代的利益为今天活着的人的利益而牺牲。"面对这些触目刺心的文字，我们应当有坚韧的神经与思考的勇气，正如当年鲁迅先生所说："看了这些，而自省，分析，明白哪几点说的对，变革，挣扎，自做工夫，却不求别人的原谅和称赞，来证明究竟怎样的是中国人。"

类似这样的"西方视野里的中国形象"，可找出翻译出版的还有不少，辛亥革命以后，新中国成立前，种类更多，这些昨天原本并非为中国读者写的书，到了让中国读者"明天对着看"的时候了，盼时事出版社将这项有意义的工作持续下去。

1998 年 7 月 21 日绿叶居

心有斑马眼有灯

八月初，在京城北二环内一条马路的人行道上，有两位中年同胞跟我问路，我最初的反应是：我们这边哪儿有什么"斑马巷"呢？我刚摇头，又忙点头笑，咳，他们问的是"斑马线在哪儿"啊，我高兴地跟他们说："我正好也要过马路，来，咱们一块儿去那里过！"

我领他们边往前走，他们一个说："奥运嘛，咱们不能让人家看见说中国人乱过马路！"另一个就说："什么时候也不该乱穿马路啊，这叫文明，对不对？"头一位又说："可是有时候，找个斑马线，大老远，这道路管理上，是不是也该再合理化一点呢？"我附和："对啦，比如过街天桥上下梯口跟公交车站的距离，究竟怎么才最合理，就值得研究改进。"我们走到了斑马线旁边，一位就要去利用穿行，一位就拉住他："现在红灯！"那位退后感叹："如今过马路也要看灯呀！可这儿又不是十字路口！"我说："交叉路口斑马线装灯，大家都习惯了，部分非交叉路口的斑马线也安灯，说明我们城市的交通管理的文明水平更细化了，有的斑马线灯柱上还有大按钮，有急事要过马路的行人，可以按它进行呼叫，电子管理系统就可以缩短原来预设的秒数，给车子亮红灯，给过马路的人亮绿灯……"他们就齐声说："好！文明！"正好斑马线对面给了放行绿灯，我们就一起欣悦地从斑马线过了马路。

八月下旬，我和老伴暂住儿子家，他们那边的马路很宽，以前去他那里暂住，独自外出总把过马路视作畏途，且不说经常有随意穿越马路，甚至跨越隔离墩的"勇敢者"，就是到了斑马线，也总有眼中无灯的冒进者，即使给了绿灯，同侧右拐的汽车又有绝不减速礼让的司机，有时儿子或儿媳妇开车迎送我们，在那马路上等绿灯的短暂时间里，还会有散发小广告的人或报贩演杂技般地穿行在车流往车里推销，唉，过回马路形同一次历险。这次景象大变了，虽然那个楼区离跟奥运相关联的比赛场馆配套设施都比较远，也没有志愿者维持秩序，但绝大多数路人都已经心有斑马眼有灯，中规中矩地过马路了。

记得二十多年前头回到美国访问，那正是柏杨发表《丑陋的中国人》演说没多

久，很快又印成了书，其命题并不怎么警动我，因为在那以前已经有日本人写出了
《丑陋的日本人》、美国人写出了《丑陋的美国人》，人因热爱自己的民族，爱极生恨，
深入反省本民族的劣根性，痛加揭露针砭以求改进杜绝，是很自然的思想言论。但
去读柏杨的论述，却发现他非常简单地把国人的丑陋概括为"脏乱差"、"窝里斗"，
不禁嫌其浅显，难道这就能唤醒民族的自尊奋进？后来世界上去的地方多了，在国
内经的事更多了，渐渐体味出柏杨立论的精确。拿"脏乱差"来说，原以为国民生
产总值提升，城市现代化进程速度加快，随地啐痰、乱抛垃圾、胡穿马路、高声喧
哗等等不雅现象自然消失，但经济的水涨并未使文明习惯的船位相应变高，在改进
国民陋习方面，我们实在需要以韧性的努力去持续攻坚。

北京奥运使北京在杜绝"脏乱差"方面取得令世界刮目相看的效果，并将一种"洁
美优"的生活模式辐射至全国。那天在一个路口等候斑马线绿灯时，两个中年人议论：
"怎么觉着顺眼多了呢？""路口边的广告牌全拆了呀！你抬头看，楼顶上的广告牌
也没啦！原本随处可见的青春痘似的小广告也没啦……""过了这阵，是不是碍眼碍
事的东西又都卷土重来呢？……"

是呀，这不脏不乱不差的情形能持续到奥运后吗？"客来面子光，客走懒梳妆"，
难道真是我们的生活之道？我想，一定程度的退步恐怕难免，但螺旋性提升的前景，
肯定是有的，关键在于，我们民族有了新的一代。今天又在斑马线边等灯时，我听
两个中学生在讨论："机动车已经给了红灯，可对面斑马灯还要滞后几秒才变绿，这
时候跑过去对不对？""等候斑马绿灯，必须站在马路牙子上头吗？站在斑马线头上
算不算违规呢？……"我听着，心里很感动，噫，"鸟巢一代"，预示着中国文明进
步的大好未来！

不能乱拿我们的钱!

　　四十多年前,还是戴红领巾的时候,曾经参加过宣传储蓄的活动,宣传的重点,是参加储蓄,便是支援国家的建设。我们年纪虽小,自己还不能挣钱,但是也身体力行,把家里父母给的零用钱,攒起来到中国人民银行开了活期储蓄的存折,虽然存了很久也未必达到相当于如今十块钱的数额。还记得在电影院里看纪录片,银幕上出现了武汉长江大桥的镜头,想起辅导员告诉我们的话:这大桥的建设费用里,说不定也有我们参加储蓄的那一份!当时真是把巴掌都拍痛了。

　　这么多年过去,如今世事有了许多变化,中国人民银行不再直接接纳储蓄等业务,面对我们普通储户的,是各个其下属的专业银行,如工商银行、建设银行、农业银行等等。现在人们存钱时,支援国家建设的意识已有所淡化,事实上国家现在财力雄厚,最近一年来,不是以提高利率来吸引更多的民间散户存款,而是以调低利率的手段,来鼓励人们用别的方式参与国家的经济生活,如购买小汽车和商品房,进入股票市场,进行合法的生产投资与商业经营,等等。人们现在也都懂得,如今的经济形态已然多样化,银行所贷出的款,不一定都是直接用于国家的建设项目,或都贷给了国营企业,其中有一定的份额,是贷给了非国有甚至于是私人的企业。我这样的描述,可能很不准确,甚至暴露出了在金融知识方面的严重欠缺。不过我想会有许许多多跟我一样的普通老百姓,尽管对急剧变化的经济生活不能从理性上把握,却仍怀着一份质朴的信任,近乎固执地继续往银行里存着自己的血汗钱。

　　过去银行里也有贪污分子,查办他们的经过,也登过报。这本不是什么稀奇的事。哪国银行都有内部蛀虫,及时捉出便是。但近来我们报上关于银行内部贪污腐化的报导,却常令人读来心悸。手头有一张今年5月24日的《南方都市报》,头版有篇《风流行长和三个老婆——重婚纳妾、疯狂索贿受贿的原建行江门北郊支行行长冼治平堕落记》,其中最令人读后不能平静的,倒还不是他如何重婚纳妾又包"三奶"及种种挥霍的丑行,而是,他那建行行长的职务,是由海关调过去,经由获得了"建设银行系统先进工作者"称号后,在1993年7月被任命的;而自当了行长后,他便利用可以批准贷款的权力，疯狂索贿，短短一年中，他索贿便几乎平均每日进账万元！他为了给小老婆和超标生育的"龙凤胎""安家"，索贿面积二百多平方米，带空调并带五万元家俬，总价值达一百一十万的别墅一座；在三个多月里，向行贿者贷出了三千万元，并向该人面授拖欠还贷的"招数"。他还以支行开的一家公司的名义，与人合伙投资开发地产，共贷款六千万，其中合伙人占三千万，该人承诺给他每亩土地"回扣"一万元，共三百亩地，于是又有三百万到手。他案发时，已如此这般地贷出了一亿七千多万元，有近亿元至今未收回！这篇报导末尾的话更惊心动魄："对冼治平的严重违法乱纪行为，所属部门从未向纪检、监察机关反映。""冼治平一个支行行长，论级别只是个科级干部，却可以将数以亿计的贷款随便贷出，无人监督过问……"

这类的消息，近来几乎翻开报纸便会扑进眼中，例如我伸手取来的《新民晚报》6月3日《法律广场》版，头条便是《被收买的权力——一个银行副科长的堕落》，里头说的那位副科长以贷款权谋私，一个月内便得"回扣"赃款六十万元；获价值一百八十万的商品房一套；甚至在其最"收敛"时，也还是到所"效力"的商人处领取每月五千元的"津贴"！近日中国人民银行公开发布了《禁止银行资金违规流入股市》的通知，可见银行中的蛀虫们为了侵吞公款，什么坏事都干得出来！

银行里的钱，虽然不都是我们这些平头百姓存进去的，但我们所存进去的，应占了很不小的一个份额。银行是钱生钱的地方，贷出款去，到期索回本息是银行的正常业务，也是我们这些普通储户能拿到利息的缘由；问题是怎么可以乱拿乱贷？甚至银行里有贷款权的人还帮着贷款的人拖欠赖账，这怎么能行呢？不能乱拿我们的钱！当然，你可以说，是因为遇到了个别坏人，可是从上面的简述中也不难看出，坏的不仅是那个支行的行长和那个副科长，至少，监督有贷款权的负责人的机制里，就有坏的因素；再有，科长副科长便能如此行使贷款权，这个权力的赋予，这种"游戏规则"里，显然也有坏的因素。我不懂金融，但我想我的这个思路该不是错的：要杜绝冼治平一类的蛀虫的存在，就坏蛋捉坏蛋的办法是不顶用的，彻底理顺、改革、健全我们的银行体制和机制，实在是刻不容缓、迫在眉睫了！

不要白纸

　　"一张白纸,好画最新最美的图画",这是一种美学向往;然而,另一种美学向往,是不要白纸,记得小时候常与兄姊作这样的游戏:一人先在纸上随意抹上几笔,或溅上一两滴墨水,然后由另一人或另几人,由此生发出一幅图画来,最后所获得的快乐,似比在白纸上作画更甚。如果说架上画多是从白纸(或其它素净材料)上起笔,那么,艺术摄影恰恰相反,它总是要面对着非空白的"已在"来开始其创作。文学亦然。一切文学作品皆需想象,或者说文学即是写作者以文字挥洒其想象的产物。但很显然,有一种文学想象,虽然其素材在写作者心中是丰沛多彩的,那创作方式,却是从"白纸"上起笔,也就是其人物、情节,完全或绝大部分,是虚构的。另一种文学想象,以真人真事为框架,不要白纸,从限定的"已在"起笔,如历史小说,"纪实小说"(这个提法尚未形成共识,姑暂用之),以及逼近现实的"新新闻小说"(这个从西方趸来的概念在我们这边各人理解也并不相同,亦姑用之)等等,其想象力所驰骋的空间,主要是细节铺排、氛围"复原"、心理活动、情感波澜、性格冲突,以及终极性的人性叩问,写好了,我以为往往会比前面那种纯虚构的"白纸起笔"式作品更具震撼力,特别是在我们这个时代——倘嫌动辄便说"时代"未免夸张,则可改称"这个时期"或"现阶段"。

　　是啊,在现阶段,非虚构的书籍确实常常占据着销售排行榜的首位,例如影视明星、主持人所写的那些书,它们受到一般读者近乎狂热的欢迎,为什么?其中有一条合乎情理的原因,就是读者想从中获知他们这些"公众玩偶"的隐秘一面,以满足好奇心。这些书里写得好的,除了文字流畅活泼,最突出的优点,便是善于从"已在"起笔,把已非"白纸"的自我,在读者面前展开文学想象,在这样的想象中既完善(或者说是修补、修饰)了自我,也给予了读者超越好奇心的愉悦与启发。不少文化人对这些"明星著作"不屑一顾,但是,近来所津津乐道的,如《陈寅恪的最后二十年》,张中行的《流年碎影》,董竹君的《我的一个世纪》,黄仁宇的《万历十五年》《中国大历史》等"系列",也都是"非白纸作画",当然严格而言它们都是非文学类书籍，可是，它们所散发出的浓郁文学气息（命运感、人情味、人性探索），却又是公认的。由此可见，非"白纸起步"的文学想象，有很强的生命力，既能获得有傲骨的雅人青睐，亦经得起相当犬儒的市场挑剔。

我曾有过《钟鼓楼》那样的"白纸作画"式创作，也曾有过《私人照相簿》那样的从既存照片生发出文字的创作。两种美学向往，都曾激发出我的创作热情。但我最近手头又把玩着一组从旧至新的照片，不要白纸，看我这回能不能"画"出一部新的"长卷"来呢？

1998 年 1 月 30 日绿叶居

兑现承诺

一条小消息几乎登遍了各种报纸。说的是美国犹他州一位小学校长为了激励学生多读书，开学时许下这样的承诺：如果学生们读的书合计达到十五万页，他便在11 月 9 号从家里爬到学校去。那些五到十一岁的顽童们居然因此而发奋读书，提前达到了指标。于是校长很认真地兑现他的承诺，在那天从家里一公尺一公尺地爬到了学校。

这位美国校长以"苦肉计"来达到"劝读"的目的，似不足为训。但他"一言既出，驷马难追"，看来他是在许下承诺那时，已作好了实施兑现的准备——他家距学校约一点六公里，恰相当于在常规运动场的跑道绕四圈——这样一个承诺，在学生们一方听来，既有刺激性，又不像"从楼顶上跳下来"那么悬乎；在校长自己而言，以力所能及的苦来换取十五万页的阅读量，付出与赢得之间是平衡的，值得。事到临头，他不得不真爬；但他并不想支出得更多——他可以爬，却绝不能受伤；那一天正是雪后，他穿了早已备妥的绝缘服，戴了四五副手套，还戴了厚厚的护膝；他爬得很技巧，很谨慎，从早上七点爬到九点四十五分，终于圆满地兑现了自己的承诺。

我们应该学习这位美国校长认真兑现承诺的精神么？

我觉得，参考参考也就罢了。实际上，这件事情里，浸透的尽是些美国文化。"你能为我做些什么？我能为你做些什么？"这是西方市场经济运行中，具有普适性的，人际交往的"等价原则"，不过美国人实行起来，往往更"卡通化"，你说他们是天真也行，说他们是游戏人生也行，反正，一般来说，小事情上，如给人指路、看你顺眼让你搭个顺风车什么的，他们可以完全不求回报，但稍微大点的事情，他们可就要斤斤计较了；那所学校的学生们，小小年纪，增加阅读量应是其分内的事，可是用一般的讲道理和给予奖励的办法，显然都不能奏效，只有在校长跟他们"打赌"后，这才有了当"赢家"的劲头，结果他们果然迎来了校长爬行的那一天。当然，即使他们是为了让校长输掉而不得不当众爬行，才积极读书，那读过的书，到头来还是能使他们受益。

我们无妨设想一下，倘若这事发生在中国，校长已经爬行在大街上了，看见的人们，首先是学生家长们，会是怎样的反应？那一定是，跑过去扶起他来，绝不会听任他真的一路爬完那一点六公里的距离。可是，美国的那些家长们，以及知道了是怎么回事的市民们，他们却并无一人过去阻止那校长爬行，他们是冷血动物，全无心肝么？非也，他们很激动，反应很强烈——他们多半是开着小汽车，从车窗里看到，于是他们按喇叭，向那校长致敬！学生们呢？要在中国，也多半会跑过去，扶起校长，甚至会有女学生，拉着校长的手，哭出声来，而且一定会有学生对他说："我们再也不会惹您生气了……"可是，那些美国学生，却并没有这样做的，他们是怎样做的呢？他们在校门外的路上迎候校长，给他鼓掌，冲着他不断地喊："加油！"没有哭哭啼啼，没有内疚愧悔，竟是一派兴高采烈的气氛，到后来，有不少的学生，匍匐到地，跟校长一起爬完最后的路程，抵达终点时，响起一片欢呼声。

这是美国的校园故事。故事里的人物都是些美国人。这故事虽小，却从头到尾，乃至每一个细节，都充溢着美国味儿，其所思所想，所行所为，恐怕跟英国、欧陆的老小们都已经拉开了距离，只有地道的美国佬才会如此。没必要去学。学也学不来的。不过时不时地知道点这类匪夷所思的事儿，稍微想一想，也好。

非严肃的空间

"严肃文学"这个概念,虽然我自己也在用,可无论读到或写下这个词组时,心里头总有些个别扭。我们说"严肃文学",是与"通俗文学""拴对子",有时候又把这一概念用"雅文学"(或"高雅文学")及"纯文学"来表达。其实,文学的本性中,含有谐谑的因素,究其根源,文学的产生,虽不能说一律出于消闲需求、游戏心理,也确有很大一部分,实在并非是"严肃"的产物,比如《诗经》中"风"部的若干吟唱,那开篇的"关关雎鸠,在河之舟;窈窕淑女,君子好逑",就很不严肃;当然你可以说"国风"本来就是通俗文学一路,与"大雅"属两个范畴的东西,可是,毕竟"国风"早在孔夫子时代便成了《经》,现在有人写文学史,说"风"比"雅"、"颂"的文学性强,我们阅读时的感觉也大都如此,诵"风"时多有愉悦感,读"雅"、"颂"时则味同嚼蜡,"非严肃"的倒比"严肃"的更具文学性,这是怎么一回事儿?

不管怎么说,文学这个东西,它占有很大的非严肃空间。鲁迅先生最好的小说,显然不是文笔十二万分严肃、一气呵成的《一件小事》,倒是为报纸上的"开心话"版面随写随续、文笔十二万分波俏的《阿Q正传》。

现在说说文学批评。在我心目中,文学批评并不是一种与文学创作对立的东西,它本身就是文学创作中的一个品类,应与小说、诗、散文、剧本……并列。那么,依我的思维逻辑,文学批评或许也可以有"严肃批评"、"通俗批评"之分,但到头来,你也应当允许文学批评中含有谐谑、幽默、调侃,乃至游戏的成分,无论写文学批评文章,还是读文学批评文章,心理都不宜过分板结,还是松弛一点,潇洒一点,活泼一点,灵动一点的好。一言以蔽之:也应给文学批评一定的非严肃空间!

常常听到这样的反批评:这批评(文章、批评者)太不严肃了!当然,文学批评与其它文学创作品类,在其特性上还有所不同,当文学批评指向某具体批评对象时,应尽可能全面、充分地占有真实可信的原始资料,不能张冠李戴、指鹿为马、以讹传讹、断章取义,倘是在这方面出现了信口开河的问题,那当然是不严肃;但是,如果仅仅是批评者使用的批评方法比较诡奇,或文笔比较调侃辛辣,便也斥之为"不严肃",

那就未免待之过苛了。比如，现在有的批评家试图引进某些西方的批评方法，如"后现代"、"解构"、"语言哲学"、"女权主义"等等，来评析现、当代中国作家及其创作，可能不怎么成功，或一时令人费解，但你不好轻易地斥他们为"不严肃"，因为那毕竟是一种尝试。王国维当年引进叔本华和尼采的学说，用以剖析《红楼梦》，你可以说他那是"借他人酒杯，浇自己块垒"，不能算是"正宗"的"红学"文章，却不能说那是"不严肃"的文学批评。再比如鲁迅先生所写的一些与论家争鸣的文字，极尽辣辛调侃之能事，甚至于有时在小说中涉笔成趣，语带双敲，如《故事新编》中的若干文字，都是故意在非严肃的空间中驰骋，你可以对之恼怒，或不以为然，以反唇相讥，或指其不妥作为反应，却也不得不承认：那毕竟也是一种创作方式，只好任其在他的文集中永存。

严肃是人类诸种情愫中最具正面性质的一种。但严肃不能发展到过分的地步。倘以是否严肃为评判文章优劣的唯一标尺，那么只有两种文章够格，一是古代科举考试中的"八股文"，一是"文革"中的"大批判稿"。人类的精神生活中一定要有严肃的东西以为"身躯"，也一定要凭借非严肃的"翅膀"，在既有终极追求，亦有随境而舞的潇洒翱翔中，去获得认知与禅悟的快乐。文学艺术尤其需要有一个宽阔的非严肃空间，作为文学艺术中一个品类的文学批评当然并不例外。

1997 年 11 月 29 日绿叶居

个案与细节

历史是宏大的叙事，需要重大事件、知名人物（或流芳千古或遗臭万年）、经典文献、年表、统计数字等等构成其骨架，但历史也需要——暂不说是更需要吧——个案与细节，来成其血肉，使读史者获得鲜活的感受，从中受益。最近李辉编了一套"沧桑文丛",首批推出了八本专著,便是历史个案的汇辑,并且大都充满了翔实生动的细节,读来令人眼热心悸。

这八本书中,胡风夫人梅志的《往事如烟》,其中有些似乎是不经意写出的细节,比如在那个阶级斗争的弦越绷越紧的年代,非法制的"群众专政"无处不在,令善良而胆怯的个体生命,难以觅到一处可以倾心交谈的角落,老友约她相见,到了饭馆,总愿找一处车厢座相聚,因为相对而言,车厢座多少带些隐蔽性,大体上可算为公众共享空间中较为私密的小区域;在今天读到这类的细节,再联想到时下个人私密空间的展拓,与安全感的增强,不能不感慨系之!邵燕祥的《人生败笔》则把"文革"中别人给他贴出的"三反罪行"材料,他的思想检查,批斗会记录等等,和盘托出,这本书比他那本记叙"反右"中沦落过程的《沉船》更具原生态的史料价值,他自称这书是"一个灭顶者的挣扎实录",他说,"在我,无论违心的或真诚的认罪,条件反射的或处心积虑的翻案,无论揭发别人以划清界限,还是以攻为守的振振有词,在今天看来,都是阿时附势、灵魂扭曲的可耻记录",在历史面前,这样的自我宣判实非矫情,读来令人遍体清凉,同时,在钦佩燕祥勇于把自己摆放到历史手术台上开刀,以为一例、警戒后人的同时,我们也不禁要扪心自问:怎样学习这种精神,以涤荡自我灵魂中的污秽?何金铭的《走进炼狱》记叙了他当年作为团中央的一个科级干部,参与团中央"文革"的全过程,是一部不可多得的"文革"回忆录,不仅传主自身的心路历程构成了非常值得研究的"文革"个案,而且,其中所记录的当时团中央领导人胡耀邦在大劫难中的若干真实细节,也丰富着这位后来在中国政治生活中更加重要的历史人物的史料,弥足珍贵。张颖的《风雨往事》,书名取得不算好,有点太笼而统之了,因为她本人一生经历丰富,无论是青年时代在重庆周恩来身边工作,还是后来随章文晋出使美国,都可谓风雨兼程,往事悠悠,然而这本书并不是她个人的自传,而是美国人维特克采访江青的实录,其实不如就以《维特克采访江青实录》作为书名更令读者一目了然。这本书从辟谣入手,拨开民间一度流传的所谓维氏撰《红都女皇》的迷雾,笔调冷静,实事求是,越是准确地报导真相,越能把江青稳钉于历史的耻辱柱,并可引发出深层次的思考。牧惠的《漏网》一书在这套丛书中显得稍弱,这是一本杂文随笔散文与回忆性文章的合集,不是文章不好,而是令人觉得非专为存史而著，其实他很可以像何金铭一样，把"文革"阶段在中宣部系统的狂暴斗争里的经历如实地书写一番，现在虽有几篇涉及，终嫌过简。

李辉在"沧桑文丛"总序中说，该文丛"将以回忆录和传记为主，并适当选择一些不同历史时期的日记、信件等能够真实反映历史原状的作品。作者或传主不受其名望、地位、职业的限制，风格也尽可能多样化。"他并不是在搜集稗闻野史，而是在认认真真地为历史积累有根有据的个案与细节，这是非常有意义的工作。

在文丛第一批的八本书里，涉及以往出现偏差的政治运动的占了大多数，我以为这并不是引导读者向后看，而恰恰是在提醒读者们，面对当前市场经济中出现的腐败等负面现象，以及种种一时令人迷惑难解的问题，我们绝不能出于焦虑或愤怨，便希图从以阶级斗争为纲的岁月里去寻找"办法"，我们必须坚持改革开放，以推进民主、健全法制、提倡科学、民族亲和等手段来开创新局。在这文丛第一批中，还有任捷写的献身于我国航天科学的专家任新民的传记《火箭在发射》，胡平的《移民美国》和陈湃的《越战亲历记》，显示出历史的多向度与丰富性，这三本书所提供的个案与细节也都非常生动，令我们在读史中思今，在思考中获得领悟的愉悦。

1998 年 4 月 22 日绿叶居

[沧桑文丛，李辉主编，第一批八种，河南人民出版社 1997 年 9—11 月第一版]

顾盼神飞

北京美女如云，其中最值得注意的是白领丽人。自八十年代以后，北京逐渐成为一个国际化的大都市，首先，北京有超过一百五十个国家或地区的大使馆或办事处，还有联合国及其它国际机构的派驻中国的分支机构，有世界银行及许多跨国资本的金融机构的驻京办事处，至于所谓"三资企业"，至少有几千家的总部设在北京，其中许多是世界顶尖级的生产大名牌产品的企业；北京的星级饭店数量超过纽约、巴黎、伦敦、东京，更有若干世界一流的高尔夫球场和高档俱乐部，欧陆风情、北美风情或体现"同一空间中不同时间并置"的后现代风格的写字楼、商住楼、高级公寓成片成簇；你闭眼想想，光我上面提到的这些个机构、场所，就需要招聘多少白领丽人！好啦，你睁开眼睛，到三里屯去逛逛吧，别一听"三里屯"就望文生义地以为是个没开化的屯子，那是使馆区，也是外资机构云集处，那里有"酒吧一条街"，鳞次栉比地排列着大大小小的酒吧茶寮，这些个酒吧茶寮装饰得别提多么"情调"，或怀旧，勾出你陈年一段隐秘之情，或新潮，引出你今日一派浪漫之欲……好啦，别净务虚，来点实在的吧——这些个京城白领丽人，她们究竟有多美呀？你在傍晚时分，徜徉在那些街头咖啡座之间，又挑选了几家不同风格的酒吧茶寮，进去暗中观察，啊哟，你有点失望了不是！怎么……似乎并没有天生丽质，哪能够沉鱼落雁……有的甚或个头偏矮，有的五官配置平平……没让你魂惊魄颤，难令你拍案惊奇；但是，甘蔗从梢吃，甜味慢慢增，你再细观，啊，很少素面朝天的，也很少浓妆艳抹的，大多是极讲究的，个性化的淡妆，人么，细看似乎未见有多妖娆，但风度嘿，唔，风度似乎还都不错……对啦，你这样欣赏北京的白领丽人，才算是找准了审美角度。

　　人家是美在风度，美在气质，美在修养，美在内涵，懂么？如果拿《红楼梦》大观园里的美人儿打比方，人家既不是弱不经风、动辄以泪洗面的林黛玉，也不是人谓装愚、自云守拙、一问摇头三不知的薛宝钗，也不是豪爽外露、话多却又咬舌的史湘云，而是个个都仿佛那善于理家生财、最早推行责任承包制的贾探春，探春第一次出场，对她的描写里有句云：俊眼修眉，顾盼神飞，文彩精华，见之忘俗。请特别注意"顾盼神飞"这四字评语，北京当代白领丽人，其美的神韵，全在眼神中！如果你不会用眼睛跟她们说话，并且是说脱俗的，既高雅而又潇洒的话，那你就别指望能跟她们交往。顾盼神飞，翻译成现代流行语，就是"酷"。当然啦，如果你跟某个北京白领丽人，在眼波流转中达成默契，双方都觉得可以坐在咖啡桌边聊聊，你点了一杯粗蠢的美式咖啡，她点了一杯秀气得要命的"卡普奇诺"——意大利加奶油的苦咖啡，于是你们开谈；你可要留神，切莫露怯，比如，你跟她谈萨特，她会抿着嘴笑，因为萨特太古典了！好，你跟她谈米歇尔·福柯，她会淡淡地应付你几句，你以为她是怎么回事？她会莞尔一笑，告诉你，福柯也死了好多年了！她嘴中哼出一个洋名字来，显然是仍在世的某西方学者的名字，你没听清，为掩饰自己的无知，你也不好再让她重复，那学者的学问非常之前沿，其著作国内尚无人翻译，她自然是从外文报刊上直接阅读到的，说不定还翻阅过原著——北京的白领丽人平均学历越来越高，在西方获得过博士乃至博士后学位的大有人在。当然啦，也许另一位跟你一起喝苏门答腊无咖啡因咖啡的那位白领丽人没那么"学者化"，你们且谈谈名牌吧，你说及皮尔·卡丹、耐克、鳄鱼什么的，她也抿着嘴笑，因为你说到的不过是些"大众名牌"，真讲究名牌的人，那是绝口不提这类毕竟是批量（虽然是小批量）生产的牌子的，那是必得"一物一做"的名牌才"上得了台盘"的，于是你这才注意到她那貌不起眼的手袋，那是"独一份"的手工制品，是路易·威登吧？对了，这样去想，你的"境界"也许还能获得她的首肯。好，不多举例，我在长篇小说《栖凤楼》里，写了不止一个北京白领丽人的形象，有兴趣的读者无妨翻翻。

你也许会说，这些个北京的白领丽人，其实多半是从外地到北京来的吧，她们能算北京美人么？她们大多数都已跟北京认同，开着私家小轿车，在北京的四道环路上风驰电掣，晚上回到自己购买或租住的单元房里，有一份神圣的私密。她们当然已是北京人。正如《红楼梦》里的"金陵十二钗"，她们早已北迁居京，是地道的京都美女一样。

当然，北京还有不少土生土长的美女，其中一部分已进入上面所说的白领丽人一族，其余的呢？我以为，特别值得一提的，是北京旗人的后代，那些甚至到今天仍居住在古老的胡同和四合院里的美女们。她们也有从事白领工作的，但大多数恐怕是蓝领，或其"领子"颜色介乎"白""蓝"之间，她们的特点是温柔多礼，初次跟人见面，甚至还会腼腆局促，她们的肢体语言，以及在服装和饰物方面的自觉"符码化"，可能比上面所说的白领丽人们稍逊风骚，聊起带学问的话题更比那些白领丽人略输文采，但她们一样会用眼睛说话，其顾盼神飞的优势，对比于许多外地美女，仍是明显的。跟这样的美女相约在北京风味的小吃店，点一碗热腾腾的炒肝，或一盘红艳艳的灌肠，又或是两个"驴打滚"，一个蜜麻花，喁喁细语，浅笑慢嚼，聊一聊颐和园的紫玉兰今年开得怎么样，琼瑶的《还珠格格》拍得好不好，又或是冯小刚今年的贺岁片《不见不散》，比他去年的那部《甲方乙方》孰优孰劣，再或是究竟国贸中心的惠康超市，还是丰联广场的百佳超市，哪个超市更货好价平……倘若她是一个颇具"古风"，能喝热得涩得扎嗓子眼的豆汁，能扎风筝、抖空竹、听大鼓书、唱几句梅派《凤还巢》的美人儿，那就更让你爱而慕，慕而敬，敬而喜，喜而增爱，爱上加爱，你说不定会觉得，上面所说的那些个"与国际接轨"的洋派白领丽人，可以作谈伴，作挚友，可以文明同居，可以组成"丁克家庭"……却不如这些个收入可能差些，使用的化妆品可能廉价些的胡同美女，更值得与其建立稳固的关系，乃至娶其为妻，1+1=3，筑起虽不一定高雅，尤其未必新潮的小巢，在其中享受一份淳朴而琐屑的人生乐趣……

也许，你既想要鱼，又想要熊掌，你会问：有没有土洋结合、中西合璧的美人儿？最好是整个儿地实现了"全球一体化"，集中了所有"人类共享文明"，"兼美"型的，如克莉奥佩屈拉＋西施＋蒙娜·丽莎＋泰姬＋阮玲玉＋刘晓庆＋山口百惠＋索菲亚·罗兰＋朱迪·福斯特＋乔依娜＋阿基诺夫人＋居里夫人＋南丁格尔＋希拉里……我可不说你是痴心妄想，说真的，这样的美人儿，在北京准埋伏在什么地方，你就细细地搜吧！

老牙不掉

个体生命总是由盛而衰，人老牙掉，几乎是不可抗拒的规律，也许有个别的老寿星牙掉得晚些，在生命结束时剩下的牙多些，但百岁而一牙不掉的例子，还没有听说过。

但由芸芸众生所组成的群体，虽生生灭灭，那可以抽象出来的人性，却似乎犹如不掉的老牙，代代相传，顽强执著，令人思之凛然。

　　"人性之牙"中，超越现实功利的爱情，面对死亡的泰然自尊，是老而不掉的。有一种说法："爱与死是文学艺术永恒的主题。"我们曾经严厉地批判过，认为背离了革命至上的正理。其实世上所有革命的真义，都是为了捍卫超功利相爱，以及葆尊严而辞世的生命权益。

　　中国民间文艺里，相府小姐王宝钏在楼台上抛彩球，众多的富豪子弟皆不入她目，唯独对衣衫褴褛、气宇轩昂的薛平贵一见钟情，不偏不倚，将彩球掷其怀中，并心甘情愿为此付出了十八年寒窑茹糠的生命代价，这颗"牙"老不老？然而，掉了吗？有关的戏曲、评书一直说唱到现在，甚至于仍有观众、听众"为古人落泪"；也不独是王宝钏、薛平贵的故事，人们甚至于不腻烦于雷同，还有柳迎春与薛仁贵的故事，戏曲舞台上，关于王、薛有《武家坡》，关于柳、薛有《汾河湾》，两出戏人物的扮相相同，甚至有些细节也相同，连梅兰芳大师，在其回忆录里也承认，曾在登台时一刹迷糊，错把王氏演作了柳氏，可是观众们怎么样呢？哪个故事都舍不得淘汰，哪出戏都舍不得放弃，就这么着，迤迤逦逦，几百年地一路演了下来，虽遇上过"文革"那样的大劫，有过十年的中断，但十年在历史长河中只算弹指一瞬，归根到底还是老牙不掉，甚至于愈老而愈俏。

　　外国文学艺术中，"灰姑娘"的故事套路已成滥觞，白马王子是任有千百个娇公主贵小姐在他眼前如花怒放，就是都不展笑动心，唯独身分低微、饱经磨难的"灰姑娘"，令他眼青心热，穷追不舍，这故事从口传，到文字，到卡通画，到歌剧，到芭蕾舞，到电影，到电脑游戏，也一样是老牙不掉，代代相传，越来越香，最近风靡全球的美国好莱坞巨片《泰达尼克号》，可谓这一滥觞的最新花样，只不过将"灰姑娘"换成了"灰小伙"，又利用世纪初泰达尼克号误撞冰山，众多生灵沉入冰海的大灾难作故事背景，越发将超功利的情感和人际关系在生死关头中表达得缠绵悱恻、荡气回肠，加以运用高科技，形成最瑰丽的视听效果，赚取了不同肤色、不同年龄的多少观众的眼泪！

　　从上面所举的例子可知，老牙之所以不掉，是因为那超现实功利的情感与人际关系向往，与人性中的善愿相契合，只要人性中的这个方面不泯灭，文学艺术便尽可继续不断地将此"杨柳枝"翻出新花样来。

不过，也有人对王宝钏、薛平贵，还有"灰姑娘"之类的故事，一概表示厌烦，一位同龄朋友看完《泰达尼克号》后就一再跟我说："老掉牙啦！毫无新意！内容苍白，只不过包装华美罢啦！现实当中哪儿有这样的事？有也罕见，不典型！"

与这位朋友认知相同的人士，显然是注意到了人性的另一面，即追求现实功利，并期盼能有捷径，速成，立竿见影，最好是不费吹灰之力，唾手可得，即使不得不付出代价，也总要尽可能以最小代价谋取最大利益。手边随手抻过一张报纸，其广告栏中有征婚启事，在"凰求凤"栏中，对"凤"的要求是："本科以上学历，京籍，具有正直宽厚的性格、成家立业的基础"；"觅潇洒豁达港澳台成功男士为伴"；"有一定经济基础、重感情、有教养"……"凤求凰"栏中，"凤"对自身的介绍则强调："懂生活，住房宽松"；"有住房，经济基础好"；"经理，事业有成，有车有房"；"下海数年有幸成功"；"高级白领，月收入可观，有车房"；"私企董事长，有名车豪宅"……我把这张报拿给那位朋友看，问他："这些'牙'难道不老吗？不也还没掉吗？甚至于可以说，白利利地排列着，生猛得很呢！"他说："我的意思是，文学艺术应该多表现这种现实中实际存在的现象，当然，我并不是说要肯定甚至赞美这种功利的诉求……"我说："王宝钏的故事里，'灰姑娘'的故事里，《泰达尼克号》的故事里，都有这种以现实功利为生命砝码的人物呀，像王宝钏的父亲，'灰姑娘'的继母，《泰》片里那女主角的未婚夫……不都是作为反面人物，纷纷登场了么？这些老牙也都没掉呀！"他嘿嘿地笑，半晌才说："王宝钏'灰姑娘'电影里阔小姐爱上穷画家……毕竟是造梦啊！"

是的，相信在报上刊登征婚广告的诸位"凤"与"凰"，多半也会进电影院观看《泰达尼克号》，并很可能一时感动得唏嘘不止，他们人性中非功利的向善一面，需要在文学艺术家所造的绮梦中获得确证；然而，出了电影院，回到日常生活里，他们依然会追求票子、房子、车子……因为他们人性中功利的欲求一面，更需要在流水般的时日中得到不逾法律之矩的切实满足。至于各自人性中那两面间的激荡冲和，内心的煎熬挣扎与清夜扪心时的喟叹，那也许是再亲爱的人也难以全盘了然的生命秘密了。

人性之牙老而不掉。无论新老，掉落下来满地难找的，只是那些违反人性的说教。

1998 年 4 月 10 日绿叶居

足够冷静

最近有年轻的朋友来访,告曰:注意到了么?现在有三股潮流在涌荡,一股,类似二十年前的"伤痕文学"和"反思文学",但形式上不仅体现于文学,内涵也更深刻,"思痛"与"思忆"的范围从四十年代"延安整风"一直贯穿到"文革",重点则似乎落在了"反右运动"上;另一股,可能是从前些年的"私小说"发展而来,也不再借助于虚构手段,而是赤裸裸地宣谕隐私,重点集中于"情爱",保证是"绝对"的;还有一股,则举出"断裂"的大纛,欲在与既定的"文学秩序"宣战中,谋求一种突破……他这样概括完以后,问我:你置身于哪个潮流?我说,如果真有这样的三个潮流,那我哪一个也不置身其中,都只是在其外观潮而已。他颇忿然,指责我说:你竟如此冷面冷心!我解释说,我的血,当然还是热的,对你所概括的第一种出版物,我阅读得不少,而且对其中有的著作,还著文表明自己从中受到了哪些教益;但就我自己而言,属于最少"代表性"的一代,四十年代刚出身,五十年代还处在童年和少年时期,"文革"虽亲经亲历,但因"文革"爆发时我已是一个中学教师,所以我不曾有"红卫兵"的身份,也不曾以"知识青年"身份"上山下乡",也不够"走资派"或"反动权威"的资格,所以,我自己的写作,很难参与到这一潮流之中。我最近写了一部文字与照片、图画配合的长篇作品《树与林同在》,写一位不知名的普通人六十余年的人生遭际,卷前题辞曰:"谨将此书献给尘世中所有被埋没的有才之士",此作虽然也有"伤痕"或"反思"的意蕴,但重点却放在了咏叹人生与探索人性上,叙述的语调很冷静,没有控诉性的激越情怀,有的只是沧桑之感,甚至是面对深不可测的人性的一份无奈。估计这样的作品,不可能像年轻人所举的任何一类潮流中的作品畅销,恐怕只能是一种边缘存在,写的人既冷静,读的也只能是些冷静的人,双方在冷静中相遇,默默体味罢。

年轻人所列举的第二种浪潮,我于之更保持着相当距离。保持距离并不一定是反感更不一定是反对,那只是清醒地意识到,"那不是我的活儿",比如我喝不来芳香型的白酒,任是高档名酒我也敬谢不敏,这种清醒地保持距离的做法,便算是有足够的冷静吧！

至于青年人所举的第三种浪潮，我还不太清楚，我想他们要"断裂"，大概是针对"中心"而言，即与构成所谓"既定文学秩序"的"主流"断裂，我个人早已不在"中心"，也早已不在"主流"，有十来年是甘居边缘，享受一份"边缘光"，很知足的状态了，而且，那些高举"断裂"大纛的青年作家，他们现在所据的"非主流"地带，似乎离我的站位也很远，实在是两不相干。

年轻人又跟我预言，会有一阵葡萄牙文学热兴起，又问我搞到了萨拉玛戈的《修道院纪事》中译本没有。我说我近期、远期都没有这样的研读计划。我有足够的冷静，知道自己在有限的生涯中，以有限的能力，只能做些什么达到什么，"守着多大的碗吃多大的饭"，这于我而言不是消极保守，而是用人生经验换取来的，足够的冷静。

慎言"足球流氓"

3·24 陕西体育中心所发生的事端，造成公共财产的严重损失，当然是令人遗憾的事。一部分球迷因为情绪失控，以不理智的行为恣肆宣泄出心中的愤懑，有的报纸已作了报导，网上更出现了不少直观的资料。有人认为这是自 1985 年 "5·19 事件"以来的第二次"足球骚乱"，而且严重程度大大超过了那一回，并指称西安闹事的那些球迷为"足球流氓"。

在我年轻的时候，体育比赛包括足球比赛，都是政治的延续，如果是国内人自己比赛，那么无论球队还是观众，尽管也会在一定程度上在乎输赢，但思想上放在第一位的，还是"锻炼身体，保卫祖国，建设祖国"；如果是与外国人比赛，那就被看作是外交活动的一种方式，绝对强调"友谊第一，比赛第二"，"为双方加油、鼓掌"。1985 年时候，我正当中年，"5·19 事件"的发生，使我感觉到社会转型也折射在了体育比赛,特别是足球比赛上;也就是说,球迷们的观赛意识里,政治因素已经淡化,从政治框架里脱缰而出的希望自己拥戴的球队取胜的激情,因为一时又没有新的文明道德框架约束,演化为了"群体无意识"的大混乱;那时有把这种现象简单地从政治角度归结为"有失国格"的评论,我不甚同意,写了篇《5·19长镜头》,抒发自己的认知,大意是说其实参与闹事的球迷——都是些年轻人——其实只是进入到了人类中凡球迷都可能情绪失控的状态罢了,这尽管是桩坏事,却也从侧面说明我们的体育比赛以及观赛者,开始进入了世界普适的通则通例中。到我渐入老境,我国的体育比赛不仅基本上完成了纳入世界通则的轨道,而且,有的项目,尤其是男足比赛,开始市场化,不是政治的延续而是经济的延续了。"球市"这个称谓,在我年轻的时候是不可想象的,就是"5·19事件"发生时,也仅是有非政治性的球迷,而并没有什么经济意义上的球市。但是,进入到新的世纪里,尽管中国足球的市场化派生出了种种问题,尤其尖锐的是眼下已进入司法调查阶段的"黑哨"问题,导致了公众普遍的焦虑——相信这也正是触发3·24西安球迷情绪狂乱的一大心理背景——但是,我们冷静下来一想,既搞市场化,"黑金"现象就一定会见缝插针,我们没必要退回去,应该做的只是规范市场,加强稽查,及时处置,把"黑金"赖以插入的缝隙尽可能减少(完全消除是美好的愿望,但全世界尚无任何国家或地区达到了完全消除)。再一细想,中国足球的进步,特别是男足终于圆了进入世界杯决赛圈的梦,市场化也确实在一定程度上起到了催生的作用,而在这一过程中,广大的球迷所体现出的热情、激情、浪漫情怀,可圈可点、可歌可泣的事例真是太多太多,中国的球迷即中国足球运动的散户投资人,按总体文明水平而言,在世界上绝对属于一流!

"3·24事件"作为一桩个案,应该从学理上进行细致深入的分析研究。尽管这次事件中烧毁破坏公共财物的个别闹事者可能会因此受到司法检控,并不得不受到应有的责罚,但我不能同意把他们轻率地称为"足球流氓",更不能同意把所有卷进狂热旋涡里的球迷统责为"足球流氓"。"足球流氓"是一个专用语汇。据我所知,在英国,有一批被称为"足球流氓"的人,他们至少具有以下特点:一是近乎职业性地到足球赛事上去寻衅滋事,哪里有大的赛事他们就一定到那里去集结;二是必定无事生非，他们拥戴的球队输了要闹，赢了也要闹，觉得裁判不公要闹，就是裁判没惹他们也要闹，总之他们是闹定了，闹事第一，看球第二；三是他们一闹必闹大发，打、砸、抢、烧是家常便饭，更有持枪行凶，造成人员伤亡的。英国的"足球流氓"臭名昭著，不仅英国警方把他们列入了控制名单，凡举办国际性赛事的国家、地区的警方，对他们也都严阵以待，有的根本不允许他们入境。我以为在我们国家的球迷中，还并没有这样的"足球流氓"出现。最好永远也不要出现。我们的传媒在使用"足球流氓"这个语汇时，一定要慎之又慎，尤其是对待本国的球迷，又尤其是对待比如"3·24事件"中因偶发性狂躁而闯下祸的那些年轻人。一个语汇如果不加节制地轻率使用，往往会形成一种心理暗示，我就知道有位恨铁不成钢的母亲，开头只是因为她的儿子在学校里跟一位女生发生了一点纠纷，女孩子委屈地哭了，班主任老师约她去谈话时也只不过是让她注意教育儿子要礼貌待人，她回到家里却气得乱骂儿子"臭流氓"，自那以后不管儿子有了什么错失，她都是一顿"臭流氓"的詈骂，后来儿子上高中时果然因耍流氓被拘留，讯问时儿子有这样的表述："反正我妈就认定我是臭流氓，怎么也好不了啦，那我干吗不真流氓一回呢？"引述这个例子，是为了更清晰地表达我的意见：面对"3·24事件"，我们所应该优先思考的是：如何在目前的情势下，从舆论上为我们进步中的中国足球、中国球市、中国球迷，架构起新的文明道德框架？

熟能生错

最近几天食不甘味、寝不安席，为的是自己一篇文章里出现了一个硬伤。

原以为生疏会导致出错，没想到烂熟也能生错。我修订一篇文章时，觉得可以增加一个例子，心里想的是《琵琶行》，敲电脑时却敲成了《长恨歌》。那个引例里还引出了"老大嫁作商人妇"的句子。文章未修订前，本无错，却闹出了修而订之反出错的笑话。文章打好存盘前，我照例要至少复验一遍，一些原来并不太熟悉，查过资料才引入的资料，眼光扫过时速度会慢些，有时还会停留下来，不放心地加以确证，但像白居易的《琵琶行》《长恨歌》什么的，即使自己学养欠缺，总还当过多年中学语文教师，这都是入了课本，多次在课堂上讲过的，《长恨歌》里的女主角是杨贵妃，《琵琶行》的女主角才"老大嫁作商人妇"，怎能混淆？但我硬是没有发现改正。我儿子工余帮我打印文章，每回打印前他都会替我再检查一遍，不仅对引文，有时对某些关联词甚至标点符号，都会提出意见，尽量使文章不出错并且漂亮一些。但偏这篇"修订稿"，那个"小儿科"的错误也从他眼皮底下滑过去了。文章收入集子，到了编辑手里，他是非常认真的一位好编辑，审阅书稿的过程里多次来过电话，核对引文，讨论某些字词的用法，但恐怕也是因为对这处引例所涉及的符码太熟悉了，眼睛脑筋完全引不出警觉，因此也就偏偏让我酿成的这个硬伤漏了网，最后印到了书上！现在我要向读者深深地道歉：即使您一看就能判断出这是个笔误，毕竟会如同在碧粳粥里嚼到一个沙粒般引起不快。实事求是地说，这本书里的文章我都是抱着认真的态度写的，编辑更付出了可贵的劳动，整本书的错误率是很低的，我复验的结果是除了这一处还没发现别的问题。出现硬伤的责任完全在我。

出了错，承认、道歉以外，更重要的是汲取教训。如果把教训仅仅归结为"以后可不能再粗心了"，那未免肤浅。恰好这几天所翻的两本书，给了我很大的启发，能够使我从这样一个错失里，升华出一些较为深刻的憬悟。

梅兰芳在其《舞台生活四十年》第二册里，有一节《台上的"错儿"》，里面举了很多演出中不慎出错的例子。有一回他演《桑园会》，这出戏里的女主人公跟《三娘教子》的女主人公的扮相没有区别，出场的样子也相仿，那天他在小锣打的引子里出了台，嘴里几乎是本能地念出一个"守"字，"守冰霜……"是《三娘教子》里的引子啊，这下可张冠李戴了！幸好他在一瞬间清醒过来——现在是唱《桑园会》啊！立刻改口，念出了"愁锁双眉……"的正确台词，好在这两个人物的出场引子的头一个字字音相近，台下的观众也没怎么发觉。梅兰芳回忆这次失误说："好险哪！打完引子，转身坐下，我真好像出过一身冷汗的人。"他总结为这样一个教训："这两出戏都是我常唱的戏，而且唱得烂熟了，就不把它放在心上，才有这样疏忽大意的毛病。"

因此要把"熟能生错"当成一个警戒性的座右铭。写文章拿出去发表，跟演员上台表演应遵循同一个道理，越是熟悉的，越不能疏忽大意。

除了从反面警戒，有没有从正面修炼的方法呢？《荀慧生演剧散论》里面有篇《三分生》，他从正面指出："由生入熟易，由熟入生难。生到熟是个练的问题，熟到生却是个想的问题，得动脑筋，动心。"他主张演员"上台三分生"，即使是烂熟的剧目，临到上台也要只当那角色是个还没有"熟"的"三分生"的人物，这样，每一次演出就都成为了一次再创造，达到了回回令其"由生到熟"，而一旦结束演出，又"仍有三分生"，无止境地丰富人物，使其呈现在舞台上时永葆鲜活灵动。这就不是一个避免因烂熟出错的方案，而是一种以"三分生"来提升艺术造诣的美学创见了。

因此还要立一个"遇熟三分生"的座右铭。对于我来说，今后不仅是在引用熟例时要保持"三分生"的眼光，格外注意其准确性、恰切性，而且，还可以将这精神引申开去，比如写小说，素材的来源，可以是原来完全陌生的领域，去那里体验了，拿来剪裁利用，更可以是从原本熟悉到极点的领域里，从中获取新的发现，谋为新篇。但往往因为熟悉，结果麻木，难有兴奋点，擦不亮灵感火花。比如我在北京东郊温榆河畔辟了间书房后，刚开始，因为生，对那边村里村外的生活、各色人物，有种急迫的了解欲，就觉得有许多可以化为小说的东西；但渐渐的，跟那里的日常生活融为一体了，跟不少人熟稔了，就又觉得无甚稀奇，似乎难以从平凡、平淡中提炼出特别有意思的东西来。看来，太生和太熟的感觉都不利于创造，还是适当地与关注的对象保持"三分生"为好。从"熟能生错"的惊呼，到"遇熟三分生"的颔首自叹，我心头那因一个硬伤而形成的焦虑，终于化解为了自我警戒与勉励的一派澄明。

2002 年 1 月 24 日温榆斋

学会欣赏田赛

一般来说，如今人们比较喜欢观看的体育项目，一是自己国家运动员有望夺牌的，二是具有直接对抗性的球类比赛，这也难怪，像射击、射箭等项目，简直看不出一点外在的激烈，甚至场面非常冷清，成绩出来得很慢，倘若不是有自己关心的运动员在参加比赛，恐怕没有谁会盯住去看。但是，人们对田赛的冷落，却是一桩遗憾的事。

田径场上，径赛属于同时空的并肩性速度对抗，刺激性强，往往即使自己国家的运动员没希望入围、夺牌，也很愿观赏。田赛的竞技虽同空间却不同时间，要一个一个地轮流上阵，费好大工夫，到最后才分晓名次，我们国家在田赛方面实力较弱，因此电视转播也不够积极，乐于欣赏的人也不是太多。

奥林匹克体育运动，溯至其源头，是古希腊的奥林匹亚运动会，那时，田赛是最重要的竞技项目，也是人们观赏的热点。田赛一是跳高与跳远，一是投掷铁饼、标枪——后来又加上了铅球、链球。以更高、更远为目的，决出名次，只是比赛的一方面属性，另一方面的属性，则是在跳跃与投掷中，显示人体美。古希腊时的以体育为时尚，完全没有朝名次这一个方面倾斜，甚至可以说，那时更看重运动员力与美的结合，运动员在竞技场上不仅应显示出自己的速度、高度与远度即力度，更应该显示出挺拔而又灵活的躯体、筋腱富于弹性的四肢；那时还只是男子的竞技，所以又特别讲究阳刚之气，运动员除了以布块遮蔽生殖器官，基本上裸身，还特别要以宽阔厚实的胸大肌、收缩自如的腹背肌、斜方肌等部位，令观众获得人体健美的至高享受。那时对获胜者的奖励，不仅是给以奖品，也不仅是挂上月桂树的香枝花环抬起来游行，而是还要让雕塑家给他们塑像，把那力与美的完善结合在大理石上凝固下来，以为万世之赏。我们现在仍可看到公元前五世纪左右，当时大雕塑家米隆的名作——《掷铁饼者》，据说传至今天的已非原作而是罗马时期的仿作，但摹制得极好，把古希腊奥林匹亚体育的雄风，以急剧的动态与瞬间的平衡，充分地展示在了我们眼前。

国际奥林匹克体育运动发展到今天，成绩很大，但派生出的问题也不算太少，比如，为了获取奖牌，从运动员选材上下的工夫越来越偏，不少运动员给人既不健更不美的感受；更可怕的是服用兴奋剂或使用其它反健康的手段，唯"成绩"是图，其颓风竟有愈演愈烈之势。"更高，更远，更快"的提法并不错，但看来还应该加上"更健美"——附带说一句：现在流行一种尚未纳入国际奥林匹克运动会项目的健美运动，那里面问题也不少，往往把人体变成了肌肉大堆积，健未必真健，而离美远矣！——我们现在应该返璞归真，回归古希腊的健美标准，在《掷铁饼者》雕像前，我们值得一再深思！

相对而言，现在的奥运会里，田赛运动员的古典健美程度，还是比较高的，而且在跳远跳高，特别是三级跳远和撑竿跳高，以及各种投掷项目里，不仅有力度的展示，也有瞬间速度的辉煌，是很值得凝神欣赏一番的。倘若 2008 年北京能举办奥运会，建议大家积极到比赛现场去观赏田赛，也盼电视转播各项比赛时，能有更多的田赛镜头。

锦绣世纪

希望 21 世纪是一个锦绣世纪。它的特点是多元、宽容、对话、协商、合作，同时各自保持鲜明的个性。它会是怎样的锦缎？以和平为经线，发展为纬线，织出碧绿大地、湛蓝海空，还有杂花生树、群莺乱舞、瓜果琳琅、彩蝶纷飞……它会如何地刺绣？理解与谅解是它的绣花针，曳着长长的，以善意与美愿捻成的多彩丝线，以诚挚穿透岁月，以智慧铺排花纹，它将绣出地球上崭新的文明，辉映着人类历史的进程。

即使是刚刚呱呱坠地的新生命，也很难说一定能穿越过 21 世纪。而像我这样的中、老年人，都会在 21 世纪里哼唱完我们的人生之歌。因此，在这 21 世纪的起点上，人类应该比 20 世纪中叶、末叶更具有共享时空的亲切感。地球是我们共同的家园，我们怎能以战乱与暴殄来败坏它？生命共存或至少是重叠于一个时间段里，使属于不同民族、肤色、性别，使用不同母语，承继着不同文化传统，具有不同宗教信仰或无宗教信仰，各谋其职，自主地选择着生活方式的一个又一个具体的生命，从人性深处，氤氲出亲和的愿望。21 世纪给了我们新的机会，来展现心灵深处的善美，将有更多的生命体验到大悲悯的情怀，从以往文明史中汲取营养、经验、动力，也从以往的历史进程中吸取教训，剔除上个世纪遗留下的，嵌在人类心肌上的毛刺。

新生儿那活泼的生命，一开始总不免染有羊水与血污的腥臊，刚刚驰来的 21 世纪之车里，也不免装载着 20 世纪遗留下的问题与困惑。但我们有理由乐观。清水洗涤过的宁馨儿，会散发出芳馥的健康气息。通过协商与谈判，双向地让步与妥协，人类的良知终将占据上风，把时间车辆里的偏见、敌意、暴力、恐怖，逐步地抛出车外。不必侈谈世界大同，那境界可能还需要幼稚的人类进一步成熟，通过长期不懈的努力，才会升起在地平线上；但 21 世纪里，人类将切实地向大同的曙光迈进，则是可以想见的。

生命脆弱，但生命的尊严如合金钢，在 21 世纪里，我们要增强自身的尊严感，同时要更自觉地尊重他人。科学技术的迅猛发展，如一把双刃刀，正势如破竹地提升着社会生产力，提升着人们的生活品质，但也可能由于失去控制，而亵渎人的尊严。如何达成科技伦理的共识，把人的尊严置于一切方面发展的中轴，这是 21 世纪里，人类所遭遇到的新课题。在锦绣世纪里，人类的织机与针线有可能完全更新，但有理由相信，由万物之灵所织绣出的文明缎匹，将闪烁着不灭的璀璨！

人类的游戏

最近中国国家足球队又一次失败，未能拿到世界杯入场券，我也很是遗憾。众多的中国球迷对之痛心疾首，我也很理解。但是，我接触到一些球迷，读了报纸上的一些报导评论，特别是看了电视里和听了广播里的一些有球迷直接参与的侃谈，却产生了一点感想，就是一些人士，似乎把足球比赛这件事，看得太严肃而且也太沉重了。

当然，中国足球近两年在争取奥运会、亚洲杯入场券中连续失败，已令大家扫兴，这次又不仅不能进军巴黎参赛，在小组中还险些垫底，人们心情低落，也是顺理成章之事。

可是，我以为，现在有太多严肃得过分的心态与言论出现。比如，有的球迷把这种足球赛的成败，把能不能拿到世界杯的入场券，简直看成了与国家荣辱乃至国家兴衰息息相关的比天还大的一桩事。这就好笑了。现在中国早已脱下了"东亚病夫"的帽子，在国际体育比赛中，已拥有了若干强项；如果能再增加一些强项，固然很好，但也并非是足球这一项较弱，便仿佛无颜见人。有人说足球水平是否先进，是一个国家综合国力是否强大的标志；这说法很牵强，加拿大的足球水平未必很高，其综合国力却名列前茅，喀麦隆综合国力颇弱，足球水平却非同小可。有人说"中国这么一个大国，足球水平总上不去，实在说不过去！"一个国家大，就非得什么运动项目都拔尖么？有必要这么想么？上面那个逻辑和这个逻辑如果都成立，那么以后世界上的运动会就光是大国间比赛算了，因为小国倘若夺了冠，便都属于"不正常"。其实平心而论，中国的足球并不太弱，奥运会也得到过一次入场券嘛！干吗那么哭天抹泪的呢？印度这国家大不大？印尼的人口也超亿，人家回回也参加最起始的小组赛，经常是很早就被淘汰了，要是他们那儿的球迷都讲究哭，那眼泪还不引发出水灾来！他们的足球运动，实在与他们国家的兴亡荣辱无甚关联，拿我来说，倘若印度足球队拿到了世界杯入场券，我也未必就觉得整个印度从此光芒万丈；而印尼足球队这回外围赛成绩欠佳，也一点不影响我觉得它是一个很了不起的国家。我想人家看中国，也大体如此吧！更有些人，思路严肃到了胶柱鼓瑟的地步，如认为我们的输球，是输在"整个体制"上，其实这很难说，苏联、东欧的某些国家，还有朝鲜，体制与西方迥异，足球水平却都很高，苏联夺得过世界冠军，朝鲜更是迄今亚州唯一人过世界八强的国家。至于激愤地说出"恐怕是我们人种不行"的话来，那就"更向荒唐演大荒"了！这回世界杯外围赛率先出线的韩国队，且不说我们两国的人种实际上非常地接近，我们中华民族的大家庭里，根本就有一个鲜族嘛！输了球就胡思乱想到这种程度，实在不足为训！

体育运动，究其本质，在相当程度上，是人类发明出来的种种健身游戏，当然一进入比赛，要判出输赢，由于现在的世界上，还有不同的国家，因此运动员和看客们，往往把为国争光的严肃内容，注入其中，获得冠军者，更有升国旗、奏国歌的仪式，把融汇在游戏中的严肃性，推向了极致，这使得一些国家的运动员和看客，特别是体育官员，往往又把夺冠，看成天大的一件事，我们的一部体育题材的电影里，就甚至把运动员在国际比赛中获得的银牌鄙弃于海水中的行为，颂为一种美德；我以为全然忘却了体育比赛的游戏性，把体育比赛特别是国际比赛百分之百地视为一件严肃到十二万分的关系到国家荣辱的事体，实在是一种心理偏斜。拿奥运会来说，每次开幕式入场式上，我们总可以看到上百个国家的运动员在礼仪小姐高举国名或地区名的标牌引领下，打着自己国家或地区的旗帜高兴地入场，有的国家或地区，所参加的人数寥寥，甚至有的只有一人参加，而且一开赛，拿到一枚铜牌以上的国家，总算往往也不过二三十个，大量的参赛国或地区，是注定一枚奖牌也拿不到的，更有一半以上的运动员，根本拿不到前十六名的名次，甚至有不少人通不过及格赛；奥运会举行了几十届，届届如此，今后很长的时间内恐怕也难免如此；请问，如果不是把奥运会当作人类的一场快活的大游戏，那么多根本不可能夺到奖牌的运动员，还有那么多小国、小地区的人士，他们又何必来参加？就让你们那么二三十个体育强国严肃地一决雌雄，不就结了么？我们中国人曾说过"友谊第一，比赛第二"的话，这是很优美的语言，我们不应当将其抛弃；我们又说过"重在参与"，这也是很得体心胸很旷达的话，我们应当说到做到；在国际体育比赛当中，有的项目我们即使较差，也无妨一起玩玩；不要愤愤然地说什么"陪太子读书"，其实能陪"太子"读书，

难以忏悔

也是一桩满有趣的事嘛；想想中国的乒乓球有多厉害！动不动就囊括七项奖杯，那不也还是有挺多明知打不过中国，甚至明摆着进入不了决赛的国家与地区的运动员，跑来跟我们玩吗？这时候我们不就是"太子"，人家是来"陪读"吗？怎么只对人家明明赢不了也来玩就那么心平气和，对跟人家玩玩没能赢，或仅仅是没拿金牌，就那么哭天抹泪，自己既痛不欲生，对人家又嫉恨不已呢？

体育是人类的一种游戏。游戏虽有规则，为何胜怎么输了也大体上可总结出一些经验教训；但游戏的特性之一，便是其中不仅充满了千变万化、难以驾驭的偶然，而且，我以为其中也有神秘的非理性因素；因此，这回输了，分析一下为什么输了，当然必要，但不可"一定要讨个说法"。这回国家队的失利，有的人那个掰开揉碎地进行分析的劲头和话语，就严肃到我听来——坦率地说——毛骨悚然的地步，仿佛赛足球这种游戏中的每一秒钟里都充满了可以抽象出来的"道理"似的；持有如此严肃的态度，一点不能"游戏只当它游戏"莞尔一笑的人，我建议他去攻克"哥德巴赫猜想"。依我看来，这一回的失利，足协，戚务生，确实负有相当的责任，人们对之批评，他们虚下心来，冷静反思，乃至在适当的时候公开作出自我批评，并带动中国足球机制的进一步改革，当然都是必要的；但讨论这些问题，心态亦不可过分板结，既然意识到了游戏中必然有非理性的因素存在，那就不必一定要强求"理喻"。

有些球迷懊丧地说，戚务生和这些球员"又给耽搁了四年"，"我们只好再等四年"，他们当然可以有这样的情绪与诉求，但我并不欣赏这种"严肃"；我以为一个爱好足球这种游戏的人，即使是非国际性的比赛，他也完全可以从观赏中得到很大的乐趣；像美国人，他们最迷恋的体育项目是最没有国际性的美式橄榄球，那份喜爱里很少严肃的诸如"国家荣辱"、"民族腾飞"等成分，即使是大人也充盈着孩童般的一股子嬉戏劲头；真把足球视为一项可爱的游戏的中国球迷，又何必把思绪固置在四年一期的奥运会或世界杯选拔赛上？当然，现在已经有很多的中国球迷把他们的兴趣集中在国内的俱乐部联赛上，从中撷取人生的游戏之乐。

人生中有游戏，有甚为严肃的游戏。每次从电视上观看国际体育大赛开幕式上的入场式，我总特别注意那些在那种运动项目上处于弱势的国家或地区的，有时甚至是只有一两个运动员，高高兴兴地迈进，并向看台挥手的身影，他们在游戏，他们既严肃，也调皮；我以为从他们身上，可以悟出许多的真谛。

1997 年 11 月 30 日改定于绿叶居

记忆力与想象力

人过半百，记忆力减退，为此我一度非常沮丧，也有朋友为我分忧，说："这可怎么好呢？你是靠写作为生的……"他没有再说下去，我也不忍再跟他对视，心里头的"五味瓶"，倾倒得更厉害了。

但现在我渐渐不以记忆力的衰减为忧，我发现，虽说记忆力是衰退了，然而我的想象力依然充沛。

记忆力诚然可贵。尤其是少年、青年求学时期。从最功利的角度说，你记忆力差，你应考的能力必差，应考失利，会带来一系列很现实的问题，搞不好，甚至会面临相当严重的生活危机。所以，人在年轻的时候，保持良好的记忆力，采取种种办法提升记忆力，是很有必要的。人过中年，迈向老年，一般来说，记忆力减退，是正常的生理现象。你想人司记忆的脑细胞，在人成年以后，应大体保持在一个常数上，一来随着岁月的流动，人吸入大脑的信息量不断地增加，司记忆的脑细胞不胜负荷；二来许多脑细胞也使用过久，甚至死亡，再生的脑细胞恐怕不再能补足原有的数目，所以，大脑主动采取一定的"忘却"或"深藏"措施，以保护自己，不但并非悲剧，反是一种明智之举。

再说，如今人类有了许多帮助自己记忆的利器。各类的字典、词典、百科与分科的工具书，越来越完备，又出现了先进的视听手段，特别是电脑；如今又有联网的"信息高速公路"；我们不一定非要死记硬背什么，只要大体上知道该到什么地方去查，利用种种手段，查出我们所忘记，或印象已模糊，或竟前所未曾记住过，乃至前所未知的事物，都已不是多么困难的事。

我近年来除了写小说、随笔，也搞一点《红楼梦》研究，我虽然对《红楼梦》本身算是较熟，读过的有关资料也不算少，但由于记忆力已减退，因此绝不敢单凭记忆写文章，好在我虽记不住种种需用到的具体材料，却知道应到哪本书里去找；倘若我连到哪本书里去找也想不出来了，那我恐怕也就不能再奢望搞什么研究了。所以，相对而言，做学问，写学术著作，记忆力还是比较重要的，至少要有"我知道那材料大体上该往哪儿找"的"元记忆"。

好在我本不是学者的料。我写作，主要还是小说、随笔这两个门类。写这两种文章，依我的经验，生命体验，一定要丰富、深入、独特、幽微，却并不一定非得凭借准确具体的记忆，而且，比记忆力更重要的，是想象力，尤其是艺术想象力，也就是虚构的能力，创造出一个源于真实的生命体验，却又超越现实状态与过程的艺术天地的能力。这个能力，在我初学写作，乃至初"出道"时，并不怎么强，如今记忆力不能跟那时比，这个想象的能力，似乎倒提升了不少，这是令我自己欣慰的事。

而且，越往下活，我愿自己的记忆力，能更有良性的精减。所谓良性精减，就是拓宽自己的心胸，架一张良知为经、忠厚为纬的筛网，把那些以往岁月里，不值得耿耿于怀的，尽可能筛汰掉，而让不该忘却的，哪怕是沉重的，潴留在那里。

我的想象力，有一天也会衰竭吗？一些寿星文学家、艺术家昭示着我们，想象力是有可能保持久远的，如歌德，如托尔斯泰，如齐白石，如毕加索……我虽不才，然而上进之心，人皆有之，我愿自己能在越来越朝良性发展的人文环境中，想象力的翅膀得以扇动到生命的终点，或至少是离那终点较近的地方。

1995 年 4 月 5 日

结庐在何境

如今虽然有商品房出售，超级大款且可根据自己的喜好需求盖起华屋美园，但绝大多数中国人，在"结庐何处"这一点上，尚难有自主性，我当然也是如此。

五年多以前，我迁居于北京安定门外护城河边的一栋高层楼中，这是单位宿舍，楼形据说是从西班牙那里学来，呈"人"字形，为的是可以使不同方位的单元都可以有一点向南的窗户。在日益向外展拓的北京，我们这栋二环路边上的居民楼应当说位置相当不错了，因为现在动不动就要你到三环乃至四环路外的楼里去住——无论是单位分房还是你自费买房。我们楼前便有一条护城河，走不远便有地坛和青年湖两个公园，地铁站近在咫尺，楼下更有一家出名的食品店"稻香村"……按说结庐在此，虽非尽如人意，也可怡然安居了。

然而住日既久，便有不一般的效应产生。

首先是，这楼里不断地死人。我当然懂得"死人的事是经常发生的"，不过，颇令人惆怅的是，往往死的是寿数并不怎么大的人，或正当其年的人，而且还不乏突然死亡的情况，接二连三，络绎不绝。所以连我这最不信鬼神的人，也不禁生疑。最近有人提醒：你们那个安定门外，至少在半个世纪以前，乃是一片坟场，而且并非什么正儿八经的坟场，也就是北京俗话里所说的"乱葬岗子"，再进一步说破，那里所葬的，或者是官家不得不收集埋掉的饿殍，或者是贫极人家裹席而殓草草下葬再不回顾的荒坟，还有就是被砍了头、吃了"黑枣"的"罪犯"——其中多是冤死鬼。你想，虽说近几十年来安定门外有了越来越大的变化，这几年更是不断地推陈出新，不仅有我们护城河边的一大排居民楼巍然屹立，还有比如说"京宝花园"这样的豪华建筑拔地而起（其住宅部分一千七百多美元一平方米，可见非欲"采菊东篱下"者所能入住），但也难保没有当年"乱葬岗子"里飘出不散的鬼魂，在我们这一带游动，我们楼里的活人，就总是不断地被他们邀去做伴。这一说法，当然不会被我们楼里绝大多数的芳邻或不芳之邻们认同，我呢，是宁信其有而吾心自安。宁信其有，是因为如不这样作想，则若干逝者的过早亡故，仍活着的某些人，便负有一定的责任，谁把本是好好的人，给挤得压得闷得冷冻得糟蹋得一命呜呼？吾心自安，是因为我这人很不宜与鬼为友，尤其是冤死鬼，我不擅"鬼把戏"，又从不甘吞进冤屈，所以比较适于长留人世，在我对头的好世界上，增加一些不小的障碍与遗憾。

我的一些朋友，常与我通电话，却不愿到我家来，除了节约时间，懒得动，还有一个原因，说是"怕在你们安定门外，遇上粪味儿的家伙让人恶心！"据说半个世纪前，这安定门外除了坟场，便是粪场，所谓粪场，就是把城里人的粪便掏来，在空地上晾晒，晒干了以后再卖给城外农家当肥料，贫穷人掏、晾、卖粪其实也无损尊严，问题是当年就有自己并不劳动的"粪霸"，在这一带横行粪场，一方面欺侮老实巴交的穷人，一方面又对真的富人和霸主卑躬屈膝，甚至于以当着真富人和霸主嚼吃"粪干"为自贱与效忠的手段，令人恶心到十二万分，朋友的话，颇令我恼不得气不得，哪里没有那么几个令人作呕的粪味儿呢？干吗非拿我们安定门外说事？何况现在的安外大体而言早已是春柳秋枫、鸟语花香，我们护城河边芳邻无数，岂能到此即遇"粪味儿家伙"之理？不过，朋友的意思，我明白，是在玩笑与非玩笑之间，表达一份爱憎而已。是的，我们都极端厌恶那种"粪味儿家伙"，这号人的恶心，并不是以政治观点判定，许多政治、社会、美学观点相左的人，相互间一定没有好感，但那恶感却并非一定化为恶心，仔细说来，就是那令人恶心者，他是令观点相左的双方都不禁作十日呕的，他其实无观点可言，在这一派观点的人前，他可以唾沫四溅地宣谕他估计人家爱听的观点，而在另一派观点的人前，他又可以把持有前一派观点的人用最刻薄最粗鄙的话加以奚落，这倒也还不算出奇，出奇的例子，在他是多而又多，比如最近一次，在一个公众场合，他先是扬声大骂某某不是东西，让在座的"别理那混蛋"，可是过一会儿某某来了，他却率先用官衔高声招呼那人，又当众向那人"汇报工作"，那人爱答不理，他却媚态可掬，在最短的时间里，变换出两副面孔。如果他的"恶心度"到此为止，也还罢了，最奇的是当席散后，某某走了，他又立即向另外的人主动表示：他们骂我我知道，你们骂得对！该骂……在他，是只要能升官发财就行，恶不恶心，全不在意。

如有可能另择结庐之所，我一定从现在的这个地方搬开吗？也许，但不是必定。人生究竟应结庐在何境？既然可以"结庐在人境，而无车马喧"，那么，结庐在我现在的这么一个昔日的坟场与粪场的所在，楼里丧事不断也罢，偶来"遗粪气味"令人恶心也罢，也都可以见怪不怪、令其自败。

于我来说，重要的是，活一天，便要有一天的人样儿！

1995 年 1 月 10 日

你我真面目

一位新友如约来访，坐下便对我说："已经看见你不止一篇文章，讲个人隐私权应予尊重，并见你频频申明，在家中只接待事先约定者，拒绝不速之客，你的这种心态，是不是除了你所陈述的那些原因，其最根本的一点，是你不愿以真面目示人？"

想想他的话，倒真戳到了我的痛处，我这人不善交际，我的真面目，是生人前腼腆，熟人前失礼，朋友前放肆，独处时懒散；前些年因为还曾有过行政职务，充当过"一把手"，因此当单位同仁突然造访时，因为意识到自己承担着一定职责，故而尚能抖擞精神，认真接待，比如一位同仁，头天晚上十点找过我，十一点半才把他送走，第二天凌晨，也就是约三个半小时以后，天尚未亮，他又一次成为不速之客，敲响我门，我从被窝里爬起，开门见又是他，立刻理解了他的来意，少不得迎进屋内，耐心地再听、再谈——那几天我们这部门正搞职称评定，他是万分害怕落选，实在吃不下、睡不着……现在我"无职一身轻"，不在其位，岂谋其政？进入一个我自己最乐意的存在状态，当然我也还是一个"社会人"，我的写作中仍浸透着我对社会的关注，而且我写出的东西绝大多数都拿出发表，这也是我参与公众生活的一种方式，但我大大松了一口气，就是我终于可以不到一个"场"上去斡旋，特别是我的家终于成为纯粹的私人空间，凡未经事先约定的访客，特别是生客，我都再不对他们承担任何"职责"，因此我毫不敷衍，或干脆拒绝接待，或勉强让进屋内，明言我正有自己的事要做，或简直并没做什么事，只是想自己独处，请他们直截了当地说明来意，我也嘎崩脆利地或予满足，或加拒绝，这样，也就很留下了一些恶名，比如惊叹说："没想到他竟是这样的一个人！"这话的意思，也就是他们来作不速之客前，估计出了我的一个面目，没想到敲开我的门后，我露出了真面目，那"嘴脸"如果不是让他们败兴倒胃，至少是让他们大惑不解。

我对如约来访的新友说："每个人其实都有很多个不同的面目，但这次我说这话，暂把恶意虚伪的面目排除在外，我想说的是，人，首先是他自己，自己对自己，或扩大到很少的几个'家里人'，即在同一屋顶下生活的人，实在是毋庸'化妆'，也毋庸'布景'的，总之，松松弛弛，随随便便，最好。但人除了是'个体生命'，是'家庭人'，免不了也是'社会人'，作为社会一分子，社会上别的人应约到他的私人空间中造访，应也是他的生存内容之一，说白了就是他家有时也就成为了人际交往的场所，这样，为交往愉快，为自尊也为了尊人，他就要在约客到来前'化妆'，包括调适心态，当然也就要注意'布景'，把屋子收拾装点得格外清洁舒适……这样，客人到来后，所见到的，就不是他最本真的面目，而是他的'投入社交'的面目，一般来说，这并非'恶面孔'、'假面孔'、'诈面孔'，而是尽可能向人展开自我美好一面的努力，这实在是必要的，也是利于造访者的，说严重点，这样的事先约定，事前准备，到时身心俱投入，努力展示自我良性一面，是一种文明行为……"

如约来访的新友环顾着我家客厅，又仔细望望我，笑说："明白了，大概你在我来之前，特意清洗了这盆大叶绿萝的叶片，餐桌上特意摆出了鲜花……你自己也修整了边幅，还有，你为我早准备了赠我的新著，并且，你显然已把别的事都从这块时间挪开了，所以竟是神采奕奕，谈锋甚健……你说的也是，人际交往，还是互相事先约定了才好！"

我笑说："抱歉！我未能让你一睹未'上妆'未布妥'景'的'真面目'！也许在你来说，倒宁愿作一回不速之客，闯来一窥我的烦躁与失礼，以及我这私人空间的凌乱与荒唐……"

他忙摆手，说："我是认同你的见解的，身为不速之客，还埋怨主人接待不周，甚至怀着窥探欲闯入，退出后便眉飞色舞地讥传人家的'嘴脸'，确是不文明的表现，

在我来说，你现在的面目，已够好的，你那更多显现'另一面'的'真面目'，我不
见也罢！"

　　我以为就这个问题的讨论，到此可以中止，谁知他沉吟了一小会儿，又对我说：
"依我的生活经验，你这种'面目显示'，仅属一类；我就遇到过另一类人，不，不
一定马上'归类'吧，具体来说，我就遇上那么个主儿，他呢，凡主动上门，包括
不速之客，都是热情接待，而且通情达理，蔼然可亲，家里的'布景'，也总是那么
堂皇富丽，那是他的什么面目呢？我后来知道，那倒是他的假面目，你越是突然造访，
他的那面目便越假得可爱……什么是他的真面目呢？那就是在他专门约你去见面时，
说来也怪我自己，曾一度进入到他那个'人际圈子'，有一回他电约我去，我如时到达，
在座还有另外二位……没谈几句，他突然逼问其中一位：你前天是否去过 R 家？！
那位嗫嚅一阵，终于承认，他便先鼻子里哼出一声，然后用我无法形容的表情声调说：
没想到，你小子还有这一手！他话音一落，那位被训斥者的额头上便沁出了豆大的
汗珠……究竟怎么回事，我也不在这里细说了，总之，那主儿的真面目，着实让我
不仅吃惊，而且心寒，从那回以后，我就主动脱离了他那个人际圈……我现在想起
这事，提起这段，是想补充你的见解，就是说，人与人交往，还是不要交成那个样
子的好，人应保持自己的独立性，对社会当然应履行应有的义务，却应有自在的一
个'真我'，维护自己的尊严，这也是尊重他人的一个前提……总之，我宁愿见到你
今天这样的'非本真面'，再不愿见到那种一无遮饰的真面目！"

　　他所引的事例，我尚未遭逢过，故听了一时只是发愣。

　　记下与新友的这段交谈，敢问读者诸君：你我真面目究竟如何？我们究竟该不
该时时以真面目示人？如不能时时如此，则何时对何人可示"全真"？我们适当地"化
妆"，甚至搞清爽"布景"，尽可能约定后再相见，是否也算是进入一种文明？

1994 年 11 月 5 日绿叶居

睡个安稳觉

人的生命差不多有三分之一是在睡眠中度过的，生命的质量，不仅体现在人体的活动中，也体现在睡眠时——能否安眠，是人生的一大课题。

睡不好觉，是一桩极为痛苦的事；不少的名人尽管白日饱享各种快乐，夜里却难以入睡，以至顿失生趣，那身心的双重煎熬感，是那些崇拜他们的普通人所万料不到的。

失眠，有各种各样的原因：生理上的、心理上的、精神上的、纯粹属于外界干扰所致的……坐飞机长途旅行，由于时差所造成的生物钟紊乱，也会导致失眠；但一个人的失眠，其因素往往是多样复合所致。

相对而言，普通人的眠睡，大多比伟人、名人、要人、阔人安稳香甜得多；这主要是因为普通人没有那么多的心理负荷，没有那么大的精神压力，他无须承担那么多的重大义务，更没有那些个慎用也难滥用也险的手中权力，所以有人说，上帝对伟人凡人、名人庸人、富人穷人的命运制衡，所使的招数，便是让前者难得一场好睡，而总是慷慨地赋予后者一夜夜倒头便着的香甜觉。

不过，中国普通人的香甜觉，自中国社会进入从计划经济向市场经济转化的进程，也就被搅动了，发财的欲望，空前地膨胀起来，而发财的机遇，似乎特别的多——至少在某些周末版报纸和花花绿绿的杂志上，和许多的同事邻里的闲侃中，发财的故事一个比一个动人心魄，有时听来就和路拾黄金差不多，而且连腰都不用弯，黄金雨便会倾盆而下，只要脱下帽子放心接就是了！

普通人，穷人，如因经济拮据，甚或负债累累，固然也会睡不好觉，但有时想开了，"守着多大的碗吃多大的饭"，"虱子多了不咬"，失眠也便得到克服；但普通人，收入不丰之人，要是像迷恋美人般地对财富产生了单相思，他那神魂颠倒的劲儿，很可能会弄得他耿耿长夜难入睡，为伊消得人憔悴，从此不知香梦味。

我的一位芳邻欧阳，便是如此。自从听说买股票、债券能"人在家中坐、利从窗外来"以后，他便心上长草、浑身发痒，把自己多年当公务员的惨淡积蓄，都拿去给一家号称红利高冠全国的公司投了资；他本是一位每晚十点必然倒头便睡，黑甜一觉直至晨光透窗方醒的纯朴人物，成了"食利族"——严格来说是"待利族"——一员以后，他这安稳觉便睡不成了，经常失眠还在其次，好容易入睡，又净做恶梦……不久前，报上公布，卖他债券的那家公司，竟是设的骗局！本是胖乎乎乐呵呵的一位好好先生，眼看成了黑眼圈愁恹恹的一家"牢骚公司"！

我当然不是一概地反对普通人投入合法的金融风险运作，有一些现在看去很普通的人，他们身上可能潜伏着适应这类经济游戏的超常能力，经过一番努力，再兼机遇凑巧，他们可能会从普通人变成很不简单的大款，但我们务必要懂得，通过当"股民"和小额债券持有者而发大财的可能性，比当流行音乐的"发烧友"而一跃成为歌星的可能性还要小得多；像芳邻欧阳，他首先就缺乏足够的风险意识，一旦懂得了担风险的道理，又没有足够的心理承受力，我是极愿他发财的，但我不得不指出——他是不适宜用这种方式发财的，就像我本人不适宜通过唱流行曲获得名声一样。

为钱财而耿耿难眠，是最不值得的。尤其是千万别接受脏钱！当然，钱是最脏的东西，据说一张投入流通领域一个月的人民币，那上面就起码有三十多万个沙门氏菌、绿脓杆菌、痢疾杆菌、大肠杆菌等病菌；不过我这里说的脏钱指的是那些来路不明、不正、不雅的钱，目前这类钱的渗透力很强，已浸入了普通人的生活领域；这类脏钱的其他坏处且不说，它的让人不能安眠，破坏人的正常心理和精神，搅得人即使在喝香吃辣、拥娇泄欲的过程中也疑神疑鬼、如铐在后，实在是太可怕了！最近报载，一位银行的行长因受贿锒铛入狱，据说捕进他以后，他如释重负，对公安人员说：前些时虽说捞到了大笔的钱，可"偷来的锣儿敲不得"，花又不敢明目张胆地花，存又不能堂堂正正地存，像是怀里抱着一团火，烤死了！而且自受贿后便难得睡个安稳觉，先是良心咬啮，撕肤割肉般痛苦，后来良心麻木，就担惊受怕，惶惶不可终日，再后说是豁出去了，买欢寻乐，一醉方休，其实夜夜难眠，吞安眠药只顶一时，上瘾后只好加大剂量，最后吞多少片也不行，便向往毒品，多亏还没跟毒品接头，便败露被捕——他被捕后的第一夜，竟在牢房中安安稳稳地睡了十多个小时，醒来后痛哭流涕地说：没想到为了这么一个原来我天天拥有的安稳觉，竟得付出这么大的代价！

人生在世，不能无钱，能挣得多点、赚得多点，只要合法，当然是大好事；但人活于世，晚上能睡个安稳觉，实在是太重要了！古谚"白日不作亏心事，哪怕夜来鬼敲门"，历经悠悠岁月检验，至今仍不失为指导我们凡俗之辈的至理名言！

1993 年秋

耸听与操作

搞文学艺术的，大多"语不惊人死不休"，也就是常出耸听之论。比如美籍日裔指挥家小泽征尔，他激赏中国瞎子阿炳的名曲《二泉映月》，说过"这个曲子应该跪着听"的话。这当然是一句真诚的话，并且充满了激情。也是唯有他这样的艺术大师才说得出，或至少是由他说出方具有震撼力的评语。阿炳九泉有知，当得极大快慰。小泽征尔可以说熟悉几乎所有的世界名曲，不见他说贝多芬的《欢乐颂》或斯特拉文斯基的《春之祭》需"跪着听"，偏说《二泉映月》需跪着听，其用语真到了耸听之极致！

对于文学艺术家的这类耸听之论，我们或觉得真是一针见血、过耳难忘、充满智慧而又意蕴无穷，或感到何必推至极端、入耳欠雅、片面夸张乃至荒诞不经，或由他去、无所谓，都属正常的反应。再耸听，不过是一种说法，说说而已，表达完了，给人留下深刻印象了，这说法也便完成其使命了。无论是说的人，还是听的人，尤其是听的人，千万不要轻率地将那耸听的说法，引入实际操作，因为文学艺术家的话，特别是他们作品里的话，或他们用以抒发自我感受、评论他人创作的话，往往是不能真的在现实中进行操作的，倘真的将耸听之论化为操作，那非出乱子不可。

比如我们去听一场由小泽征尔指挥的音乐会，下一个曲目该是《二泉映月》了，于是或由报幕员，或竟由小泽征尔本人，命令所有听众跪下，在跪姿中听他指挥乐队演奏这一名曲,那该出现怎样的场面?很难想象,会有许多的观众服从这一命令;并且就是欲服从者真愿跪,也会派生出一系列技术性问题:往哪里跪?座椅间?稍胖一点的听众便跪不下;座椅上?能稳定地跪下吗?……况且乐队本身演奏时也在听,他们要不要跪着奏呢?小泽征尔更应该跪着指挥了。这实际上是绝对办不到,也不应该去办的事。但只要不进入操作,"《二泉映月》这个曲子应该跪着听"的断语,实在是不仅耸听,而且醒心。文学艺术家的这类断语,本是一种非供实际操作,只触及灵魂的禅悟。

记得五十年代,我那时还是个少年,但因受家庭熏陶,又是四川籍人,所以川剧团进京演出时,我是一位热心的观众,并且也很关心报刊上的评论。那时《人民日报》的副刊上,便有一位评论家著文,说某川剧名旦的表演,令他感到整个宇宙都要倾倒在她的脚下了。这样耸听的用语,自然引出了批评的意见,也登在报纸上,大意是怎么可以把一个还年轻的演员的表演,夸赞到如此不着边际的程度?而那评论家后来却辩解说,他只不过是想表达出自己观剧时的一种强烈已极的感受罢了,写文章么,"白发三千丈","雪花大如席",仅供意会,万勿"落实"。我当时是同情那评论家的。对一样东西,特别是艺术现象,喜极而语不择言,耸听于世,应是允许的。说某演员的表演令人感到整个宇宙都要倾倒在她脚下,并不是真借机想颠覆乾坤,绝无抒发审美怡悦以外的恶意。

近年来也有人抒发其阅读某书的感受,说是:一部中国当代文学史,有这样一本书也就足够了!我相信这是他的真实感受,并且不吐不快。我以为有这样的抒发公开发表出来,正说明我们的文坛有相当宽阔的评论空间。他的话相当耸听,但可备一家之说。而且我也很为那本书的作者高兴,能有人对他的一本书激赏到那样的程度,并不是一桩平常的事。我们常说人生得一知己足矣,他能有说这样话的一个知音,真是人生的快事!但若有人将这评语引入实际操作,要求其余当代作家统统"歇菜",书店里的"当代文学"书柜里只摆这一种著作,并且所有的当代文学史均一律改为只分析这一本书,所有大学中文系的当代文学课程也只讲授这一本书……那么,一句本来不仅无害而且还很有审美个性的话语,便变成了一花独放、百花尽菱的勒令了!也许那本书确实伟大,但伟大的也不一定仅他那一本;再说,次伟大、不甚伟大的书，也应有存在的权利啊！就是平庸的书，你可以批评，却也不能一个人说了算，毕竟当代文学史不能由一个作家一本书构成，究竟每个作家每本书怎么样，最终还是要由读者与时间来筛汰。当然，说那"有这本足够了"的论者，并无将其论点引入实际操作的意思。我这里只不过是想再次表明，在文学艺术界，耸听的话语很可能是一种非常生动，而且也非常个性化的表述，是不可少的声音，但无论是谁，千万不要出于这样那样的动机，将其引到实际操作的误区里去。你说我这些想法，都是杞人忧天吗？

1995 年秋

喜厌之外

评论家写评论，表达自己喜欢什么厌弃什么，当然也算是一种写法，但倘若评来论去，光是在那儿表达个人的喜厌，这样的评论，如果不说它基本无价值，也得说它无大价值。最近看到几篇评论家泛评散文随笔现象的文章，里面很强烈地表达出论者的喜厌；大体而言，是见不得作家写些小题材的东西，尤其是写身边琐事、儿女私情，以及喝茶饮酒、观月赏花之类，于是用了颇为尖刻的语言，泛"嘘"了一通其所厌的作家和作品。评论家当然有神圣的权利表达他个人对琐细题材和轻描淡写的鄙夷厌弃，而且，以社会阅读群体之众口各嗜，与这样的评论家喜厌相通的社会人士，一定也有相当的数量，不过，评论家之不同于一般读者，应是除了表达"朴素的阅读感情"而外，还应提供更多的东西；并且，他也应懂得，在这样一个开放的时代，阅读趣味已公然地呈现多元分化，因此，凡"上市"的副刊文章，其中那些可类比为轻音乐或小曲儿的小题材散文随笔，也就很可能，甚至是必有另一批喜见者，其数量在未掌握统计数据前，也不能遽断为一个"少数"，这部分人士，也有平等的神圣权利，来"不厌"或竟喜爱名人写他们的家庭生活、闲情雅致，其实这样的情形乃"古已有之"，那个后来当了汉奸的周作人，他那些写喝"苦茶"、写"自己的园地"里幽趣的散文，现在不是被许多个出版社争先选印，销路极佳吗？写过《青春》那样的"重量级"题材随笔的烈士李大钊，他的书，从当年累计到现在，那印数，也许还比不过当今一家出版社所印行的周作人文选，这作为一种文化现象，恐怕不是嘴里嘻出一声"哈"，鼻子里喷出一声"哼"，就能算作评论的，也就是说，在表达喜厌之外，第一步，你首先应当对这种文化现象，作出理性的分析；当然，如能摆脱喜厌的情感羁绊，以冷静地面对为前提，再作出尽可能符合科学的论断，那就更可称其为真正的评论了。

什么是符合科学的论断？自然科学，讲定量分析和定性分析，在实践上，比如我们去看病，医生就会根据医学原理，先给我们试体温、量血压、验血……中医则要号脉，等等；社会科学难就难在不易作量、性分析，美学更是一个难以确立"通用标准"的领域，不过，要论散文随笔创作，窃以为倒是其中最不难作量、性分析的，一、是对比于其他文类，排除特例，一般而言，这都应是字数少的文章，因此，即便是恪守"文以载道"的原则，散文随笔好比是小车小船，有时甚至只是水洼里的一叶纸舟，你非要它承载重大题材，恐难胜任；二、散文名"散"，随笔姓"随"，你嫌它们散淡随意，非要它们规整守矩，那就等于要它们自我取缔。

有的评论家的喜厌，不但施之于文，更重施于人，于是，比如提出某作家为什么耽于写"小玩意儿"，某作家又为何写许多专栏，某作家为什么只能从自己的身边琐事中取材，乃至于针对很不少的作家，责备他们为何不能"甘于寂寞"，为何写作如狂、发表频仍，为何不能清贫为乐，为何不能勇于牺牲……这些责难都可能是出于"恨铁不成钢"的拳拳爱心，但仅止是写些这样的文字，实难称作真正的评论，因为我们除了从中可以知道他在厌谁烦谁，无论对他所扫描到的作家，或广大读者，都产生不了什么意义，作家可以各种各样，有大部头《子夜》且是重大题材的茅盾，与一辈子只是写随笔的丰子恺，都有他们存在的道理；翻遍朱自清全集查他的散文，几乎大都取材于其"身边琐事"，其名篇《背影》，更是与国恨民仇了无关系，难道他是一个坏的榜样？《鲁迅文集》里，充满专栏文章，他是伟人，且不引他为例，那么，像台湾、香港的一些作家，他们在报刊上所包的专栏数量，我们这里谁人能比，其中有的已在我们这边出了集子，不是很得好评，甚至有叹大陆作家远远不如的吗？——发出叹息的，有的恰是上述的评论家，至于作家有写得快发得勤的，有写得慢发得缓的，有过得清苦的，有出手阔绰的，有善谈的，有寡言的，有洁癖难让的，有蓬头垢面的，有胆大的，有怯懦的……凡此种种，都属人间常事，文坛常情，只要他在宪法、法律范围内从事他的写作、发表事宜，并在道德上无问题，评论家过多甚至只执著于在这些方面著文表达喜厌，实在未免浪费笔墨。

评论家应做的事，在我看来，应是首先着眼于具体的作品，当然可以不必拘泥于一人的一作，可以就多人多作，去论倾向，梳来龙，理去脉，以冷静的理性剖析，"讲出一些道道来"。手头正有《上海文学》第十期，其中有许子东的《当代小说中的现代史——论〈红旗谱〉、〈灵旗〉、〈大年〉和〈白鹿原〉》一文，我以为是我最近所看到的一篇称得上真格儿的评论，作为评论家，许子东不是告诉我们他喜欢什么讨厌什么，而是超越一己的喜厌，冷静地下功夫把所涉及的几部小说的文本，作了细密深入的研究，说明在表现中国前半世纪的农村生活发展史这一题材上，其文本有一个内在的改写轨迹，即随着大的人文环境的变化，活跃于中国农村中的国、共、"祠"、贫、富、士、匪这七种力量，在这些小说中被不断地进行新一轮的排列组合，最后得出了"只要革命仍在继续，革命历史故事也会继续存在下去。《红旗谱》之类的模式，也还会不断地被重复、被修改、被颠覆或被改写……在某种意义上，《白鹿原》就是以《灵旗》、《大年》方式所改写的《红旗谱》"这样一个结论，这结论当然大可商榷，但这显然是一个在科学研究轨道上运行出的结论。如果有评论家以这样的路数，认真先做些案头工作，然后再冷静地超越个人喜厌地分析一番当今中国大陆的散文随笔热、专栏热，散文随笔中的"小题材""软调式""就近取材""写私琐"……究竟是什么文化现象，其兴衰生灭的内在规律何在，那有多好啊！

1994 年 11 月 3 日绿叶居

寻觅"托儿"

我去中央电视台看根据我的中篇小说《小墩子》改编的八集电视连续剧，开映前，在其中演"祖奶奶"的黎频问我："你是不是每回看完根据你小说改的电视剧，腿都会发直？"据她说，那是一位著名作家的口头禅，坐下来看据其原作改编的影视时，总不免叹息一声："唉，等一会儿腿又得发直了！"这说明小说这种用巴甫洛夫所谓的"第二信号系统"的符码组合成的东西，和用"第一信号系统"的直观符码合成的视听制品，其间确实有一条鸿沟，改编，就是搭桥，这桥，是很难搭得让小说的原作者满意的。

算来我已有十个小说被搬上荧屏了。我一律不参加改编，不干预导演的再创作，采取听之任之的态度。有的改成小小的单本剧，播出后不但观众早已忘怀，连我自己不仔细回想也会漏算。大概已播出的只有单本剧《公共汽车咏叹调》、《非重点》和八集连续剧《钟鼓楼》还值得回味。

我看《小墩子》时，心态很松弛，拍得好，那是导演、演员和整个剧组的成功，拍得不尽人意，那很可能是我的小说本不适宜于改编。我的双腿，在观看时不断变换着各种舒服的摆放角度。

看完，我得说，我不仅觉得挺好，而且颇为感动。我感动的原因，倒主要不在那连续剧本身（作者被自己写出的人物、情节感动是不足为成功凭据的），而是被导演、演员和整个剧组在艺术创作上的倾心投入所震惊。老实说，拍电视剧（俗称"肥皂剧"）并不需要那么精心，尤其这部连续剧，是中国电视剧制作中心自己投资拍摄的，并无企业投资赞助，导演和演员在经济收入上都无太多"油水"，甚或还颇"吃亏"，但他们硬是通力合作，将这样一部北京市井剧拍成了一个艺术精品。从外在的"情节"看，这是一个胡同里的穷姑娘承包了一辆快餐车发了财的故事，我很害怕电视剧只停留在叙述这样一个过程上，但不仅导演处理得极合我心——他拍成了一个挖掘主人公感情秘史的，充溢着人情味儿，切入到人性层次，体现出强烈的人道精神的艺术片——演员们的表演也都很到位，无论是观众们还不熟悉的演"小墩子"的岳秀清，还是已成明星的演"群龙"的濮存昕，乃至演配角的张光北、高宝宝、修宗迪等，都不是在那里显示自己的"风采"，而是塑造出了有血有肉的人物，这些荧屏形象与他们的"本色"反差极大，徐沛东为该剧作的曲,特别是他本人和他女儿的插曲演唱（他称他在《小墩子》里的演唱为"处女唱"），使这部内容很"土"的连续剧更增添了一股"雅"味儿。

看完样带，导演沈好放问我："怎么样？"我除了感谢他和剧组的劳作，不禁问："怎么你都搞完了，传媒中还一点信息都没有？"他憨笑着，无言以对。一些演员也说："我们有的勉强接的戏，拍得不怎么样的，报上早就有消息，有的还吹上天，怎么我们这么努力的一个戏，自己看着都能掉泪，有深度的，却一点宣传还没有？"

沈好放属于那种闷头搞艺术的人，他不会宣传自己，不会找"托儿"托起自己来。

在这转型期社会中，艺术家一边搞艺术，一边搞"包装"和宣传，找"托儿"在报刊及一切可利用的传媒扬波起浪，以在众多的社会信息中把读者或观众吸引乃至诱惑到自己这一边来，是很自然的事。常用的手法，随便拈举，就有："撒胡椒面"，如把某某电视剧开拍或封镜的消息一稿多投，弄得一时间无数大报小报反复出现这一信息；"声东击西"，无需看过某剧再宣传它，更不必说它如何好，只要不断报道有什么机构想花大价钱买下它，或导演、演员得了多么惊人的片酬，乃至只报道其剧组中的纠纷，都可以把观众的胃口吊起八丈高；"背面敷粉"，不是正面说该剧拍摄如何顺利，拍得如何成功，而是报道导演的苦恼，遇到的麻烦，以及遭到了什么样的非议，结果引动了观众的同情心，也有很好的宣传效果；当然最成功的"托"法是从选题开始，就一环环地"托"下去，谁编剧，谁想演，谁不想演，谁开头演后来不演，谁开头没演后来接演，拍时如何，后期制作时如何，作曲经过，演唱者换马内幕……花絮不断，更正不息，直到播出时的街头巷议、七嘴八舌，如小溪汇河，河流入江，最后形成一个巨大的瀑布，不由观众不入彀中，就是看完了不以为然，那收视率，肯定是高的。

呜呼沈好放，他拍成了一个自己很满意的《小墩子》，演员们看完成带后也都体验到一种从事艺术创造的大快乐，台里领导审完带子后也一致通过、连一条修改意见也没有提，并且我这个原作者看后不仅腿没有变直，还一个劲向他鸣谢，他却还没找到"托儿",竟连关于此剧的一条简短新闻也没能发出去!

有人说,"托儿"全是为了"好处"才给你去"托"的。诚然。我想这是很自然的事。"托"即宣传,即变相广告,焉能让人家"义务劳动"?只要不是瞎起哄的"托","托"起的不是于社会有害的毒品,那么,"托儿"按劳取酬,实在不必大惊小怪。

我认识的某些传媒的人士,他们"托"某些作品,确实并非贪图"好处",也不完全是"交情"、"哥儿们义气"使然,他们确实主要是出于一种对艺术的热衷,或是一种个人的爱好,一种兴致,有时更出于"抱不平"和无私奉献的精神,由于他们适得其所的"托举",一些艺术作品因此被大众注意,取得轰动效应,一些原来不那么知名的创作人员因此名声大噪,成为"大腕",而"托儿"却并无多少实际收获,有的在"托"起了别人使之成"星"后,反倒为被"托"的"角儿"所冷淡乃至踹上一脚,这类的活剧,我就旁观过若干出。所以我最反对一提"托儿"便表示齿冷、鼻子里哼出几声的"假正经"做派。

我觉得艺术家和"托儿"结成一定的"篱笆与桩"的关系("一个篱笆三个桩"嘛),不但不是坏事,而且是应有之好事,沈好放找不到"托儿",只知"闷头",虽不能说是缺点,却肯定是弱点,他要想在文化包括电视剧已走向市场的时代潮中,成为一个文化消费者(也就是"人民大众"的新称谓)喜闻乐见的艺术家,那他还必须增添一个新本事——寻觅到最理解自己并能配合默契的"托儿"!

我自己其实和沈好放一样,面临着同样的问题。写这篇"五十步笑百步"的文章,算是同沈好放共勉吧!

1993 年 11 月 4 日绿叶居

在记忆深处

十几年前，刚读到张洁的小说《爱，是不能忘记的》，第一印象，是觉得题目颇为费解。既然相爱，当然不忘。要概括这小说的意思，与其说"爱不能忘"，不如说"爱不能舍"、"爱不能让"、"爱不能变"……这两年读到张洁写她与现在先生，经历多年磨难，而终于由爱而结合的散文，回过头来再琢磨《爱，是不能忘记的》这一题目，才憬悟到其达意之准确。

是的，那时候，对于张洁和她现在的先生来说，不要说公开结合，就是公开示爱，也真是"噫吁戏危乎高哉！蜀道之难难于上青天！"而且那"蜀道"上阻隔的大山恐怕还不止我们所习称的"三座"之数，此情境折射进小说，那小说中的女主人公，其爱情既不可得又不愿弃，既背着"坏女人"的恶谥又绝不愿退让，既遥盼无期又并不甘移情别恋，于是所剩下的，便只有心的挣扎，心的挣扎的极致，便是"铭记不忘"！不管怎么着，我既爱了，虽不能遂愿，还随时遭受着诋诉，甚至埋伏着打击，更面临"劝退"，甚至于自己也很可能有"为何如此苦恋彼？天下再无可恋者乎？曷不死灭此心？何不再觅佳偶？"一类的闪念，但心中的勇气终于战胜了怯懦，顶住了来自心外的压力，于是发出了心的呐喊："爱，是不能忘记的！"——这样来解读张洁小说的题目，顿感豁然贯通，并有了回肠荡气的感受。可惜我这顿悟之时，张洁偏在美国，联络不便，否则真想当面问她：此解妥否？

由"爱，是不能忘记的"这一命题，不由又想到，在我们心底，其实不该忘记的，不止是爱恨等感情上的事，从大的历史事件，到具体而微的时尚变迁，到个人所走过来的生活之路，正多。有人说，如今已进入"后现代"，"后现代"的特征之一，便是"历史感的消弭"，也便是"记忆功能"的淡薄。也许欧美发达国家因为已"现代化"得过了分，所以要"后"一下（据说"后"在这里有"反"之意），而我们这里，现代化还未完全实现，即使是大都会里，似乎也还尚未走到必得"后"一下的地步，所以，至少在我们这里，无论个人还是集体，记忆力就都尚不能淡薄。

其实，就是在西方发达国家，就算确有一些人生活在"忘却"状态中吧，也许有更多的人，他们坚持着"×，是不能忘记的"的原则，× 可以置换为很多个概念，其中一个大概念，便是"纳粹的暴行"。亲身经历过纳粹肆虐时期的人，随着岁月的流逝，是越来越少了，个人的记忆虽弥足珍贵，集体的记忆，也就是仿佛在民族生命的链环上，上一个链环上的磁性，通过有意识的努力，传递于下一个链环，下一个链环，再往下面的链环传递，那所传递出的磁性，便构成集体的记忆，这种记忆，比个人的记忆，其价值就高多了，这种记忆既是一个集群、一个民族，甚至是整个人类的免疫力，更是一个集群、一个民族，乃至整个人类的良知。

对于我们这个民族来说，"×，是不能忘记的"，那 × 该怎么填，想来读者们都会想出不少的答案来，有些，是浮在记忆表面的，有些，积淀于记忆的深处，比如最近正在播出的电视连续剧《三国演义》，作为一种传递已久的集体记忆之表现，它的准确性、可信性自然都应大打折扣，但有一点却是无可怀疑的：它告诉一千七百多年后的我们，即便那确是一个英雄辈出的时代，可是，为了权力，军阀们的频年内战，对普通的老百姓来说，该是多么深重的灾难！曹操那录写他个人记忆的诗篇也融入了这集体记忆："势力使人争，嗣还相自戕……铠甲生虮虱，万姓以死亡，白骨露于野，千里无鸡鸣……"这样的集体记忆，积淀在人们心灵的深处，构成了对生活安定、社会稳定、人际和谐、生产发展、颐养天年的持久向往，历经悠悠岁月，而不衰竭……

是的，我们的心，不能淡薄种种必要的记忆，在记忆的深处，有历史的积淀，有个人的憬悟，那正是令我们的生命至少具有潜价值的基础。

此刻远在美国的张洁啊，你怕万没想到，因你一篇旧作的题目，我的思路竟飞了如此之远！

1994 年 11 月 9 日

直面俗世

尽管从社会行为的分野上论，"雅"和"俗"有多种解释，但依我看来，如今人们多半以"铜臭味"为界，凡离得远的，便"雅"，凡离得近的，便"俗"。这样界定，我大体上也赞成。问题是，虽然我们向往那物质极大丰富而又没有商品没有金钱只有道德与情操的理想境界，但一是那境界在目前的世界上无论在哪里都还并不存在，二是若欲达到那一境界，又偏要经历一番商品社会使用一番钱钞不可，因此，想彻底遁逃于"铜臭味"，在当今世界上，几乎没有可能。这样一想，"雅"人也有一个如何对待"俗"世的问题。

我主张直面俗世。在当今处于剧烈的转型期中的中国社会，文人雅士在尤其难以习惯的市场经济面前，保持冷静当然很好，矜持自重也很必要，对"臭铜"用而不迷更是至关要紧，但，切切不要变得"闻铜色变"，焦躁矫情，以一己情感乃至"朴素感觉"代替理智猝作判断，站到通向理想境界的必要的市场经济的反面去了！不站到反面，不用脊背对着市场经济，也不"侧身站"，那最好就是直面。直面的意思是"面对面"，当然也就不是"扑通"一声跳进市场经济的"海"里的意思。"跳下海里"也未必就不好，但那已是另一问题，这里不论。

不跳下"海"里，却又直面"海"景，并且不是金刚怒目地"直面"，也不是忧心忡忡地"直面"，而是"笑吟吟"地"直面"，但也不是所览皆喜地"直面"，更不是清浊不分地"直面"。

一直面，俗世的很多事，细琢磨起来，便不那么七个不服八个不忿，不那么难以容忍必欲禁绝。比如当今作家，有不少多产者，因为我们这里多半还是按字数计算稿酬，所以你很容易估计出他或她因之获得的"臭铜"颇多。有的人便写文章，对之规劝、讥讽乃至抨击，但那样的文章，往往又并没有具体而微的学理分析，不是很耐心地告诉大家及所涉及者，他或她哪些文章写得不好，可以如何写得更好，而是非常笼统地强调：应当写得少些、精些，那对"精"的期盼，多半是希望作家写出《红楼梦》那样的伟著，并且随之责备作家，不能甘于寂寞，不能"沉下去"

乃至于"消声匿迹",不能以清贫为饴,不能作到远离"臭铜"。对作家多产的批评发展到这个程度,我以为,批评家的眼睛虽然盯住了作家,他的脊背,却甩给了俗世,也就是说,无视于我们转型期中,其实良性效应大大超过负面效应的市场经济。如今为什么出了那么多老少几辈的多产作家?从批判"胡风反革命集团"到"文革"期间那二十多年为什么有些作家往往减产、停产、断产乃至于永不再产?还不是因为原来是以阶级斗争为纲、斗得越来越过头;而这十几年搞了改革、开放,从计划经济转轨到了市场经济,文化市场也繁荣兴旺了吗?如果直面俗世,看到现在有那么多的出版社,出那么多的书,有那么多的报纸开辟了那么多的副刊,每天推出了那么多专栏和文章,大大展拓了读者选择的空间,并且越来越多的出版社和报纸走上了经济上自负盈亏的经营路子,因此书稿和副刊稿件的需求量猛增,对作家尤其是"叫座"的作家约稿催稿"臭铜"允诺当然也便呈现出前所未见的"乱象",不少作家在这种市场需求刺激下,生产积极性高扬,创作处于昂奋状态,不断地出书见报;在这一俗世景象中,我们固然看到了粗制滥造、低级浅薄乃至于越线犯规的贩"黄"渲暴一类文字垃圾,但那并非全景,更非主流,总体而言,应该是乱花迷眼、姹紫嫣红,是空前的美景佳象。笼统地针对作家的"多产"大加挞伐,不仅于作家们并无裨益,而且,有意无意地把矛头对着书籍出版与报纸副刊的繁荣,也就是文化方面的市场经济去了,难道应该退回到计划经济状态,釜底抽薪地砍减出版社和报纸,并规定各个作家的写作量与发表量吗?当然,必要的管理、限制、协调以及对犯规者的责罚乃至取缔不可少,但目的应是发展文化市场,而不是相反。

再说,从中外古今文学史上看,多产的作家固然未必优秀,但"多产作家必不优秀"的逻辑就更站不住脚,且不多说维克多·雨果、列夫·托尔斯泰这类的洋例子,像拿我们的曹雪芹来说,他十年中写了一百多万字的《石头记》即《红楼梦》,这还说的是成品,不算他改来改去所积累的数字,已经平均每年十多万字成品,每月至少万把字,每日不辍至少要写三百个玑珠字,这产量也很可观啊!"臭铜味"很浓的"财迷"作家,生活极不坎坷生活一直优裕的作家,甚至道德上引出风波令不少人齿冷的作家,都不难举出其文学成就举世公认不争的例子,如巴尔扎克、歌德、王尔德,等等。曹雪芹也"卖画钱来付酒家"嘛,可见他除了"埋头""沉下去""消声匿迹"

地呕心沥血写《红楼梦》，也有类似给如今"报屁股"写"专栏"的"稻粱谋"，因此，当今作家学曹雪芹，除了学其他优点以外，十年百多万字的产量，鬻画沽酒，学学也无妨吧！

说了归齐，还是主张直面俗世。我读《红楼梦》有种直觉，便是曹雪芹既能直面俗世又能从俗世升华。在眼下处于转型期的中国，作家和批评家应该首先直面俗世，才能有一个坚实有力的站位。

1995 年 4 月 5 日

起点之美

到现场观看赛跑，多数人总愿选择离终点最近的位置，我却偏爱在起跑线附近观看。运动员在起点上的美往往被人忽略。其实，当运动员们在起点脱下外面的罩衣，露出紧凑而富有弹性的筋肉，先略事活动臂膊腿脚腰肢，再渐渐弹跳着、抖擞着，准备进入比赛，那神情，那体态，那气氛，就已非常之优雅；等到运动员们在起跑线上找准自己的道位，在裁判员一声威严而悠长的"预备——"声中，各自凝聚起他们灵魂的注意力拼搏进取，并透过他们的每一块肌肉每一根筋腱显现出他们肉体所蕴藏的爆发力弹射力承受力，那他们简直就是一列力与美的活雕像。家里有了录像机后，我常把这样的场面录下来，并用慢放、定格的方法细细品味起点之美。我看清了在比赛现场往往看不清楚的运动员们的面部表情。那起点上的表情实在是人类最美好的表情之一。倘若说恋人的表情是人类延续不灭的象征，那么，起点上的表情便是人类进取突破的希望。

人生的终极点只有一个，然而起点却有许多。运动场上的起点是明显的，生活中的起点往往较为隐蔽。一个想向文坛进军的青年在深夜灯下铺开了稿纸，用手中笔郑重地写下了第一行字；一个刚到单位报到的大学毕业生，头一回走进办公室，他尽量大大方方地望着大家，大家都好奇而友善地望着他；一个才把蔫来的川橘铺排在货位上的个体户，用戴着厚厚的棉手套的双手捂捂冻得发红的耳朵，瓮声瓮气地发出他的头一声吆喝："大橘子保甜咧——"；一位才任命的局长，不大习惯地坐在来接他开会的轿车里，想同司机说句亲热的话却不知该拣哪一句说；一个已经非常走红的大明星，倚在沙发上读别人新送来的剧本，刚刚开始觉得里头的那个女主角有点挖头；一个明天要应考的中学生，把捧着的课本贴在胸前，在忍痛关闭了的电视机前点着下巴背诵单词……

"预备——"生命之神在行使裁判员的职责，向人们发出悠长的指令。

凡凝神谛听他的指令并尽全力准备投入的人，都是美的。

尽管在终点处会出现绝不平衡的场面：文学青年的稿子也许会被退回；走向生活的大学生也许会碰许多的钉子；卖橘子的个体户这一回也许不能大赚；新上任的局长也许不久便会调离；大明星的下部戏也许会砸锅；中学生第二天应考时也许会失常。谁也保不齐在那等待着我们的终点上不会落伍、失败甚至被淘汰掉。

然而，对于人生来说，终点固然诱人，起点更弥足珍贵。一时的终点上的失美，并不是什么不得了的事。可怕的是寻找不到新的起跑线，失去了在"预备"声中大大振作起来的力与美。

终点之美，属于优胜者。起点之美，属于每一个人。而自觉地进入起点并调动起自己的美来，也便是人生中的一种优胜。

1988 年 1 月 1 日

搜索友情

我发现，近年来中国文学的题材空前丰富，许许多多的禁区均已相继打破，人的七情六欲似乎都得到了相当的表现，特别是以往最受禁锢的情爱和性爱，以及承载着或失落了情爱和性爱的人们，痴男怨女，节妇淫娃，寡妇鳏夫，色鬼暴徒，所形成或所潜在的早恋、晚恋、单恋、同性恋、变态恋、纯情恋、纯性恋、无知恋、莫名恋……都不再是政治或道德藩篱所能阻挡住的，堂堂正正地占据了若干文学杂志的篇什。但有一种按说是人类中最常见最普遍并且也最不受禁锢还可以说是从未列为文学禁区的情感——友情，却几乎没得到什么正儿八经的表现。这是怎么一回事呢？

我把这疑惑同一位朋友说了。朋友笑问：以往的文学，对友情又有多少正儿八经的表现呢？冷静一想，可也是。即以"三言"、"二拍"中头一部《警世通言》的开篇"俞伯牙摔琴谢知音"为例，这算是中国古典小说中专门写友谊的了，但写得极浅，读过一遍，所获印象只不过是一个人对另一个人艺术追求的欣赏和理解而已，篇末赞诗云："势利交怀势利心，斯文谁复念知音！伯牙不作钟期逝，千古令人说破琴。"空洞而无力。《吴保安弃家赎友》、《羊角哀舍命全交》也不过是表达了仗义与守信，那自然是人与人交往之间的美德，但距友情的精髓，似仍较远。

《红楼梦》简直就是我们中华民族的文学"圣经"，被誉为"中国封建社会的百科全书"，但《红楼梦》中写了那么多种人际关系，却似乎并没有写到深刻意义上的友谊，贾宝玉与秦钟乍看上去是一对朋友，但从情节的流动中与叙述语言的蛛丝马迹中，读者不难发现他们其实是一对同性的恋人，贾宝玉与蒋玉菡的关系就更令人洞若观火；"金陵十二钗"之间固然不乏欢聚笑谈或喁喁私语的交往，但有谁相信，"蘅芜君兰言解疑癖"之后，宝钗和黛玉就真的"孟光接了梁鸿案"，成为朋友了呢？又有谁相信，"金兰契互剖金兰语"之时，李纨和凤姐就真的心心相通了呢？甄士隐对贾雨村的赏识与接济，并未融化贾雨村人性中的黑暗，二人之间并不存在真正的友谊，"醉金刚轻财尚义侠"，似乎有了一些友谊的成分，但小说中明文写着：贾芸心下自思：

"倪二素日虽然是泼皮，却也因人而施，颇有义侠之名。若今日不颂他情，怕他臊了，反为不美。不如用了他的，改日加倍还他是了。"贾芸竟根本没把倪二的人格提升到朋友的高度。《红楼梦》这"百科全书"，竟缺了"友谊"这极端重要的一科！

中国古典诗词中，朋友间赠答的诗不少，唐诗中尤多，但如果用挑剔的眼光去看，则纯粹的友谊仍然寥寥。"海内存知己，天涯若比邻"该是绝顶光艳的名句，但人家明明白白说清楚了这种"知己"的基础——"同是宦游人"，即同处一个官场，一个政治圈子，而世上没有比官场更多变化，没有比政治圈子更会"翻脸不认"的了，所以，尽管我们曾将这两句名诗热血沸腾地赠给了"欧洲社会主义明灯"，但一旦我们认为人家"灯灭"或人家认为我们"修正"，则双方的血温都会降到冰点，所以这样的诗歌似乎并不能算是真正的"友谊颂"。别的诗呢？"雨中黄叶树，灯下白头人，以我独沉久，愧君相见频"，颇为深沉，但"平生自有分，况是蔡家亲"，原来是亲戚之情。白居易与元稹之间的友情，是为人所称道的，比所传的李白与杜甫之间可疑的友情真切而可以捉摸，元稹诗曰："残灯无焰影幢幢，此夕闻君谪九江，垂死病中惊坐起，晚风吹雨入寒窗。"细品之后，发现他所关切的，还是白居易的仕途沉浮，这其实还是一种"同僚"之谊，即潜意识中"一荣俱荣，一损俱损"的情绪渲泄。而"劝君更进一杯酒，西出阳关无故人"的名句，含意汗漫，所谓"故人"，指泛泛的朋友，或可理解为"故里之人"，引出的并不一定是关于友情的思绪，而很可能是对离别熟悉的人文环境踏入一陌生境界的惆怅。杜甫名篇《赠卫八处士》句句牵人魂魄，但通读全诗，就可知杜甫与那位卫八处士之间其实平素并不互通消息也并无思念挂胃，只是在偶然的邂逅中抒发人生无常的感慨罢了。"晚来天欲雪，能饮一杯无？"充其量只是一对"酒友"，"何时一樽酒，重与细论文"，也无非只是一对"文友"，"桃花潭水深千尺，不如汪伦送我情"，也只不过是短暂的"离情力"；"十年磨一剑，霜刃未尝试，今日把示君，谁有不平事？"似乎在呼唤友情，但究其实，不过是醉金刚倪二似的乜斜着眼爆着嗓门发泄自我的侠义情思罢了。所以，倒是感慨友谊之难寻觅的诗更多也更深刻。"人生何处不离群，世路干戈惜暂分。"深知散比聚更为人际关系之常态。"世人结交须黄金，黄金不多交不深。"干脆断定人际关系是"金本位"而非"情本位"。"百年歌自苦，未见有知音。"对在世期间觅到友谊已不存幻想。"千秋万岁名，寂寞身后事。"则对离世后也不抱期望，人是自始至终只有以自己为友了。李白毕竟还是伟大，杜甫对他那样好，所献出的感情非"友谊"二字莫能命名，但他的回应总是淡淡的，他"花间一壶酒，独酌无相亲，举杯邀明月，对影成三人"，自得其乐，或索性以大自然为友："众鸟高飞尽，孤云独去闲，相看两不厌，只有敬亭山。"伯牙子期的美谈似乎并不能打动李白的心，他连"知音"也不尊重："我醉欲眠卿且去，明朝有意抱琴来。"简直十足的"以我为中心"，我要是那位被轰走的人，一定会对他说："我才不伺候你呢！明儿谁来谁是孙子！"

说了这么一大堆，无非是感叹友谊的精贵。不作习惯性的"中西文化对比"了，洋人的文学里或许真有关于友谊的闪光篇什吧，但人家没有长达几十年的"以阶级斗争为纲"和一连串把全民都卷进去的政治运动，所以尤其不必也不便作近期的对比。

朋友问我：你认为什么才是纯粹的友谊？《尔雅·释训》："善兄弟为友。"《易·复》："朋来无咎。"这些古典的解释我都不取。"同师曰朋，同志为友"，其实等于取消了纯粹的朋友。我认为，在当代中国，纯粹的友谊必须具备以下三个特征：

（1）它是超越性的。超越于爱情：异性或同性间的情爱，可能含有相当的友谊成分，但我不视为正宗的纯粹的友谊。超越于政治功利，所谓"同志"、"战友"，特别是"同一条战壕中的战友"，当然都可能含有相当的友谊成分，但我更不视为正宗的纯粹的友谊，记得几年前刘少奇同志得到平反后，某报上立即登出一篇《毛主席和少奇同志的革命友谊》，字字句句皆陈述若干年前的事实，但读后感觉不舒服，类似的大文还有《毛主席与彭大将军情深意重》等等，其实几位作古的政治家之间的关系变化从历史角度上看并无多少创新成分，并不足奇，亦不必怪的，问题在于那些大文的作者把友谊这一类型的人类感情栽赃了秧。友谊当然更应超越于金钱，时下泉涌般冒出的"作家艺术家企业家联谊会"，其中的"谊"究竟有几多重，殊可怀疑。友谊还必须超越世俗。中国的世俗其实是一张铺天盖地的关系网，人际为网络，个人为网结，互相依存又互相牵制，依存时颇能派生出"咱们是朋友"，即"哥儿们"、"姐儿们"、"爷儿们"的亲昵感觉，牵制时又颇能滋生出"别那么不够朋友"的怨懑，在冲撞离弃中也颇能产生"挥手自兹去，萧萧斑马鸣"，"明日隔山岳，世事两茫茫"的情思，产生出似曾有情谊的错觉，其实，这种世俗的网络关系，是培植不出纯粹的友情的，真友情必须连这个也超越。

（2）与一般人所强调的相反，我认为友谊的真谛并非所谓的"知音"、"知己"、"知心"，所谓"支颐不语相思坐，料得君心似我心"，可以用来形容爱情，却不宜用来表现友情；又所谓"更待菊黄家酿熟，共君一醉一陶然"，只能说是"酒肉朋友"，离真正纯粹的友谊何啻十万八千里之遥。真正的朋友，互相之间是一种精神互补的关系，他们完全不必也不大可能达到"心心相印"，他们能够而且应该有坚固而深密的个人隐私，他们应该具有独立不羁的灵魂和独特的见解，他们相聚时，默默无语乃非常态，愉快交谈才是常态，而互相印证及趋于认同是其次的，互相撞击及促使各自思想的深化则是主要的，交友的乐趣，几乎全在"精神的宴飨"这一点上。所以，真正的朋友往往并不存在于同一代人之间、同样社会地位之间、同一职业之间、同样性格气质之间、"同僚"之间或"同科"之间。

（3）不消说，真正纯粹的友谊必须有坚韧的承受力。所谓"陌路相逢，肥马轻裘敝之而无憾"，说的是刚一交友便可作出财物上的重大牺牲；而俗话所说"为朋友两肋插刀"，则体现出为朋友可以一直牺牲到性命的气魄，不过我以为这些做派都只是浅层次上的表现，友谊的坚韧承受力，主要应体现为心灵上的大理解和大容纳，比如朋友犯罪受罚，别人或幸灾乐祸，甚而落井下石，或漠然冷然，只作壁上观，或一般同情，并给予一定物质和精神上的帮助和慰藉，而作为其朋友，则有一种超越于法律和道德上的大宽容大悲悯，深知其人性中的什么部分与人文环境中的什么因素化合为了这样的结果，因而，除了一般的关怀和帮助外，仍保持与他或她的一如既往的对话关系；倘是蒙受冤屈或遭遇不测，当然这种对话关系更应保持其坚韧性与美好性；所谓"有福同享，有难同当"至少不是当代人友谊的要义，福应各自享各自的，难应各自当各自的，只是无论在福中还是难中，双方心灵上的互补都成为一种自然而然的需求，在这茫茫人世上，朋友间的大悲悯应覆盖着双方的灵魂。

以我如此挑剔的眼光来观察，则不仅我们的文学作品中简直没有纯粹的友谊浮现，就是我们的社会生活中，何尝能找到很多经得起检验的友谊？我倒并不拘泥于"文学是社会生活的镜子"的观点，文学完全不必是镜子，文学可以表达理想，可以寻觅现实中罕有或竟是没有的东西，文学还可创造出完全与现实无关的也并不一定是理想的怪物，文学是绝对自由的，但这绝对自由的文学中，竟然如此匮乏友谊这种东西，细思之，又并无人禁止表现友谊，这是怎么一回事呢？

所以这回的"闲话"题作《搜索友谊》。友谊竟稀少、隐蔽、潜在、混沌、模糊到了必须加以搜索的地步，这是当代中国人（且不必将地球上其他人类囊括进去）的悲哀么？

当代的中国人，或心甘情愿生活于人际的既定网络中，误将网结之间的牵线当作友情；或不甘在人际的既定网络中沉沦，于是拼命维系个人这网结的尊严和价值，乃至于用厚厚的壳儿将自己包裹起来，对友情不存追求与向往。以上两种人，似乎都生存得不错。

不想再说什么了。引一首晚唐韦庄的诗《独鹤》作结尾吧。为什么引它，请读者诸君随意解释——

> 夕阳滩上立徘徊，
>
> 红蓼风前雪翅开；
>
> 应为不知栖宿处，
>
> 几回飞去又飞来。

1989 年 2 月

为你自己高兴

朋友小凌自幼双腿萎瘫，在一家印制包装纸的福利工厂工作，业余爱看文学书，常到我家来借。我有一天就对他说："你怎么不立个大志向，发奋写作，也成个作家？"我自然举出了古今中外一些例子，又借给他《三月风》，鼓励他登上"维纳斯星座"；当时他没说什么，过些天来还书，他告诉我："我没有写作的天分，我就这样当个读者挺好。"临告别时又笑着说："我活得挺自在。我为自己高兴。"

上个星期天我在大街上看见了他。他骑着电动三轮车，后座上是也有残疾的妻子。搂着他们完全健康的小女儿，三个人脸颊都红喷喷的，说是刚从北京游乐园玩完回来。真的，他们全家都为自己高兴，那是人生中最扎实最醇厚的快乐！

为自己高兴吧！我为什么不完美？——别钻那牛角尖。要是别人问：你为什么不如何如何，那么，让我们都像小凌那样，坦然无愧地看待自己，珍爱、享受平凡而实在的人生！

一个作家朋友得了个奖，却很不高兴。为什么？因为有人问：为什么只是个地区奖，而不是全国奖？如果他得了全国奖，那么又可以问：为什么不是最高奖？如果是最高奖，那么又可以问：为什么国际上没得奖？如果国际上得了奖，那么还可以问：为什么不是诺贝尔文学奖呢？倘真的得了诺贝尔文学奖，也仍然可以极为好心地、激励他向上地、不问白不问地问他：怎么得奖后反倒写得不那么多，而且，怎么写出的作品倒不如以前的好？怎么就没有新的突破了呢？……这样一路问下去，会有什么样的结果呢？也许会有正面的例子，但我举不出来，我知道美国海明威和日本川端康成都是在获得诺贝尔文学奖不久后自杀身亡，也许那自杀的心理因素非常复杂，但一些评论家讥讽海明威的"江郎才尽"，社会舆论对川端康成达到至美至丰境界的高于富士山的期盼压力，很可能是那诸多因素中相当重要的一种。

不要为自己树立高不可及的标竿，更不要被别人往往确实是出于好心好意的刺激而陷入自卑自怨自责自苦的泥潭！

开电梯的小倪有一天刚从发廊理完发来上班，楼里乘电梯的人们都说她这下更像电视里出现过的某位歌星了。说一次也罢，后来有的人确实出于好心，出于善意，往往也是出于无聊，出于没话找话，更有出于起哄的，便不断地用这类话来激小倪，比如你为什么就不去试试，也当个歌星，也上上电视呀？你为什么就甘心窝在这小笼子里呀？你这么好的相貌，这么活泼的性格，为什么不起码去当个广告模特儿呀……有一天，众人正在电梯里哄着，小倪就高声宣布说："你们说的那位，顶多算个三流歌星，我可是个一流的电梯工！不是我像她，是她长得像我！"说完哈哈大笑起来。小倪在为自己高兴。她高兴自己的工作，自己的平凡，自己的不必上电视，自己的适得其所，自己的不为他人左右……

是的，要为你自己高兴，你的个子最适合于你，你的相貌为你所独有，你的身体状况即使不佳，即使有残，那也无碍你内心的自尊与自爱，因为你在诚实地生活，在认真地工作，在挣得你应得的一份，在享受社会应为你提供的那一份快乐，你每天晚上问心无愧地安睡，你每天清晨兴致勃勃地迎接又一个平凡而充实的日子……是的，你不一定要成为维纳斯，不一定升为星座，但你可以尽情欣赏"维纳斯星座"；你不一定要出现在电视上，但你在生活中完全可以拥有比那更多的乐趣……

争取不凡诚然可敬可佩，然而甘于结结实实的平凡，如小凌，如小倪，则更可爱可羡……这个世界很大，机会确实很多，然而这个世界也很小，机遇又极为难得。我们应在奋力进取与适可而止之间取得一种平衡。我们要懂得这个世界不单是为不平凡的人而存在的，恰恰相反，这个世界主要是为平凡的人而存活。为你自己高兴，因为你的努力奋进已取得了一些成果；为你自己高兴，因为你能够如现在这样也真是挺不错；为你自己高兴，因为你不为自己设置徒添烦恼的标竿，更不受他人那出于好意而设置的缥缈标竿而蛊惑；为你自己高兴，为你那平凡而充实的、问心无愧的存在而高兴！

1992 年元旦

中间过渡色

北京人说一样东西土气，往往用"怯"这样一个语音，"唉呀，真怯！"便是"唉呀，太土气了！"的意思。

从颜色上说，什么颜色显得"怯"呢？一般认为大红大绿便是典型的"怯"。再进一步说，三原色的正色儿，以及三原色儿配出的正色儿，似乎都可以划归"怯"的范畴，如正黄、正蓝、正紫等。

以往农村的人，包括许多城市里的下层市民，家里的用品，比如被褥的面子，都很爱采用大红牡丹花配大绿叶子一类的图案，那色彩便大体都是正色儿。直到如今，仍有相当数量的农民和市民喜欢正色儿的东西，或习惯性地在选购商品时择取正色儿的产品。

自从中国对外开放，以及城乡民众的生活水平、消费需求大大提高之后，对色彩的眼界，也随之大大地展拓，洋味儿的色彩，渐渐时髦，土味儿的"怯"色，渐渐为一些人所抛弃，乃至遭到嘲笑。

有一位朋友，前些年随一个代表团出国访问，他置备的"行头"，不消说绝非中山装布底鞋，而是高档服装店订制出的西服和价值不菲的革履，自然还有领带，他自己觉得经过一番训练，实在是已经脱出了"怯"境。比如喝汤时就很注意勺子要从内向外轻轻舀汤，而绝不能从外向内猛舀，以至汤沫溅上前胸，而吮汤时更注意尽量不发出响声……但有一天他私下问在访问地留学数年的一位同胞："如何？"时，该同胞却仍然说他"怯"。"怯"在哪里？据说主要"怯"在他那条领带上——是一条国产的正色儿蓝底子带正银色龙形图案的领带，那位对洋味儿吃得比较透的留学生告诉他："这里的人，平时几乎全都采用中间过渡色，而很少采用正色儿。当然正色儿他们也不是认为有什么不好，只是他们一般都认为那是土著民族的习用色彩，他们只有旅游猎奇，或狂欢节一类活动中，为摆脱平日身陷的'后工业社会'的氛围，才故意地去'怯'那么一下……"他方恍然大悟。

的确，工业社会，使人类配置色彩的能力，大大地超过了农业社会。用化工的手段，不但能够惟妙惟肖地复制出自然中的所有色彩，而且也能够生产出自然中罕见乃至非自然的色彩，特别是大量的中间过渡色，比如说，以往在柠檬黄与褐色之间，也许只能生产出十种不同颜色的面料，现在却有可能生产出五十种来。所谓"后工业化社会"，即一方面色彩多到乱花迷眼的地步，另一方面则有朝正色儿复归的趋势出现。

中国目前的状况，是大多数人与中间过渡色去积极认同，竭力摆脱大红大绿大黄大紫的"怯"色儿，而努力使自己有一种洋味儿、"潮"味儿。这是一种自然而然的"群体无意识"，可从中感受到中国生产和消费水平的急剧提高以及开放国门之后的眼界展拓与宽阔胸怀，不好冠之以"崇洋迷外"的恶谥。老百姓愿意穿什么色儿的衣服用什么色儿的东西，不仅应听其自然，而且生产厂家应尽可能满足其方方面面的需求。

但是我们在许多旅游地，特别是洋游客较多的地方，却可以发现，越是"怯"的旅游纪念品，却越有销路，比如几乎全由强烈的"正色儿"拼缝成的"五毒"被、"五毒"衫、"五毒"包、"五毒"帽，"怯"得掉渣儿，却很有不少洋游客乃至国内大城市里来的身着中间过渡色的洋味儿衣衫的游客，争相购买。这就提醒我们，在发展工业、不可避免地迈入工业化社会的同时，我们也切不可忽视对原有农业社会的许多可贵特色的保留、揄扬与发挥。

中间过渡色的"潮"，究竟要涌到何时？其从中间朝两翼的摆幅，依哪些因素而定？都是很有趣的问题，惜不可能在一篇短文中详加讨论。我们都记得，大约在1985年左右，城镇女士们一度狂热地亲昵过明黄色，但如今是彻底地时过境迁。我敢说，那些明黄色的如今已被主人厌弃的衣裙，十之八九都还相当新整，可怜它们只好闷闷地在衣橱中睡觉。细心的读者不妨在上街时观察一下：今年街头的女士们，最钟爱的中间过渡色又换成哪一种了呢？

1992 年 1 月 30 日

社会填充物

我们楼下，是一座立体交叉桥，每到夜间，在西北桥头的路灯下，便有两个卖卤煮火烧的临时摊档出现，我曾走近观察，显然是无照营业，但也还很有些人坐到简陋的长条凳上，买他一碗来吃，我虽没吃，但闻那气味，似乎也还可口，我又曾在夜晚失眠时，从床上爬起来，且到窗前散闷，从我卧室窗口望下去，则寂静的街道和立交桥，唯独那一角颇有生气，架起的锅里冒着白雾，摊档前的马路边上，停着几辆汽车——以运货卡车居多，而几位食客，可以估计出是司机与押货员，便坐在摊档那儿，似乎是很惬意地吃着热腾腾的卤煮火烧，并且有时食客与卖主之间，颇不得体地高声交谈，乃至打趣、取闹，那语音在桥头的夜空中显得混沌而空灵，似乎除了我这样的失眠者，大概也干扰不了许多人的清梦，而我望见那情景，从中并无厌恶，仅有一种不可言喻的温馨之情。

我早晨爱睡懒觉，一般起床之时，早已天光大亮，起床后朝楼窗下望，则马路和立交桥上早已车如流水马如龙，那西北角的无照摊档，早已无影无踪。

那深夜营业的无照摊档，显然是某两位或宽至是某两对白天另有职业的夫妇，钻了我们社会的空子，用这个方法，来赚取工资以外的收入，因为他们认定从晚上十点到凌晨三四点，绝无工商、税务或其他部门的执法人员有兴致到那桥头取缔他们的无照营业或罚他们的款，而只允许夜间经过那路那桥的卡车司机和押货员实在也常有买一点价廉的食物作夜宵的需求，因而他们便几乎夜夜在那里出现，构成我这惯常性失眠者眼中的一幅独特的都市夜宵图。

我对那两个无照营业的夜间摊档的经营者，充满理解与同情。我觉得，他们的作为固然不足为训，然而亦无害起码是无大害，相反，还有益，当然亦无大益而只是小益。他们的摊档，是一种社会填充物。在"以阶级斗争为纲"的社会里，一切社会缝隙都被压挤殆尽，看似社会"固若金汤"，然而过分板结的效应，是缺乏活力，缺乏活力的"金汤"其实无"金"，越斗越穷，到头来还是不一定能巩固住。改革开放以来，社会开始由宽松的气氛所笼罩，社会疑隙因而也大大增多，社会填充物也便应运而生。除了上述的例子，又例如新近我们楼下的护城河边，凌晨便有一人自称拜名师学会了一种"香功"，可免费带动自愿参加的晨练者以"香功"健身，我岳母目前亦是一积极参加者，回来向我讲述过所谓"香功"的练法和种种听来颇为神奇的效应，我虽并不相信"香功"有那样大的法力，心中觉得无非是继什么"甩手疗法"、"白开水疗法"、"鹤翔庄健身法"、"老年迪斯科健身操"……一类的名堂，又新涌现的一个花样而已，但岳母连续数日参与"香功"活动，虽不见有怎样神奇的健身效应，但亦绝无副作用呈现，而从她那满脸怡悦的表情上看，还至少有小小的开颜之益，因而，楼下的"香功"，亦可称是社会生活中的一种填充物，至少是填补了我岳母一类老人在早晨那一段时间里的落寞与空虚。

当然，社会之结构不可太板结，亦不可太疏松，社会基本存在之间缝隙里的填充物，亦有良性、中性、恶性之分。恶性的例子，我们从时下的报纸上亦时常可从法制版上见到触目惊心的报道，例如因为社会两性关系的自由度比以往松弛了，性病亦开始滋生蔓延，于是便有人满街张贴自称"退休老军医"，"专治性病，一针痊愈"的招贴，而上当者颇不在少数。结果有关部门去追踪调查，所见到的哪里是什么"老军医"，而是三十嘟当岁的大骗子，所谓"特效药"，全是些过期的青霉素之类，病人去了，便用脏兮兮的针管针头，胡乱地打上一针，还要索取令人咋舌的"治疗费"。这样的社会填充物，当然就要查而禁之，捕而罚之。

社会填充物的出现，是一个社会走向丰富多彩和富于弹性的象征，总体而言，不必忧更不足惧，一个大体健全的社会，往往便是一个有着许多良性填充物的社会，我们现在面对的形势，是既不能将社会再板结化而去除掉一切的填充物，亦不能任社会结构过分散乱疏离而滋生出许多恶性的填充物。因此，不仅社会学家，从政府行政部门到各行各业的有识人士，都应就社会填充物这一课题，进行广泛的社会调查和研究讨论，以求使良性的社会填充物有发展的机会，中性的社会填充物得到不同程度的宽容，而恶性的社会填充物得以及时地被剔除。

女性自身感

　　大约 5 年前，在北京的中国美术馆曾有过一个大规模的"人体艺术美术作品展"，公开挂出了若干女性裸体的绘画作品，引起了颇为热烈的争论，也曾出现某几位女模特儿与画家间的民事诉讼案——她们认为在画室中裸体相见供画家绘画是一回事，公开地将她们的裸体形象悬挂在展览厅"示众"是另一回事，实际上已构成了对她们的人格侮辱，她们要求停止展览并赔偿其精神损失。这样的纠纷，老实说，是预料中的，并不怎么惊人。

　　颇为惊人的是有一天，正当一群记者围着主办者之一进行现场采访时，有一位女青年冲进人圈，颇为激动地质问主办者说："为什么这个展览里没有一件表现男性裸体的作品？！"

　　这件事后来虽然也被有的记者录入了报道之中，但轻描淡写，略一提及而已，主办者是怎么回答那女青年的，更无只字。后来那展览顺利地闭幕。后来全国许多家出版社竞相出版了一批关于"人体艺术"的美术作品集和艺术摄影集，你——将其翻阅吧——里面全是女体，绝无男体，想必那位在美术馆中提出质疑的女青年更要问——

　　为什么没有男体画册？！

　　难道一到展现"裸体美"，人体便只等于女体么？！

　　但那位女青年显然是"孤掌难鸣"，不知《女友》的读者诸君对她的呼叫是有所共鸣，还是视作怪异？

　　我却以为那女青年所提出的问题，极有意义，值得深思，值得探讨。

　　我想，她或许是位"女权主义者"？

　　所谓"女权主义"，本世纪初在西方即已抬头，而到本世纪六七十年代，已发展得相当地蓬勃。1963 年美国女作家蓓蒂·佛丽丹 (Betty Friedan) 发表了《女性的奥秘》一书，她将法国女作家西蒙·德·波伏娃 (Simone de Beauvoir) 于 1949 年首版为《第二性》中的观点，做了更独到的发挥，其要旨，是认为女人不仅应在政治上、经济上及社会生活的诸种方面与男人享受平等的权益，而且，女人应充分认识到自己身为女性的自尊与崇高；到 1920 年以后，西方的"女权主义运动"形成了两股主流，一支被称为"温和女权派"，一支则被称为"激烈女权派"，而无论"温和"还是"激烈"，她们都强调女人绝非任由男人宰制的角色，哪怕这种宰制是由现行法律所保证的。1984 年美国专门研究西方文艺复兴史的学者琼·凯莉 (Joan Kelly) 出版了《妇女·历史与学说》一书，以"女权主义"观点，重新检验文艺复兴以来绘画、雕塑与文学作品中的女性形象，意在进一步唤醒广大女性争取最深刻意义上的妇女解放的意识。

在"女权主义者"看来，女人对自己的身心应有一种清醒到敏锐程度的自属意识，简言之，便是应有"女权自身感"，随时意识到自己绝非男性的附属物，不能任其所宰制。举个最明快的例子吧，夫妻之间，当丈夫想与妻子做爱时，妻子当时身心状态不具备作爱时的最佳条件，那么，妻子有无权利拒绝？倘拒绝，而丈夫不理解不认可，仍强制性地与其作爱，则丈夫是否犯了强奸罪？

丈夫强奸妻子？

相信会有许多读者一下子难以接受这样的概念，因为就我国现行的法律而言，对夫妻间的性关系没有细密的规定，倘一位男子想与女子作爱，那女子拒绝，男子却仍非与她作爱，结果作爱了，只要那男子与那女子是一对合法夫妻，那么法律当然认为丈夫绝无愆，而舆论也一定会以现行中国的普遍道德标准而认定那男子正常而女子"不正常"。"陪丈夫睡觉"，在现时的中国一般被视为妻子不可推诿的"义务"。

"女权主义者"们却认为上述情况仍属强奸，因而那男子有罪。男子不经女子应允，双方没有同样的作爱需求与兴致，却以男性的进攻性宰制了女性，应视作男子"不正常"，而女子的"自身感"却绝对正常。到本世纪 80 年代后，一些西方国家的法律经"女权主义运动"的一再努力，已有相应的法律条文，保障了妻子不受丈夫"强奸"的女性权益。

当然西方社会与我们中国社会有着许多重大的不同之处，"女权主义运动"到目前为止仅是西方一些发达国家中的一种社会运动，我这里并没有鼓动中国女性照搬西方"女权主义运动"的理论及活动方式，以与中国男性"叫真"的用意。但"他山之石，可以攻玉"，多多少少吹进一点外部世界的气息，使我们知道这世上还有别样的视角，别样的思路，聊作参考，略备一格，总还是对读者有益的。

前些时中国的新闻出版署郑重宣布，前些年禁印的女性"比基尼"即"三点式"泳装挂历，现在开禁，可以编印出版，一些男性公民因此翘首以盼，希望在 1993 年能买到一览女性玉体之美的"比基尼女郎"挂历。不知当年那位曾"大闹美术馆"的女青年这一次还会不会跳将出来，更加石破天惊地大声质问：

——只穿泳裤的男体挂历，让不让出版发行？有没有人在编印这样的挂历？哪里可以买到？

心理冲凉

广东人的生活里离不了"冲凉"这一环节。现在，广东人的生活水准在全国大概要算提升度最高的，安装热水器的家庭比比皆是，"冲凉"的水温想必是随着季节与每日的具体气温而变化了，不一定都冲的是冷水；但不管怎么说，广东人的勤于"冲凉"是大大地有益于身心健康的。

北方人以往即便小康之家，也未必频繁地洗澡，尤其是在冬季，如今像北京这都会，家中安装电热水器或燃气热水器的也越来越多，但洗澡似乎也仍未构成生活中每日不可缺的环节，对比广东人，那生活习惯全然异趣。

但据我所知，无论东西南北中，都有一批人坚持四季进行冷水浴，用广东话说，便是"四季冲凉"。形成了这种习惯的人，不仅身体健壮，很少得病，一般精神上也都异常清爽舒朗。

生理上的冲凉，其好处毋庸多讲，方法也比较简单，习惯也不难培养。

但还有一种至关必要的"心理冲凉"。人的心理活动中，有一种危害性最大的品类，便是焦虑。焦虑感的成因，往往是缘于不能准确估量客观存在，亦不能准确估量主观自我，而且最关键的是不能准确把握客观与自我的互动，往往产生出一种夸大了的失衡感、失落感、失败感、不安全感、危机步步逼近感；或反过来，产生出一种夸大了的倾斜感、虏获感、必胜感、功待一箦感、倒数读秒感……焦虑因而构成一种心理燥热、心理汗渍、心理气闷，那疏导与解除的方式，便需借助于"心理冲凉"。

"心理冲凉"，无论对于东西南北中哪个方位的人，也无论是春夏秋冬哪种气温中，一律需要"心理冷水"，实际上是进行心理的冷水浴，在沐浴中入清凉界，作冷静思，熄无妄之火，灭无由之虑，生澄明之识，得豁然之悟；经过"心理冲凉"，焦虑感即使不能全消，也必然大大减弱。

"心理冷水"当然没有也无需划一的配方，不过对大多数人来说，也许下面的几瓢冷水颇可一沐：一、这个世界不是单为你而存在的，尤其不是单为你畅通无阻和马到功成而存在的；二、在你衡量别人的妍媸对错时，别人也同样在衡量着你，切莫"唯我独妍"，自以为是，尤其切莫以为自己有资格有权利评判一切、处置一切、奖惩一切；三、对客观规律、时代潮流、新生事物、人心所向宜心存敬畏，倘感到自己与上述各项相左时务须止步回头，而绝不可固执对抗；四、没有你地球照样转，在宇宙和历史面前应有不打折扣的自我渺小感；五、在这转动的地球上你唯有多事耕耘少问收获方能确定自身的价值……

也许还可多泼几瓢，但泼多了便成为过"泼水节"，那冷水浴便成了非自愿的他人强加了，且戏谑味过浓。"心理冲凉"的冷水最好还是自己配制，当然，也不必正襟危坐地仿佛酿造苦酒，无妨多佐之以一些自嘲，在轻松怡悦的状态中进入那冷水浴。

能施行"心理冲凉"的人，无论他那焦虑感已达于何等躁闷的程度，总还不失为一智者仁人；但世上有一些心理结构已全然变态的人，他们是不懂得"心理冲凉"，拒绝"心理冲凉"，无可救于冷水浴的，那可怎么办呢？难道大家就只好眼睁睁地，看着他被虚妄的欲火终于自焚掉么？唉！

1992 年 5 月 1 日

欣赏男体

随着我国改革开放的步伐加大加快，我国的社会生活已发生了许多微妙而深刻的变化。比如，对女子的社会性欣赏，已由面庞而及身体，前些年"美人头"挂历行销一时，现在又有"比基尼泳装美人"挂历上市。即使是最保守的人士，只要他还看电视，则荧屏上所频频出现的时装表演，定要侵入他的眼中，刺激他的心灵——时装表演中偶有男子，但90%以上都由女模特儿扭着腰肢展示，所展示的究竟几分是那时装，几分是那"三围"和腿臂的美感，则观赏者各自心中，都有一定的尺寸，无论那尺寸出入有多么大，只看服装不赏女体的人，其数目大概近乎于零吧！

健康的人体是美的。一个社会，由"群体无意识"所构成的"美人"概念，也最集中地体现在美的身体上。健康而符合大多数人审美趣味的人体，也许是这宇宙中最值得自豪的奇葩。

在西方，远的，如古希腊、罗马且不追溯，单就自15世纪意大利文艺复兴肇始以来的造型艺术而言，其中对人体美的展现，就既有女体的艺术瑰宝也有男体的绝代佳作。我们都知道，16世纪意大利文艺复兴高潮期中有所谓的"三杰"，即列奥那罗·达·芬奇与米开朗基罗，还有比他们年轻的拉斐尔。大体而言，达·芬奇以表现女性的绘画而光耀后世，其代表作如现存巴黎卢浮宫中的油画《蒙娜丽莎》，那虽是一幅半身着装肖像，且以刻划该女子面部那"神秘的微笑"而著称，但达·芬奇对蒙娜丽莎那双相叠的素手的描绘，一般艺术史家都认为是表现女体局部之美的经典，叹为观止，观而难忘。米开朗基罗则以雕塑男性的美体而留芳百世，其代表作是现仍保留于古城佛罗伦萨的男体全身圆雕《大卫》。该像完全裸体，只肩上扛了一架弹石机，绝无其他遮饰，连阳具亦逼真地雕出，美轮美奂地展现了一个青春男子的阳刚魅力，令几百年来的观赏者——无论男女——称誉不息。拉斐尔则似乎汲取了上述两位之长，在梵蒂冈宫殿中的大型壁画上，把女体和男体之美表现得相当充分。西方的这种具象艺术直到上世纪末本世纪初仍相当辉煌。如法国雕塑大师罗丹（1840—1917）的《思想者》雕像，其复制品在中国亦相当流行，甚至近年电视中的一则药品广告也加以利用，罗丹所塑的这一"思想者"实际上是一强壮的男性裸体，以其在托腮的坐姿中浑身肌肉的紧张引出观赏者对其苦苦冥想的内心呼应。后来西方造型艺术中的抽象派大行其道，据说那原因之一，便是具象的绘画和雕塑已臻不可逾越的完美程度，要突破，只好另辟蹊径。

我们中国造型艺术的成果是辉煌的，然而最突出的，似乎并非具象的东西而是大写意的东西，就表现人体美而言，在唐代的《簪花仕女图》以及一些墓葬壁画及唐三彩的俑人上，体现出一定程度的"还原性追求"，但唐以后，人体画及人体雕塑便式微了。明代虽盛行画男女作爱的"春宫画"，但那上面的裸男裸女几乎已无人体美感可言，所传递的只是纯粹的色情信息。如今我们到各处的佛寺去看，那些大肚子弥勒佛、哼哈二将、四大天王，以及如来观音及五百罗汉的塑像，其上品虽然有其很高的审美价值，但如从人体解剖学的角度衡量，则会感到那些雕塑者或许完全不懂得人体的解剖学知识，或虽懂得却并不想尊重，因而面对那些佛教艺术品，我们极难领受到活生生的男人和女人的身体之美。

西方社会进入工业社会特别是经历若干次经济危机终于发达以后，像米开朗基罗的《大卫》或罗丹的《思想者》那样展现男体美的艺术渐渐消隐，大行其道的是将女性身体作为商业性符号横加推行的种种文化现象。如美国好莱坞电影就曾推出了玛丽莲·梦露那样的"肉弹"型女明星，后来又时兴女模特儿作时装表演，以及用无数性感女性在电视上作推销商品的媒介。当今西方的"女权主义者"以及将"女权主义"与"环境保护主义"两旗并举的"绿党"，他们都对到了"后工业化社会"愈演愈烈的这种将女体作为男性所宰制的社会中的商业性符号的文化现象大加抨击，如德国"绿党"领导成员之一彼娜(Pinl)就曾在一次谈话中愤愤然地说："我们虽不必谈女人个性上的自主发展，至少女人必须是自己躯体的主宰，如今女人对自己躯体的主权，还受到父权社会无情的剥夺。请看广告：烟草公司用女性的乳房吸引人们注意他们的名牌，家具公司也用女人的身体作广告，旅游业、保险业也一样。女人的躯体不但以图片的方式，有时也以文字宣传的方式降为商品的附加物，我们甚至在法律上都没有权力起诉那些公司……"而仅就我们所了解到粗略的情况来看，西方如彼娜之类的"女权主义"鼓吹者，要实现她们所追求的那种两性平等，看来还必须经历十分艰苦的奋斗，而最终能否达到她们所向往的境界，实在还很难说。

在目前的中国，女体作为推销商品或娱乐男性的媒介物观赏物已成滥觞，越来越多的中国人已能欣然接受或至少持无所谓的容忍态度，而且平心而论，如电视上所出现的女体形象，基本上确是展现一种美感而并无色情挑逗成分，可称健康；中国目前的电视上也有男性介入广告，但以展示身体以加强观看者印象的很少，偶有以男子健美运动员绷紧超常肌肉作穿插的，却几乎没有推出"常态男体"以供欣赏的。更有人说，时下舞台上、电视里的男子舞蹈者及以其他方式展示身姿者，阴柔一流居多，甚至多为贾宝玉或西洋式的"奶油小生"，因而社会舆论已有呼唤"阳刚"的强烈声浪。

依我看来，对健康娇好的女体的欣赏既然已为我们社会所理解，那么，对健康阳刚的男体的欣赏也应当成为一个开放性的领域，特别是对于我们中国社会那已具有强烈的两性平等要求的女子群体！

心上的草

青春期萌动来临了！

那标志，便是心上长草。

心窝里痒痒的。注意力不集中了。常被老师、家长窥破，有的老师便大有"恶竹应须砍万竿"的架势，有的家长也不禁惶惶然只想往那长草的心上泼滚烫的碱水。但那心上的嫩草芽儿并不是"恶竹"，亦非蛆虫，它是"野火烧不尽，春风吹又生"的！

也有自我悚然的。女孩子尤其容易自惊自咋，"我这是怎么了？！"

竟有一种犯罪感滋生。

然而青春无罪。

心上的春草，倘从未生出过，那即使不是一个有疾患的人，至少也是一个怪人。伟人们大体也是"打小这么着过来的"。

心上的草，倘任其乱生，最后蓬蓬然、森森然，以至失却了萋萋青翠、淡淡雅香，纠结、芜秽、枯黄、腐臭，那当然很糟糕，不过，绝大多数正常的少男少女，他们心上的草是不会乱长到那般地步的。

心上滋出嫩草芽儿，预告着人生进入了一个既神秘莫测又乐趣无穷的阶段。啊，原来男的跟女的真是有着重大不同的两种人；原来人的眼光里还有那么多只能意会而不能用语言和文字解释清楚的信息；原来长辈们之间有着那么多隐蔽而深刻的矛盾冲突；原来长大成人投入社会真有点像还没学会游泳就硬被人推进了河里；原来世界竟如此之大人类竟如此之复杂；原来那些崇拜了好久的明星作为一个俗人也不过尔尔；原来某些听腻了的训诫还真有些用处，相反的是原来某些以为是不可撼动的说辞现在竟被证明是相当地可笑；原来我最闹不清楚的倒是我自己；原来一个人会遇上即使是最亲近的人比如爸爸妈妈也不能告知的境况，得全凭自己去探险……而最大的感悟也许是：原来伟大人物他那消化道的下端也会产生粪便，并且同样需要排泄，也许那抽水马桶非常高档，但在那一段时间里人类绝对"大同"……

心上的草，需要和风梳理，需要柔剪刈除，不要怕剪而复生，亦不能任其疯长狂蹿，看见过质量上乘的足球场吗？那绿草构成一袭地毯，任足球健儿在其上驰骋竞争，青春的心草，当如那绿茵场般既美丽又齐整，既柔软又坚韧。

人生步入中年，就大多数人而言，心上长茧，青草不生，要生，便只生荆棘。那时，能温情地忆及当年心上的碧草，便得到一份自慰——我也有过"荒唐的青春"；能蔼然地对待子女学生心上长草的"荒唐"，不惊慌，不压制，而贡献出一份理解，一份容忍，一份疏导，便会觉得人生更有甘味……

心上长草，是人生青春期中毋庸逃避的"荒唐"，适度时心理"荒唐"，有利于人性的成熟，要防止的，是"更向荒唐演大荒"！

发宜常梳

经常梳头有宜身体健康，这是人的共识，这里不去多说。

但生理的发和心理的发，实际上是合二为一的。古语早有"怒发冲冠"一说，那便是心理上的焦虑，升腾为感情上的愤怒。最后竟导致了生理上的强烈反应——头发至于直竖起来，而将帽子顶掉。这说法当然是夸张的，倘若帽子戴在头上扣得不紧，那么无需头发竖冲，一阵风也可以把它吹落。而戴得稍微紧实些的帽子，一个人就是大怒，那除非他不由得将帽子抓起掼在地下，一般也不至于真的被头发顶落——但去掉夸张的成分，询之于生物学家，他们会告诉我们，动物身上的须毛确是随感情而有所变化的。一个人发怒时，他的头发确会变得比平时直挺。

最近有位理着"寸头"的青年人来同我聊天，侃及当前社会上的一些"怪人怪事怪现象"，如假冒伪劣商品的坑人达于让人毙命，车匪路霸的白日抢劫行凶竟常常使远比他们数目多的良民百姓敢怒而不敢言，疯狂追求金钱而导致道德沦丧与人情浇漓的丑剧闹剧等等；他侃到痛心疾首处，不仅满脸溅朱，而且头上寸发确实如钢丝般挺立，激昂中他瞪着眼宣称："既然如此，都他妈别过了！胡来谁不会呢？……"

我便赶紧取过一把立体梳子，让他先把怒发耙一耙，他先本能地推拒，后来大惑不解地问："这开的是哪国玩笑？"

我便先耙梳自己的头发，诚心诚意地对他说："面对这些确实存在的社会阴暗面，我又何尝不是怒发冲冠呢？但愤怒或许可以出诗人，却不能解决任何实际问题；当然对不合理的糟糕的事情我们不能无动于衷，不过我们不能只是任自己的感情膨胀，更要警惕由此形成的心理梗塞——本来明明原是看不惯道德沦丧、人情浇漓的，因为不去疏导、梳理心理的河渠，便会由大愤慨化为大溃退。比如你那赌气的话，便是一种流通不动爽性淤积任其腐朽的消极意识，长此以往，势必真的同流合污去了！所以，我主张自觉地梳理怒发，当然我主要是指心理上的怒发，比如我在梳理中感情就渐渐化为理智，焦虑感就渐渐化为了清醒感，这里我也不想多说我在耙梳心理怒发中跃升为'形而上'的那些认知，我只向你介绍我理顺的一条基本'发绺'：对消除这些社会的阴暗面我也许确实无能为力，但我要把握住自己——我绝不进入阴暗！而且，我相信社会上大多数人只要从这一步做起，就是抑制、打击阴暗事物的最大合力！……"

我们继续侃时，那青年朋友亦用梳子耙梳起他的寸发来。

1993 年 5 月 8 日

给她一大哄

我是最反对起哄的人，每当在街巷中遇到小学生们无端地在那里"啊嗬啊嗬"给别人"一大哄"，总是很反感；但最近在电视里看到一则报导，却忽生"为什么不给她一大哄"的想法。

电视里告诉我们，有一位中年妇女，公然在北京的大公园里聚众声称她自己是什么"玉皇大帝"亲自派出的"观世音菩萨"的化身，从显然是有关部门偷拍的录像资料上我们清楚地看到，居然有相当多的愚昧者虔诚地围聚在她的身边，双手合十，只差顶礼膜拜；最可惊骇的，是她自称交她十块钱，她便可以保证交她钱的人疾病全消，而往她手中递钱的竟络绎不绝，她亦毫无愧色地当众点钱，一副可憎可鄙的嘴脸……当然这位冒牌"观世音"终于被公安部门收审，荧屏上有她一个在公安人员面前泪流满面狼狈不堪的镜头，不见"玉皇大帝"派出托塔李天王之类的天兵天将来将她搭救，更不见她以遁身法一笑而消。

老实说，我在外省的旅游地，看见过不少给人占卜算命的男女，自然也很不以为然，但他们或自命懂麻衣相术，或号称通易经八卦，虽然意在引人入彀，收一点钱，但一般还不至于张狂地宣称自己就是神仙本人；他们的生意也好不到哪儿去，有的游客到他们摊前，也无非为增添一点旅游中的余兴，围观的人时有起哄的，跟他们逗逗闷子，他们也未必都加反驳——他们一般说来毕竟还能诌上几句"行话"，所以被他们算过命的游客，有时也还真信一时，或半信半疑……对于这些"职业算命者"（有的可能是在从事第二职业），我心里还是比较宽容的，但那位自称由"玉皇大帝"派来的"观世音"，在北京的公园里当众骗钱还当众用手指头沾了唾液数钞票，其行止我是真看不下去！

从电视上映出的镜头里我看到，围聚在那女骗子周围的基本上是些中年以上的男女，但似乎也有一些年轻人，我看着就很着急，我不禁想说：在场的年轻人，你们应该给她一大哄！你们应该冲到她跟前，质问她："你懂什么？玉皇大帝是道教系统的神仙，而观世音菩萨是佛教的神仙，你说说看，玉皇大帝怎么会指挥起观世音来了？《西游记》里把佛道混在一起讲，也没这么瞎指挥！你说你是观世音转世，你能把佛教里的观世音菩萨是怎么回事说明白吗？哪部佛经里讲到观世音救人苦难还收钱的呢？……"相信只要有年轻人及时当众给她一大哄，她演出的丑剧也许就不至于延续得那么久。

我知道，在目前社会大转型的急剧生活变迁中，许多人精神失落、心里失衡，"病笃乱投医"，堕入迷信的渊薮也无足大怪，但煌煌京都，光天化日，搞迷信骗钱财搞得如此粗鄙骗得如此放肆，而迷信者又如此颟顸如此自贱，信科学崇理性的中国青年人，你们对此能够熟视无睹吗？

心灵潜语

电视上播了个纪实节目，是电影学院"文革"后第一批毕业生十年后重新聚首的情景，节目由他们自己制作，因而最能真实地反映这批被称为1949年以后的"第五代"电影家们的精神风貌。令我这观众特别感到触目惊心的是，那节目的纪实段落里，频频出现诸如此类的镜头：聚首的电影精英自娱时，不仅唱"文革"歌，而且还有几位十分投入地配合歌曲跳起了最具"文革"特色的舞蹈，如摆出"骑马蹲裆式"，双臂一高一低朝左方僵直上扬……有一个镜头里还表现几个同窗相聚时"惊呼热中肠"，急迫中干脆采取了"文革"中的批斗方式：把其中一位揪住双臂后撅，让他"坐喷气式"……我当然能明白，他们唱"语录歌"也好跳"忠字舞"也好，无非是雅极而故俗，逗闷子罢了；那"斗倒斗臭"的搓揉，更是一种至纯至浓的情谊发泄。我的触目惊心感，并不是不能理解的反感，而是一种莫可言说的灵魂悸动。

看完那个专题节目，我久久不能平静，我想到自己，自己所隶属的一代，以及自己往上的几代……我憬悟：一个生命，到头来无法摆脱两种宰制他的因素，一是遗传基因，一是时代——包括那时代最流行的符码：歌曲、舞姿、套话、日常身体语言、群体行为模式……"时代符码"烙进人的灵魂后，便构成自觉不自觉的灵魂潜语，不管那人后来的理智层面呈现为怎样的政治观、世界观、人生观、艺术观……他在许多时候，特别是在不经意的情况下，表达他的情绪时，往往到头来还是会脱口而出或姿不由己——采用了心灵潜语，当然他可能是用以自嘲、反讽，但由他的那些心灵潜语，旁人不难判断出他是哪一代哪一茬的人。

"第五代"电影家们的心灵潜语，在由他们自己录制编辑播出专题节目中如此凸现，使我这样的观众大为感慨，可能是他们始料未及的。我觉得由此获得了一把进一步理解他们那些才华横溢的作品的密码钥匙。不错，如今三十五岁以上的中国大陆人都经历过"文革"，但"第五代"电影家们在"文革"时大约处于十多岁的年龄阶段，那场梦魇般的狂飙席卷了他们一生只能享有一次的童年、少年和青春花蕾期，那场运动他们每人固然各有各的具体遭际，但相同的方面比他们前几代要多得多——他们毕竟不是运动的对象，而且一度被封为了"小将"，那些狂热的日子，对他们来说，确有"盛大的节日"之感；"节日"之后是严加管教的"上山下乡"或"屯垦戍边"；之后是梦醒，伴之以巨大的机会——但他们醒来以后发现青春已所留无多，因而他们采取了一有机会便咬定不放、狂肆爆发的方式来显示他们作为一代人的价值……在这一显示过程中，他们的心灵潜语不时浮现到银幕的前沿。

记得头一回看《黄土地》，我的心仿佛被重槌频频敲击——我是所谓"伤痕文学"

的代表人物,"伤痕文学"的特点是对"文革"的无情鞭挞,代表着我那个年龄段以上(当然也包括一部分受父母牵连的"第五代"的同龄人,但他们相对而言非此群体的主干)在那个历史时期的一种无法抑制的激昂情绪。《黄土地》却异常平静,并且从贫瘠得如伤痕般的大地上挖掘出了一种超越意识形态的美感。我当时就意识到《黄土地》这类艺术品的出现,宣告着"伤痕文艺"的彻底终结,但在《黄土地》所刻意表达的美感里,如祈雨的场面,腰鼓的场面,尽管影片表面上是展示远在"文革"前二十多年的事,但那种从狂放的大场面中感受到一种震撼之美的心理契机,我敢说还是"文革"所赋予的,那是陈凯歌心灵潜语的第一次外化。

张艺谋的心灵潜语就外化得更多也更浓,全世界都注意到了他对红色的可以说达到病态程度的使用癖——在表层,银幕上的红色造型或者具有某种具体的思想内涵与美学创意,但那骚动在张艺谋灵魂深处的,一定是关于"红海洋"的稠酽记忆;也许他会在以后的影片中刻意控制对红色的运用——但需要抑制本身便意味着心灵潜语的强大与执拗。

那"十年聚首"的专题片好像是冯小宁剪辑的,许多人都记得1992年,也就是日本天皇破天荒应邀访华的那一年,电视台在黄金时间播出了他自编自导好像还自摄并自己谱曲的连续剧《北洋水师》——"第五代"的心灵图在显示了《黄土地》的贫瘠与平静后,如八卦图般又旋转到了力图展示我们民族可能具有的丰富强大,并急欲煽动观众的爱国激情。不知道冯小宁在拍《北洋水师》时,心灵里有没有"珍宝岛战役""西沙之战"一类的潜语,但他在剪专题片时也许是完全不经意地保留了那"坐喷气式"的镜头,却使我们窥见了远不是只属于他个人的"时代密码"。

心灵潜语无所谓好坏,心灵潜语的外化或浮现亦很难评说其得失,但心灵潜语构成识别一代或一声人的标志,则无疑义。

于绿叶居

想象宇宙

我不知道青年朋友们有没有一个人冥思默想的时候，想必是有的——但冥思默想时有没有去认真地想象过宇宙呢？我想那就未必了。

尽管我们都是微若芥豆的生命个体，但这生命毕竟存在于浩茫的宇宙之中，对于我们所寄载的这个宇宙，实在应该在应付具体的社会生活和自身的实际需求之余，哪怕偶然地只用不多的时间将它想象一下。

宙，指的是没有起点也没有终点但无时不刻地都在流逝的时间；宇，指的是没有边际也难觅中心的无时不刻地都在运动的空间。宇宙如何去想象？实在很难，而且，估计即使是天体物理学的专家，离开了那些专业性的用语、数据与理论，凭形象思维去驰骋想象，也很可能是一个人有一个人的幻想，一个人有一个人的独特心灵体验，难能划一的。

但只要具有初中以上的文化程度，我以为都可以张开想象的翅膀，对宇宙作一种自我心知的思维运动。现在电视文化很发达，在电视上，我们经常可以看到海外异域的风情，看到空中俯瞰的镜头，看到飞机与火箭凌空的雄姿，看到航天飞机在天宇中作业的景象，看到若干直接显现有太阳系、银河系及更渺远的天际景观的画面。更有许多用三维方式模拟宇宙奇观的电脑动画，乃至于某些商业广告也能唤起一些关于宇宙浩茫的联想。就以这些荧屏上的感性素材为起点，铺展心灵的跑道，便足可升起我们想象的航天飞机，唤起浓酽的无起始、无边际的浩瀚宏茫的宇宙感。

一千多年前的唐代诗人李贺，在《梦天》一诗中想象到："老兔寒蟾论天色，云楼半开壁斜白。玉轮轧露湿团光，鸾珮相逢桂香陌。黄尘清水三山下，更变千年如老马。遥望齐州九点烟，一泓海水杯中泻。"限于那时科学技术的发展水平，他所想象的仅是从月亮俯视地球，但其意境的奇诡幽远，已令人惊叹。比他更早的初唐诗人陈子昂有《登幽州台歌》："前不见古人，后不见来者，念天地之悠悠，独怆然而涕下！"虽没有具体地描摹想象中的宇宙，但那将天地万物及悠悠时空俱纳于胸的气势，却历千载而丝毫不觉其减弱。想象宇宙，能展拓我们胸臆，养浩然正气，使我们从猥琐的烦恼中自拔，心理淤结得以化解，并导致良性的形而上认知，是一种使个人心灵艺术化、圣洁化的手段。当然，个别人也许会在浩茫的宇宙面前产生一种消极的遁世情绪，乃至由此而去接近、皈依宗教，我想那也比心灵总在肤浅的现实功利层面上，庸俗、鄙琐甚而下流、堕落的好。

1993 年 5 月 22 日

扶　富

扶贫不消说是重要的，扶富呢？

扶富？！

的确，也有个扶富的问题。

有一回，在五星级酒店的川菜馆里，几位大款一边大吃水煮牛肉，一边大喝法国产的极为昂贵的人头马白兰地，使也在那里品尝川菜的法国人目瞪口呆。因为白兰地一般不是用来佐正餐主菜的——何况人头马那样的名牌，那应是用来在餐前或餐后一边闲聊一边小口小口啜饮的。或许你会说：大款无妨有一点怪癖，他爱那么喝么！但那几位大款一边喝一边嘬牙花子，直说："他妈的，这么贵的酒，怎么没个正味儿！"可见他们并非有了喝洋酒的常识后想变个花样"出出新"，而完全是出于无知。类似吃牲畜肉时要配红酒，吃鱼类海鲜时要配白酒一类的讲究，他们也都懵然不晓，花钱摆阔的效果，往往是贻笑大方，他们既想享受一番西洋餐饮文化，那就需要有人扶一扶他们，使他们至少懂得一点有关的 ABC。

吃西餐、穿西装、扎领带、配鞋帽一类的事，富而不通，倒也于他人无碍。但有那买了豪华轿车的款爷，一边开车一边从车窗里向外啐痰，一路啐下去，可循痰迹而达于其宅邸，这就不是雅不雅的问题了，实在有必要扶他一扶，比如动员他买一台显微镜，教他看看痰里的细菌有多么可怕，使他懂得维护环境和不影响他人健康尤其是富人应尽的义务，当然扶他也是为了他的健康。

过去常有人引用暴富者巨款买来古鼎后让人把铜锈尽行磨去，油光锃亮地摆在客厅里以显示自己的风雅，而实际上却令真风雅者笑掉大牙的例子，来说明富与雅之间的距离，并不是用钞票一铺便可以缩短的。我们都很熟悉的相声《关公战秦琼》，里面所讽刺的韩老太爷，不仅富，而且有权势，他的令人齿冷，除了专横，便是毫无历史知识，对于他那样的老混蛋，自然不必去扶，但如今某些大款，他们的富，是付出辛勤劳作所得，他们的缺乏历史、地理及其他百科知识，又并非完全是他们上学时不学所致，因此，扶他们一扶，实有必要；当然，也希望他们自己有富而思雅、渴求人扶的劲头。

扶富的意义，还不仅仅是提升富人本身的素质，富人用他们的钱，在营造出许许多多的社会景观，他们的审美趣味，可以大面积大体积地赫然凝固在大地上，因此如果他们的素质低下，那就会给社会带来若干很大的遗憾，比如，在一些近年富起来的村子里，富裕的村民盖起了一座座的别墅式住宅，因为既不懂得西洋文化，又不尊重民族文化传统，也听不进设计人员的合理建议，财大气粗地宣布："我的钱就要这么花，你就照我的要求盖！"结果，那一座座用钱堆出的住宅形态粗蠢颟顸，色彩触目惊心，功能性也有明显欠缺——已有经过走南闯北、展拓了眼界的新一代村民，发觉了那些摆阔之屋的不伦不类，但也只好望屋兴叹，因为拆起来比盖起来更难！

大款们不仅影响着社会的物质景观，也渐渐影响着社会的精神领域，想到这一点，再看看新富们钞票的增长速度大大高于文化素质的提升速度的现实，我们能不感到扶富的紧迫性么！

1993 年 5 月 4 日

秀色可餐

前些天写了篇《什么都吃》，谈所谓中国"吃文化"的问题，我对"西方文化是性文化，中国文化是吃文化"的说法，一直抱着谨慎的态度。因为那判断未免太绝对，不过，如果说成"中国人的思维中，吃是频繁出现的念头"，那我是举双手赞成的。

我那篇《什么都吃》，谈的并不是中国人吃蛇、吃鳖、吃河豚、吃果子狸之类的癖好，因为那无论如何，总还确实是与人体的消化器官有关联的事，我举出的例子，有"吃黄牌"、"吃官司"、"吃败仗"、"吃一刀"、"吃回扣"、"吃老本"、"吃捧"、"吃骂"、"吃香"、"吃瘪"、"吃得消"、"吃不消"、"吃得开"、"吃不开"……最古怪的是"吃一堑，长一智"，连"堑"也讲究"吃"，你说中国人思维中还有多少是不能"吃"的？

我一直在想，中国人的人际关系，大体而言，是把所遇见的人，分为"生"、"熟"两类的，这大概是自我们的老祖先山顶洞人发明用火以后，最古远的传统——我们牢记："生"的东西不好吃，闹不好吃了还要肚子痛；而熟食是最香的，也好消化。大体而言，我们中国人做菜动不动讲究用大火炒，往往熟得过分，把原料里的营养破坏殆尽，但我们吃起来，很是带劲；我们的思维里，渐渐约定俗成地喜欢"熟人"，排斥"生人"，你到某些国营商店去看看，那些对属于"生人"范围的顾客，就往往遭受售货员的冷面白眼，但如果来的是他或她的"熟人"，那么他或她会当着"生人"，毫不避讳地眉开眼笑，声气也柔和了，姿态也妩媚了，"熟人好办事"，所以一事当前，中国人总是立即琢磨：有没有"熟人"可托？"熟人"之间，互相可以愉快地"吃"，如是"生人"，那就很可能"不吃他那一套"！当然，随着改革开放，国人的饮食习惯，也渐渐兼收并蓄，日本式的生鱼片，西洋式的生菜色拉，近年来在餐馆里也开始大行其道，特别是在年轻一代中，他们对"生""熟"的界限已经不那么太在乎，以此为标志，人们开始渐渐进入"生人""熟人"一视同仁的法制人际；当然，这也还仅是苗头，传统的把人分为"生""熟"两类，"看人下菜碟"的心理定式，在大多数国人灵魂中，还将滞留很久，并对我们的社会生活，继续起潜在的不可低估的影响。

对于美人儿，我们中国有句成语，叫"秀色可餐"，你如写成"秀色可赏"或"秀色可赞"，语文老师一定会给你把最后一个字改掉，如是升学考试，那你会痛失分数；呜乎！我们中国人真是能吃，见到美人儿，不是"赏"，不是"赞"，而是明言要"餐"！所有中国的美人，尤其是美女，又尤其是妙龄少女，你们在这个不可乱改最后一字的成语面前，作何感想？就是我们这些丑人，细想这一成语，也真有点不寒而栗哩！

对所喜欢的，是恨不能吞进肚子里，对所讨厌的痛恨的呢？鲁迅先生有个归纳，是恨不得"打杀了煮吃"，这"打杀了煮吃"与"秀色可餐"，其实是一张扑克牌的两面，总之，我们中国人的终极快感，似乎还是集中在消化道上，爱憎到头来都落实到"吃"上。

"吃文化"一定不好么？尤其和"性文化"相比较，一定属于落后的范围么？我以为在不同的文化间作这种整体性的优劣对比，是非科学的，无意义的；一种文比既已形成，只能面对，其传统是不可能以感情或理论加以切断、变更的；问题是我们也不能反过来把自己的文化传统和思维定式封为最优秀的、祭为永恒的，我们一定要知道，人类中有许多不同的文化，而且整个人类文明的推进，有赖于各种文化的交融，"吃文化"和"性文化"就可以互取所长；我之有感于"秀色可餐"的"吃相"不雅，并非是同"性文化"对比以后的自惭形秽，而是觉得不用对比什么，随着社会生活的发展，我们也无妨对自己的文化多些自检、自嘲和自调，不知读者诸君，以为然否？

绿叶居

勿作"蹴迷"

近见报上批评一位电视播音员把"一蹴而就"读成了"一就而就"。播音员读错自属不该，但这一书面语言，普通人恐怕不仅不知"蹴"要读成"醋"的音，而且就是播音员读对了，听后也未必懂得那含意。"蹴"是个古字，"蹴球"曾是一种很流行的运动，就是踢球，不过那时候的球大概没有现在这样的气胆，重量感和弹性感都大不一样，所以踢法也有区别。"蹴"一说是"踏"的意思，我想那个"踏"的动作并不一定是定球，而是用脚底将球推出，"一蹴而就"应是一出脚便得到胜利的意思，等同于"马到成功"。

虽说能读对"一蹴而就"的人不那么多，但时下的中国，急功近利，希图用最简便的方法，走捷径，谋取一己的私利，得大快活的人，似颇不少，我们无妨把他们称作"蹴迷"。

"一蹴而就"的事，自古就有，如今仍有，今后也还会有，因此"一举成名天下知"、"一夜暴富"，成为名流、富人的例子，永远是可以"不胜枚举"的。但从比例上看，恐怕也只能论"枚"而绝不是成"把"成"捆"地出现。对"一蹴而就"的人和事羡慕向往，大体而言，乃人之常情，我以为不必一概否定批判，甚至还蕴含着某些良性的心理因素——一个人向往成功总比灰心丧气好。偶尔把苦巴巴的自己和大明星大富豪等量齐观一下（"什么了不起的！我指不定哪天也会那样！"），可以维系提升自信心。相信"两点之间以直线为最短"并努力提高做事的效率总比傻干强——我们应避免的，不是力图找到有效的"一蹴"，而是走火入魔，成了单巴望"一蹴而就"的"蹴迷"！

大略而言，"蹴迷"有两类。一类是尚知凡事不能越矩，所以所为倒非胡来，但他们的思绪总被社会上的时髦风气牵着走，看见有人发表一篇文章引起轰动而俨然成了名作家，他们就突击写作、频频投稿；看见影星歌星大红大紫后日进斗金，他们就一天到晚去纠缠导演电台；发现搞文化毕竟风险大冒尖者寡，于是他们又学着去倒腾东西；后来听说买股票债券最轻省，人在家中坐，财从门外来，于是又托人觅路买股票债券……如果他们抱定上述的一种追求到底，那还另当别论，可惜他们总是"一蹴而去"，结果"久蹴不就"，越不就，越急于去"蹴一脚"，越"蹴一脚换一球"，越不得要领，到头来弄得自己心浮气躁，穷愁潦倒。另一类，则是些不懂或蔑视规矩的冒险家，他们往往大脚"一蹴"，全然不计后果，看似立马"而就"，其实全是胡闹——例如有人搞到了贷款（且不究其手段是否合法），他头脑里竟然连借贷要定期偿还的概念都很模糊，拿着贷来的钱，不是忙着去让钱生钱，而是马上毫不心疼地拿钱买欢，一笔千元的赚头都没到手，他却已举行了八万八千八百八十八元一席的宴请。诸如此类，不一而足，这样蹴下去，能成就什么呢？很可能蹴到铁窗里去了！近来有人又热心考据，说是足球这项运动是从中国发源的，"蹴球"一词便是明证。但怪在中国这足球发源国的球运目前极不佳，不仅未能"一蹴而就"，竟是接二连三、晦四霉五地屡蹴屡败，看来我们这个民族还是头脑清醒一点好——从每一个成员做起：多一点扎扎实实的韧劲，少一点一蹴而就的痴迷！

友不过三

"朋友"有宽窄两种含义。

宽意，泛指善意相处之人。例如我写这些"坎儿上侃"时常称读者为"朋友"，相信也会有一些读者称我为"作家朋友"。其实我们之间除了文章上的交流，很难说相互有多深的理解，更难密切交往。所以，这里的"朋友"一词，大半是表示友好的一种尊称。

窄意，则是指实打实的朋友，就是相互之间不仅建立了密切交往的关系，而且能给予对方信任，并从对方那里得到理解、鼓励与安慰，往往还有物质上的支援和通家的交好为基础。这时一个人口中的"朋友"便重若千金，非轻易可以给另一个人冠之的了。

"这世道，人情浇漓，朋友越来越少了！"一位邻居对我喟叹。

这话算不得"落后"。世象确有这一面。进入市场经济，钱这玩意儿越来越成为主角，它常常"抢戏"。在金钱的影响下，原来相好的朋友竟至于丧失了往日的情谊，有的更成了对头；呜呼金钱，它能使人获得丰富的物质，却并不能保证人获得饱满的真情。更糟糕的是它还常常使人把阿谀谄媚如蝇逐血之类的表现误认为是前所未尝的友情。闹不好，在世态的浮沉中，"金满箱，银满箱，转眼乞丐人皆谤"，到头来才知道自己是"人财两空"！

但这世道也未见得有多坏。"以阶级斗争为纲"的世道里，朋友就都保得住吗？那种情况下，金钱这个怪物的确不起多大作用，但斗红了眼以后，满眼敌情，无处不是"怪人怪事怪现象"。你揭发我，我揭发你，背靠背检举，面对面批判，夫妻在枕头边尚且要"斗私批修"，朋友间自然更要"狠斗私字一闪念"。友情本来就是一种私人感情，朋友更是个人与个人之间的一种私人关系。既然一切私人空间——从物质到精神的——都被取缔了，真正意义上的朋友又到哪里去找呢？你说那世道里作祟的怪物是什么？我说是"极左"。"极左"比金钱更可怕，因为金钱到底是看得见摸得着也究竟还可以拒绝可以鄙夷的。"极左"却无形无影而无处不至，甚至能钻骨入髓、浸魂蚀魄的。"极左"肆虐时，你是很难抵御也绝不能公开鄙夷的。

友谊确实是一种私人感情范畴里的东西，它应具有相当的超越性（当然不是绝对的），比如毛泽东就同章士钊这位当年在"三·一八"大惨案中负有一定责任的"教育总长"，几十年如一日地保持着私人情谊。尽管毛泽东盛赞鲁迅，尽管鲁迅的《华盖集》及《华盖集续偏》里印满了抨击讽刺章士钊的檄文，并且那篇《纪念刘和珍君》几十年来一直是中学教科书里的恒定课文。毛泽东却即使在"无产阶级文化大革命"中，也仍对章士钊例外对待。那时一切"封、资、修"的东西都被无情扫荡，但毛泽东却亲自批准印行了章士钊的《柳文指要》（一部关于唐代大诗人、散文家柳宗元的书），而且印制得非常之精美……

窄意上的私人朋友，人的一生中，即使伟大如毛泽东，也多不到哪儿去，你我凡人俗人，自然更不能奢望多多。其实就窄意上的私人朋友而言，不是多多益善，而是"多多必淡"。无论是在"以阶级斗争为纲"的世道中，还是在金钱作祟的社会环境中，你原有的朋友数目的下降并不一定是坏事。因为你会在变幻的世象中发现，有的从来不曾真是你的朋友，有的是"成事不足，败事有余"的"赘友"，有的不过是"酒肉朋友"。你不但不必为朋友的减少而伤感，甚至你还应该主动为自己心目中的"朋友"作一番减法，在静默回味中，发现出那真正能对你心灵起鼓励、慰藉作用的挚友。我想，筛汰到最后，大概不过一两位而已。

人生一世，友不过三。这并非悲观言论，而是平实之想。在这一切都似乎在加速变化转换的大时代里，我们能固守两三人之间的真挚友情，足称快乐！

1993 年 10 月

退而结网

"临渊羡鱼，不如退而结网"，这话古了去了。然而时到如今，攘攘人世中，仍是"临渊羡鱼"者多，"退而结网"者少。

一些人在茶余饭后，总没完没了地议论不在场的人物，从明星大腕一直议论到亲友同事熟人邻居，谁谁谁红得发紫，谁谁谁一掷千金，谁谁谁怎么会人模狗样地成了大款？谁谁谁凭什么财大气粗？谁谁谁自己有什么能耐还不是靠那山高水深的背景！谁谁谁那副德性要不是脸皮儿厚嘴皮子薄能钻会爬哪有今天！……议论到最后总有点愤愤然、悻悻然、戚戚然，心头的结论是：爱谁谁，反正我倒霉，这世道……

世道人心变化无常，自然是茶余饭后的大好谈资，然而我们不能总是在那里愤世嫉俗，徒然浪费掉许多宝贵光阴。倘若再辅之以狂饮滥醉、吞云吐雾，乃至于搓麻斗牌、打情骂俏，那就更是糟踏自己宝贵的生命了。也有把对他人事业成就、发财致富既羡又妒、既爱又恨的心绪，爽性带到自己职业岗位上去发泄的，如在仍属"大锅饭"的单位，必使那大锅里的饭菜更少更馊；如在"大锅"以外，则很有可能被"炒鱿鱼"。

是的，这世道因为尚未建立起完善细密的市场经济"游戏规则"，必有歪人怪事出现，必有靠"擦边球"乃至"猫腻"而竟"得分"的主儿；加以人性本身里的恶，即使在"游戏规则"已趋完善精密的情况下，也总有一些人不能修身养善，竟把那恶发泄出来，使我们一般人难以心平气和、置之不议；因此，"不平则鸣"，嫉恶如仇，本是自然的，也是必要的。我们不仅可以在茶余饭后加以抨击、讥讽，而且还应该群策群力地形成一种社会舆论和社会监督，促使"游戏规则"公正合理、精确细密，使靠犯规和臭讹"得分"的主儿，得到应有的抑制和教训。

但作为单个的社会人，我们的精力和时间，还是应首先放在我们自己的事业上。"退而结网"对于我们自己来说，是一桩天大的事。如果有人不是用网捞鱼而是用火药炸鱼或用毒饵毒鱼，我们气愤是必要的。然而要小心，那些"炸鱼"和"毒鱼"的说法很可能是"红眼病"引出的流言蜚语。如果有人确实有一张大而结实的好网，一网网捞出许多的大鱼肥鱼，我们一是可以坚韧不拔地去结出一张比他那更大更棒而社会又允许的网，二是可以坦然地承认人的才智机遇都不可能一般地大。自己审时度势，清醒地估量出自我的能力与机缘，去结出一张适合于自己的网来。

我的一位年轻的朋友，高中毕业后没有考上大学，他的高中同学有的出国留学去了，有的大学毕业当上了工程师，有的演了电视剧出了小名，有的当上了经理发了财。他却曾因"临渊羡鱼"而很耽误了一些宝贵的光阴，徒然地对当年同班同学背靠背地发表过许多的酸论，然而他及时地省悟过来，便从两年前刻苦努力地自费攻读德语和学习计算机程序编制，结果他不仅结出了一张适合于自己的"网"，也网到了相当不错的"鱼"——现在他在一家中德合资的公司里就职，薪酬颇丰，而且在工作中他有一种能发挥一己之才的成就感。他现在每天工作忙得不亦乐乎，当然也还有茶余饭后的间隙。我同他聊天，再听不见他叨叨唠唠地议论别人，即便提起当年的老同学，对成功者他总怀着真诚的喜悦，对尚未成功的乃至失败者，他亦绝无鄙夷讥讽；至于谁谁谁有什么桃色绯闻，谁谁谁被人告到法院，这类话题他都只置之一笑，一脸"爱谁谁"的表情——这回不是出于愤世嫉俗，而是因为他没有那一份闲磨牙的工夫。

朋友，你想捞鱼吗？那你要先埋头结网才行啊！

1993 年 9 月

良心与凉心

一位年轻的朋友缠住我问："什么是良心？"我惊异于自己的不能确切回答，甚过惊异于他的如此发问。

无庸讳言，在向市场经济转型的生活浪潮中，各色人等都或显或隐、或深或浅、或自觉或不自觉地遇到了这样一个心理问题。这当然不仅是一个心理问题，也是一个道德问题、伦理问题。中外古今先哲圣贤的有关论说，这里且不去梳理摘引；就我个人而言，愿对那频频发问的年轻人说：你的心里，还有没有一股温情——不仅是对父母兄妹，也不仅是对爱人好友，不仅是对子女，不仅是对有恩于己的人，而且，也包括许许多多（不是全部不可能是全部，亦不止是全部）生活中仅止是一般性接触的人——甚或是萍水相逢的人？

是的，现在我们不谈公益心，不讲慈善心，甚至不涉及同情心和正义感，我们只抽出一个小小的"线头"，看你那根针的针鼻里有没有这根线，并且能否缝合到你和他人和群体的心灵边缘？

是的，我们现在只讲讲温情，一种最常规的、最恬淡的对他人的温情。当你在飞机上、火车上、地铁车厢里，你可有一种温情地对待与你偶然相逢的陌生人的心态：你能跟他或她自然而然地搭话吗？你能在对他或她的一瞥之中，脑际飘过"谁也不容易"的想法吗？当你在繁华的市井，比如说在大街的人行天桥之上，望着那唱片川流不息的熙攘人群，你是否在心底里还有一种莫名的感慨，保持着一股不熄的温热，使你除了热爱自己以外，也起码还挚爱着你的同胞，你的同类……

你有？好！年轻的朋友，我以为，那便是良心，至少是良心中的一个重要组成部分，也许仅仅是最原始、最粗砺的部分，还不够丰满、不够深刻、不够高级，然而却是万万不可缺失的一部分！

在市场经济的大潮中，金钱越来越成为衡量一个人成就的最重要的标志，一个地区的行政负责人的政绩，人们往往要用他引进了多少外资、增加了多少税收来评定；一个普通的市民，人们往往要用他在法律允许的范围内获得了多少钞票过上了什么程度的富裕生活，来判定他是"混得好"，还是"混不出来"；而"心眼儿"如何如何，越来越退居到一个被许多人称之为"守旧"的角落，成为一丛不那么引人追逐的野菊，或者反过来，成为豪居中多宝格里的一尊玉佛……在这样的大背景下，一个人的心不被金钱变得冷冰冰，而仍维持着一些个温馨，也就难能可贵。

"良心"概念，在"以阶级斗争为纲"的岁月里，曾被斥为"抹煞阶级性的毒药"，在以金钱为唯一追逐目标的社会中，亦被讥笑为"糊涂人的侈奢品"；但自古到今，关于"良心"的讨论却经久不息，中外皆然，深奥的哲理，凡人难以消化，但一颗良心，总不该是一颗凉心，这浅显的见解，应能所见略同吧！

1993 年 4 月 3 日

"财"字莫横贴

"福"字倒着贴，见得多了，我也曾在自己家中倒贴过"福"字，"福到了！"由视觉刺激脱口而出的吉利话，我也挺喜欢听。但最近见到有将"财"字横着贴的，不知别人怎样，我自己由视觉刺激引出的反应，却并不是惊喜而是喟叹。

在市场经济的大潮涌动中，人们不讳发财，公然趋财，这里面已经潜伏着一个价值标准方面的问题：精神品质，心灵境界，究竟还重要不重要？如重要，应占据何等位置？这里且不探讨这一问题，要问的是，发财也罢，为什么企盼"发横财"？

发横财，即不付出主观方面的代价，而获得意外之财，且非小财，当然，我想横贴"财"字的主儿，他多半还并不是打算去劫掠，去诈骗，即并不愿触犯法律去谋取"不义之财"，那心中所向往的，大约是投一个"法律上无明确戒律之机而大有所获，或臆想忽有海外飞来的遗产，以至路拾万金而无虞追索之类的黄金梦。

世上哪有不付出代价，便可白白赢获的宝呢？有时，表面看起来，是未付出或只付出了很少的代价，而得到了许许多多。但随着时间的推移，往往那"白白得到许多"的人，恰需补偿巨大的代价，才终于能达到生活状态的持平境界，内心才始得安宁。最明显不过的例子，如张铁生当年因一张白卷而成为"英雄"，很飞黄腾达了一阵，还随一个代表团到日本访问，确算是发了一笔政治横财——但他后来为了填补这一"亏空"，却付出了多年徒刑的惨重代价。最近报刊上又有他的报道，说他刑满出狱后，已与一位等候他多年的女子结为伉俪，过上了平凡而充实——也就是收支均衡的——生活，祝愿他们一家从此"福"字倒贴而"财"字万勿横贴！无论什么样的"横财"——政治财、名誉财、地位财和赤裸裸的钱财，恐怕到头来都会有个补付惨重代价的时候，只在迟早之间。这倒不是我相信什么"善恶报应"，我认为不是冥冥之中，而是人类社会的运作规律之中，实在是潜伏着跃动着这样一种因素，那就是真正坚实的收获，必伴随着相应的代价；愿将自己的聪明才智投入到建设性工作中付出代价的人，即使那收获尚不能尽如原来所设想的丰厚，他或她的心灵却必然是安宁而怡悦的；而世上发横财的人，他们也可能就那么始终发下去，一路花天酒地到"嘎儿屁着凉大海棠"，并不付出物质方面的补偿，但他们的心灵，却一定或者不得安宁而饱受疑虑的煎熬，或者混沌着蒙昧而永不知人生的真趣为何，那其实是付出代价，而且是最悲苦的代价！君欲发财我不怪，唯愿"财"字莫横贴！

1993 年 6 月 5 日

单瓣月季自在开

我发表过一篇随笔《心里难过》，自以为是篇蕴藉幽远的妙文；文中云："在黑夜那最安适的时刻里，忽然会有一种浸入肺腑的难过，会忽然感觉，世界很大，却又太小；社会太复杂，却又极粗陋；生活本艰辛，何以又荒诞？人生特漫长，这日子怎的又短促？……忘记了应当记住的，却记住了可以忘记的，拒绝了本应接受的，却接受了本应拒绝的。……有时候就忍不住，想跟最亲近的人说一声：我心里头忽然难过，非常难过。"文章发出不久，便收到一封读者来信，展读时，见他引语是"刚读完您的《心里难过》一文……"不禁颇为得意——连这样的小文亦有知音！且看他如何与我共鸣，一齐"心里难过"起来……谁知，把信读完，满不是那么回事儿！原来，他是一位医生，他读了我的文章，感想很简单："您文中所述，都是心脏病的典型症状……"接着，他便"对症下药"，提出了若干治疗与康复的建议。

刚掷下这封医生来信时，我颇怅然。但后来我却极感谢他，因为：一、我心脏确有一些问题，他的有关建议，我照办后确见效果：心里不再总那么难过了；二、他给了我一个宝贵的启示：有时候，无妨把问题单纯化！

我以前写了许多文章，总的落点，无非是"不要把复杂的问题简单化"，相信读者们不仅在我的文章里读到了这一忠告，也在无数别人的文章里读到过比我那文章更鞭辟入里的有关阐述；我那《心里难过》，其实也无非是抒发个人在世道人心的无比复杂面前的一种怅惘感罢了。

是的——不要把复杂的问题简单化，这一信念，我不放弃，读者们也都不要放弃；但正如哲学上的"一分为二"无妨容纳"合二为一"，以更全面一样，我们在不放弃"复杂眼光"的前提下，有时候，也无妨以最单纯的眼光，来看待生活中的遭际。

一位男教师，本来最得意的一位女学生突然成绩下降，而且找来谈话时，态度也大为反常，使他惊异、气愤、担忧、警惕，他不禁生出许多未必无端的联想，以至于拟定了一个复杂的"挽救计划"，但他向校长报告自己的想法时，校长凝思片刻，却把问题简单化为："是她第一次来月经了！"于是校长让这位尚未成婚的班主任且退避三舍，后来也无劳另外的女教师过问，大约是家长略加点拨，那女学生不久也就复归原态。

两口子闹离婚，也确实打得太厉害了，亲友，单位里的人，乃至邻居，都来介入，越介入，问题越显得复杂，什么男方是否"陈世美"啦，女方是否"潘金莲"啦，插足的第三者可能是哪位啦，党政干部由此联系到"拜金主义对职工队伍的侵蚀"，工会妇联由此痛感"商品经济对传统道德的冲击"，闹得那两口子自己也越来越乱乎，都练就了一双"复杂的眼光"，非得把对方"复杂"了，才答应离；最最后，真相大白，问题其实非常单纯：他们性生活无法协调；双方都不是无能，也都无外遇，只是他们的性器官偏不能合契，所以他们不适合做夫妻，他们二位也是怕面对这一单纯的事实，羞于以此为由离婚，所以也互相瞎咬了一通——最后绕了一大圈，还是只好回到这单纯上来，问题始得合理解决。

有时，我们可能确实面对着不知深浅的复杂或那底蕴可能单纯而我们却难以得知，这时我们就无妨将其一律化为单纯，比如，这天你上班，发现一贯对你很友善的某人忽然对你爱理不理的，让你很不自在，怎么办？千万不要"浮想联翩"，弄得"心事浩茫连广宇"起来，你应在心里一笑曰："这主儿今儿个准有不痛快的事儿！可怜见儿的！"笑完就撂开，再不去"复杂化"，那效果于己于人，都必是好的。

北京的市容，是越来越美了，其中有一因素，是满城遍种着一种单瓣的月季花，色泽只是单一的正红，花形只是单一的圆薄，无香味，无特点，毫无复杂感，绝不"夺目"，但它可以从阳历四月底一直开到十一月中，随落随开，随开随落，而且非常皮实，简直无需多少伺弄，它们把京城中那些只能鲜艳明媚一时的具有"复杂美"的花木，衬托得更加引人注目，在那些"复杂美"的花木因春寒未及开放或因金风如刀随风凋零时，它们以其单纯，慰藉着人们的心灵，所以说北京之美，除了复杂的金碧辉煌和花团锦簇而外，单瓣月季的自在开落，亦不可不赏。

愿我们在必要时，都能像单瓣月季一样，在单纯中获得自信与化解！

1993 年 9 月 9 日北京绿叶居

摩登裙与矿工裤

时下的中国人，提起高消费来，总多少有点罪恶感。

这也难怪。在很长的时间里，我们的消费生活基本上是在计划经济的背景下运作，大家的消费水平大体上都保持在比较低的基准上，有些差别，那距离也很有限，就是有人他想高消费，拿着钱他也找不到卖"精品"、"极品"的商店。所以，凡年纪在四十五岁以上的人，大体上都有一种心理积淀，或说是心理定式：花大把的钱买个人用品，要么是罪过的可耻行径，要么是惊世骇俗的叛逆行为。

这十多年世道大变，这几年我们的社会生活由计划经济向商品经济转型进展尤烈。在卖方，出现了高档购物中心、精品店、极品店、世界名牌专营店……以及花园别墅和名牌洋车等过去想都不能想的高级消费品，更别说还有提供生猛海鲜奇珍异味的无数高级餐馆与可以让你一醉方休一乐销魂的酒吧歌厅茶肆舞榭，真个是声光色电、眩目迷心；在买方呢，现在有大款大腕，还有许多城市里的"青春享受一族"，他们花钱或如天女散花，或倾囊不惜。有卖有买，有买有卖，高消费的景观，煞是斑斓奇突。

于是有人忧心忡忡，乃至痛心疾首。艰苦朴素还要不要呢？勤俭持家还讲不讲呢？……

我以为，面对高消费现象，首先要冷静。第一，不要用单一的道德尺度，来衡量高消费问题。而且，社会生活中的个人消费活动，一般来说，属于个人的隐私，大体与道德无关，更不涉及公德问题。如果一定要评价，那么，使用的应是法律的尺度，如可以这样问：

卖方他卖的东西，以及所采取的卖出方式，是否合法？

买方他买东西的钱，来路可正？

如都合法，那么，一个人在一个高档购物中心用十八万八千八百八十八元买了一块金表，就不但不是什么不道德的事、罪过的事、可耻的事，而是一件正常的事；卖他东西的购物中心，现在在中国一般会是中外合资乃至完全中资的，做成这样一笔交易，显然属于经营上的一个成功，对于发展商品经济，是起推动作用的。

就是说，我主张首先以法律的尺度，来衡量高消费。

在目前的中国，由于处在转型期，计划经济的一些弊端还在作怪，而市场经济的"游戏规则"又不健全，于是，出现了某些不合法的高消费。其主要的一种表现，是利用"集团购买权"买高档消费品，名为"置公产"，实为肥个人或小集团。如以"扶贫"、"发展教育"为名，索来款项，却并不全用来扶贫和发展教育，而是大批地挪用，买高档小轿车自己坐、给自己办公室乃至家中安空调器……还有些人以不合法的手段谋取了银行贷款（虽有所谓合法外衣），说是搞什么开发，其实八字还没有一撇，他就搞了几万十几万的宴请，带着自己的情妇去买了十几万的金珠首饰还开成"公关费"的发票。诸如此类的高消费，其不道德，其可耻可恶可恨，关键还并不是因为他那消费高了，关键是他拿着国家和别人的钱滥花，形同偷盗，不合法，犯了法，所以不仅道义上有罪，实际上也不同程度地触犯了刑律。对于这样的高消费，我们保持罪感，不仅必要，还万不可泯灭才是！

在法律的准绳以外，自然我们也还可以用道德的尺度、伦理的尺度、审美的尺度以及其他的一些尺度来制衡社会高消费现象，但各种尺度不应混为一谈，而是否合法，应是一个不动摇的前提。

如果我们相信我们的立法机构所立的涉及消费领域的卖方与买方的法律法规是好的，那么，在这个前提下出现的高消费现象，我们都应首先有一个积极的态度，如果不能作到充分理解，那么至少可以宽容。

北京近年来出现了若干高档的购物中心，如赛特购物中心、燕莎友谊商城、蓝岛大厦、国贸中心……其中赛特、燕莎的商品价格最受一些人诟病，认为"太离谱"、"不合国情"，但它们其实都是含有相当国营性质的经济实体，开业至今，营业额都在稳步上升，它们依法开业、守法经营，所得利润，除根据合同由外资一方分享去一部分外，都由公家获得。而一般民众，虽可能无力到那里消费，从理论上说，亦可间接得到好处（如从其利润所投入的市政公共场所建设中受益）。其营业额既然稳步上升，可见去进行高消费的人不少，除去一些外国人港台人，大多数还是中国人，就算其中有一些是我上面抨击过的"慷国家之慨"的人与钞票来路不正的人，那剩下的很大一个多数,还是在法律和法规中活动的各色同胞。他们的高消费既受法律保护,我们即使一旁说三道四,却也不能以"罪过"的眼光,来评论他们的"非",卖方既卖得挺火,买方既络绎不绝,也就不能说"离谱",买卖双方基本都是中国人,当然也就合乎国情。

不过从南京传来消息,那里搞了个"香港城",专营高档商品,却开业没几天就倒闭了,于是有人据此论证高消费在中国还是行不通。我不知详情,不敢揣议,不过我想这至少说明了一点——由市场经济的客观规律来支配高消费的存灭多寡,比由某种道德观出发来决定高消费的命运,还是有利于社会发展的。也就是说,如果我们先认定"高消费乃万恶之源",于是任凭赛特生意如何兴盛也强行将其关闭,或先认定"高消费乃先进的消费方式",于是任凭南京"香港城"如何亏损也强行将其维持下去,那都是很可怕的!

所以,对于高消费,还是要据市场经济的"游戏规则"即经济法规,去作首要的评估标杆。

高消费的问题,十分复杂。在把经济法规作为首要的评估标杆之后,其他的各种评估引导,便都既有了用武之地,又不至于越说越糊涂、越介入越乱乎。艰苦朴素、勤俭持家、量入为出、积谷防饥,这一类的道德当然具有永恒的意义,只要你不把实行高消费的个人视为罪人、不把高消费的行为视为作孽,你的这种道德宣喻乃至你身体力行的道德示范,都会既对某些实行高消费的个人起到良性的规劝作用,又可抑制消费群体的盲目攀比浪潮,当然就对社会经济生活的良性发展起到不可或缺的推动作用。从伦理角度提出规劝(如指出不应只舍得为小儿女高消费,而不舍得为老父老母消费),从审美角度提出评议(如善意讽刺大款花钱买俗,指导高消费者具有高品味,等等)……也都可起相同的作用。

记得"文化大革命"当中,我看了大学里的一个展览,其中一景,是把一位女教师的带洋味儿的摩登裙子,和一位矿工下井操作时穿过的裤子,并排挂在一起,用以批判那位"资产阶级臭婆娘"的"腐朽糜烂的生活方式"。当时面对那触目惊心的对比,也真是义愤填膺。但当一群造反派把那女教师揪出来"斗倒斗臭"时,我却怎么也理不顺自己的思路,原来那女教师是在"三年困难时期",出于爱国,从南美一个国家回来的，她自然带回了一些洋味儿的衣物，也自然穿过那些衣物，你非把她的洋裙子跟矿工的井下裤摆在一起"评说"，那她当然是有口难辩了！后来，到1973 年，那位兴冲冲回国的女教师便悻悻然又出国去了南美，不知现在如何。我想就是今天，你非把国家领导人接见外宾时的那身西服，硬跟矿工的井下工作服搁到一起，"拿话来说"，那也是什么荒谬的"结论"，也似乎可以"成立"的！我想对于高消费也是一样，你非把赛特购物中心柜台里的商品，跟贫困山区农户里的破衣烂絮摆在一处，大喝一声曰："看！你们搞的是何勾当？！"那也确是有点"真理的追求"的味道，不过，恐怕既搅浑了改革开放的水，也绝对于贫困山区的乡民们无补！

宝盖下面

巴金的《家》里，年轻的一代对那由令人窒息的封建礼教构筑的大家庭，愤慨地说："家，就是宝盖下面一群猪！""家"这个字确实是由一个"宝盖"和一个"豕"（猪）组成的，我们在参观古代文物陈列时，也确实可以看到古代的陪葬物里，有上拥"宝盖"下为猪圈的陶器，不消说那正是一个"家"的缩影。"宝盖"是据以遮风避雨的人居的基本条件，猪圈则是"食有肉"的小康生活的象征。时代的进步，一是体现为从大型划一的"聚族而居"，演变为小型多样的"各门各户"；二是人们不能只满足于上有"宝盖"而下有肉食，人们还渴求精神上的契合或互补。

但不管怎么说，一个家庭之所以成其为一个家庭，还是因为几个组合在一起的人，共有一个屋顶，即共有一个"宝盖"。

在非社会公享而由自己和家人私享的"宝盖"下，是一种什么样的心境，这是至关紧要的事。

一位新婚不久的年轻朋友对我说，每当他回到自己的家中，置身于那小小的"宝盖"下，他就总有一种抑制不住的兴奋，他说，这下总算尝到了小家庭的幸福。他说了多次，而我只不过仅是淡淡一笑，而且越笑越淡，于是，有一天他就急了，他很不高兴地对我说：你一定是嫉妒我！要么，就是你从未体验到过这样的幸福感！我这才对他说：对自己小家的这种新鲜感，固然算得上是幸福，可那并不是稳固的幸福感，真正的家庭幸福感，是一旦回到属于自己和家人的"宝盖"下，便一切都烂熟于心，不是兴奋而是松弛，不是惊奇而是习惯，不必抒情而归于恬淡，不伤脑筋而懒于心计，总之，越是真的幸福，越不会向外人炫耀这份幸福。因为，家庭这个"宝盖"下的美妙，应是"妙不可言"，由许多琐碎的外人体味不到的细节组接贯穿而成。

很不妙的是，半年以后，那位年轻的朋友见到我，竟愁眉苦脸起来，问他，他说现在真不愿回到那"宝盖"底下去，我也不便再多问。但我想，如果一开始把家庭这个"宝盖"当作一种布景，追求一种"舞台效果"，并希望家人与自己"共演"，那么，恐怕是很难持久的，这位年轻朋友的失落感，多半就在于他妻子想归于平淡，而他却还渴望着"天天有戏"，一旦妻子懒得"同台"，他当然便"顿觉索然"了。

家这个"宝盖"就应有这样的特点：在它之下，一切都可化为"若无"，个人的身体和心灵，都可处于不设防的状态，呈现出在公众共享空间中的那些"包装"，可尽行脱卸，恢复个人的真面目，释放出真性情。个人一生中最多的坐卧懒散之时，应是在家中，更不消说，家是一切自愿的私密行为的安全场所，是从熙来攘往的社会、从你争我赶的拼搏中暂时退出的停泊地与避风港。

但是，家这个"宝盖"又有一种奇妙的效应：当其中一个成员只身待在它下面，或只缺一个成员不知为何未能及时归来，那么，"宝盖"下的人便总有一种难以抑制的、往往是无端的缺失感或随着时间的推移而渐次浓郁的隐忧。这种难喻的感受倘若淡化乃至消失，那么，也便是这个家庭即将解体的征兆。

作为一个社会人，我们应当尽可能地"顶天立地"。

作为一个家庭成员，我们应能安享那头上的"宝盖"，并可放心地"脚不沾地"。

谈 伴

现代都市人，会忽然有一种感觉，就是有一肚子的话，不知找谁去说。

不是牢骚，非关荣辱，岂涉机密，焉关隐私，可就是难以找到一个人，得以相呼相应、相投相契。

不可以同爱人、情人说吗？"爱，是不能忘记的"，却并非一定要用语言，尤其不一定要用侃侃而谈来表达，有的时候，甚至话多了，反会使所爱者生疑，酿成龃龉。

不可以同亲朋好友说吗？体现亲情毋庸过多的语码；朋友之间当然可以言谈极欢，但那"侃大山"，虽可"踏遍青山"或"万山红遍"，侃完之后却很可能不着痕迹，咳唾随风而散，其效应，只是心灵的放松，而不一定是思维的高级操练。

就这样，都市的智者，往往会产生一种找不到谈伴的失落感。

俄罗斯不朽的小说家安东·契诃夫，在《带小狗的女人》那篇小说里，写到一个这样的智者，他获得了充满初春草芽般气息的爱情，他也颇有一些相处得不错的同僚和友人，可是，他胸中充溢着的深入交谈的欲望，却无从发泄，记得小说中有一个细节，就是有一天俱乐部里，他实在忍不住，想拉一个熟人作为谈伴，那人却全然不能对他呼应，及至他们一同走出俱乐部时，那人才忽然兴致勃勃地叫住他，他感动了，读者读到这里，也会以为是那人终于可以同他谈谈春天、爱情、永恒、超越……一类的话题了，谁知那人叫住他所喊出的话却是：对了！你说得对！今天晚餐的鳕鱼是有点臭烘烘的！

唉！

可怜的都市人啊！除了所从事的那份职业必得说的工作用语，常常听到的还有官话、废话、客气话、面子话、敷衍话、牢骚话、玩笑话、骂人话……如果你试图冲破这样的"话圈"，引出一个谈伴来，那么，"今天的鳕鱼是有点臭烘烘的"一类的回应，很可能便会撞击你的耳膜，令你啼笑皆非。

当然不是所有的都市人，都清楚自己的潜意识里埋伏着怎样的一种"谈欲"，都能自觉地寻求一个释放的渠道，并有幸获得旗鼓相当的谈伴。

如果谈伴能与爱人、挚友合一，实乃人生之大幸；但这种几率，实在很低；谈伴不一定是互爱者，亦不一定是严格意义上的朋友，并且，稳定的谈伴关系也很难建立，在人的一生中，能有几个阶段性的谈伴，也就很不错了，即使是一次性谈伴，相信那从容、深入、热烈、睿智的驳辩，给各自生命所注入的活力，也堪称宝贵。

一位比我年轻的社会学家告诉我，当年在农村插队时，他为了去找一位谈得来的老同学对谈，不惜走几十里路，翻过几道山梁，当天还要回到自己的住地，那种寻求谈伴的冲动与急迫，真比追求恋人还热切与虔诚。他为什么一定要找那人谈？因为，一、双方思维的宽度、广度、深度、细度比较匹配；二、双方都乐于并有能力进入到"形而上"的层次；三、学识上、信息量上、想象力上、思辨力上、语言表达能力上，都能既具竞争性，又具互补性；四、在交谈中形成思维撞击，在因时间有限不得不停止交谈时，不仅总感觉回味无穷，并且，有一种在一座山上极了顶，又看到了一座更高的大山的惊喜！

这位社会学家告诉我，与谈伴特别是"最佳谈伴"交谈，是一种"精神的宴飨"，亦是人生的一大福境，许多人竟还没有意识到这一点，实在令人遗憾！

他那当年在另一处农村插队的谈伴，现在已是一位很出色的经济学家，并且不是那种纸上谈兵的学者，该人在经济体制转轨的运作中发挥着很实在的作用。有趣的是，据我所知，虽然他们如今每年总还是要特别约定地畅谈那么一两回，但他们俩可以说从来不是什么好友，比如说，当年他跑那么远去找那谈伴谈话，一谈谈到日西斜，可那一位却从未留下他吃过一次饭，即使在今天，据说那位经济学家也很"抠门儿"，顶多只是请你喝茶，绝不请你用餐——虽如此，该人提供的"精神宴飨"，却仍使当了社会学家的，"垂涎三尺"。

不是说"口才是白银，沉默是黄金"么？

这话当然不错。只是还要补充：谈伴是钻石。

1994 年 2 月 26 日

"无名酒鬼俱乐部"

　　我的德国朋友福斯特，最近又来北京了，还是带一个旅游团，为的是挣一点钱，把那些德国旅客安排妥帖，他赶忙来我家会上一面。上回他来，我要拿酒招待他，他宣布已戒酒，我后来还曾写了一篇《福斯特戒酒》，发表在我给一家报纸开的专栏中，"洋为中用"，说明自我约束在人生中的意义。这回他来，我发现他瘦了，灰蓝的眼睛里，有一种外溢的忧郁，我便问他："还在戒酒吗？"他坦率地承认，正处在又想坚持不懈，又禁受不住诱惑的状态之中。

　　福斯特告诉我，最近德国的经济，开始复苏，排外的暴力事件，也稍有减弱，他所定居的法兰克福，市面亦较前繁荣。不过他个人的情况，却仍不大妙，除了家庭、感情方面的麻烦，他爱好并一贯所从事的中国文化研究，抱住的课题还是难以马上得到基金会的赞助。他说这也不是他一个人的处境，比如他一位朋友，是一个比较小的博物馆的馆长，由于近年来的经济不景气，市政府拨给的经费逐年减少，向有关基金会申请赞助。基金会说原赞助的项目尚欲砍掉许多，实在爱莫能助。所以那朋友说，今年且凑合着，明年如还得不到钱，那只好关门。福斯特与他妻子玛丽合译的我的中短篇小说集，还附有对我的访问记，历时几年，厚达六百多页，今年总算可由一家大学出版社付梓，可是出版社出版已算咬牙不吝赔钱，又哪儿付得出钱给他们译者？我是觉得自己的小说有这么厚的一大本德译，暂不给钱也开心。福斯特却很难开怀，他强打精神替旅行社当领队，赚一点辛苦钱，以维系他的爱好和研究。

　　福斯特告诉我，他正在考虑，是否加入一个"无名酒鬼俱乐部"，以调节自己的心理与精神状态。我乍听以为他在开玩笑，谁知他很认真地向我介绍说，"无名酒鬼俱乐部"产生于三十年代的美国，那是一九二九年经济危机的一个派生物，半个多世纪来断断续续一直存在着，并早已推及整个西方世界。八十年代末九十年代初，该俱乐部又一次活跃起来，德国支部光他所在的法兰克福就有数百名积极分子。

　　在我想象中，这个俱乐部，要不是一个酒鬼们聚集酗饮的污糟场所，便一定是一个打算戒酒的人们聚集互助除却恶习的治疗场所，可是，听福斯特细说端详，却颇出乎意料。

据说，这个俱乐部的章程，文字很简要，自当年的美国祖师爷制定以来，如今全球的会员都严遵不违，其大意为二，一是凡入会者，必须当众大声承认："我是酒鬼！我不狡辩，我的确已是一个酒鬼！"这样，他的真名实姓，便"甄士隐"，而可在俱乐部中"贾雨村"，"无名酒鬼俱乐部"的命名，便由此而来。入这个俱乐部，当然是因为自己酒瘾已达难以遏制的地步，坠入了酗酒者行列，因而产生了恐怖感、罪恶感、危机感，入俱乐部的第一步，便是通过自我定性，激发出忏悔意识；第二点，是我更想不到的，依我的猜测，俱乐部里或许有医生，或心理学家，或有若干"善于做深入细致的思想工作"的人物，给他们诊治、讲课。福斯特告诉我，不，不是那样，这个俱乐部的成员，大家不管来自什么阶层、职业，都一律平等，谁也不是来教育谁、治疗谁的，那么，大家来"俱"什么"乐"呢？那章程说得很清楚，就是坐在一起探讨：为什么？比如，有的酒鬼本已戒得不错，可是有天人家递给他一块巧克力糖，他一吃，不行了！因为那是一块酒心巧克力，糖心里的那一点点酒，又勾出了他的酒瘾，所以，他就要到俱乐部里来跟朋友们探讨：为什么我自己不能决定，喝还是不喝？是一种什么神秘的力量，在支配我？一定有一个超我的力量，是上帝，或别的什么，究竟是什么？等等，这样的探讨，几十年来，很多茬会员进行过，当然一直没有终结性答案，也不能终结，终结了也就无从探讨，"俱"不了"乐"了。但据说每经历过 次这样的"俱乐"，与"俱"者的心理上就充溢出浓厚的"原罪感"，精神上便得到一定程度的升华，出了俱乐部，回到现实中，或者竟真的戒了酒（这不多），或者便能饮而不纵（这很多），或者忍不住饮、饮不住瘾，终于又复现酒鬼嘴脸，于是便应再次到俱乐部去聚一聚。

听了福斯特的介绍，我很有感触，西方人果然与我们不一样，果然是一种与我们大不相同的基督教文化。他们面对个人危机，求助的是忏悔，是形而上，是原罪意识，是超我的力量即上帝，而其化解方式之一，是纯社会性（不涉政治、非营利）的自愿集合，松散的团体组织，真没想到西方会有"无名酒鬼俱乐部"这样的事物。

以往听到一些西方的事物，写出来时我总爱说"他山之石，可以攻玉"，现在我悟到，即便是他们那边的良玉，也未必对我们都有用，"他山石"更不一定都可剖出玉来。他山就是他山，我们需要了解他山，却应懂得，有的事物只属于他们，正如有的事物只属于我们一样。即使将来世界果然大同，那东西方也还会小异。"无名酒鬼俱乐部"真有趣，但对我们中国人来说，该知道，却无可借鉴。

福斯特是否真该进入"无名酒鬼俱乐部"？那是他的私事，我不置一辞，我只是感谢他和玛丽精心地把我的小说译成了那么厚的一本德文书。

1994 年 3 月 18 日绿叶居

处境两喻

七十年代，好比别人都一色的灰蓝衣着，而自己稍加靓扮，往长街上一走，便立即成为满街人眼注视的中心，或驻足侧目，或指点评议，或惊叹，或艳羡，或惶惑，或愤慨，总之，众目睽睽，众心沸沸，如在聚光灯下。

八十年代初期，一般靓扮，是不行的了，但刻意地在妆扮上出新制奇，"咯噔咯噔"地往街上一走，引过来的目光还是会很多，聚光虽不那么强烈了，但舞台追光般地寻踪逐射的效果还是有的。

八十年代中期以后，满街的靓男靓女，一个比一个打扮得仔细，虽然这位那位，可能各引来几束追光，但已不可能有众目齐望的境遇,谁也成不了众人眼里的"中心"，全都"边缘化"了,甚至有的在出门前很细心地穿戴、化妆过的"有心人",他（或她）走在街上时，竟引不来一束关注的目光，踽踽独行，宁不惆怅？

到九十年代，人们在长街闹市行走，多半各走各的，谁也不会格外注意你的穿着打扮，你很靓丽也罢，很新潮也罢，浑身名牌也罢，或者很马虎、很不讲究乃至于近乎褴褛也罢，顶多，只能引来极少的注意、极吝的评议，一般是各不相关，各走各路，人们的穿着打扮，更多是为了悦己，或取悦于自己心目中少数的"特殊关注者"，而与众目无关，谁也难成为"中心"，谁也不大热衷于追寻"中心"，在"无中心"的状态中，大家都"边缘化"了。

在时尚的普遍"边缘化"处境中，或者坦然地面对无"众目睽睽"的状态，只为自己快乐而上街，或者，当街上竟有那么一些个偶然扫来的目光，在一扫之中稍有停留，多少反应出一些欣赏，或一丝讶然，使自己觉得除了悦己，也居然引起别人的注意，甚而是给予了别人一点点惊喜，从而感到欣慰，感到没白打扮，没白上街，那，就算是福气了。

或者，想方设法地去努力回到"中心"，非让"众目再睽睽"不可。但，何以施计呢？真是越来越难了！浑身名牌、全盘西化、回归传统、奇装异服……乃至于在"文化衫"上大书"烦着呢，别理我"，都顶多从最边缘往次边缘移动几步罢了，你"烦着呢"你就烦去，谁说要理你了？你不烦、你高兴、你狂喜，那也一样，那是你自己的事，你一边待着去、玩去！

要么，就破釜沉舟——在大街上脱衣，脱光！

哗！那满街人的眼光一定都聚焦过来！又岂止是眼光，人们的身躯，也会以你为圆心，攒聚过来，甚至还会拥挤、会喧嚣！的的确确，那就"重返中心"了，甚至比以往所取得的众目睽睽的效果更其"中心化"！

可是，这样地摆脱"边缘化处境"，这样地"重返中心"，能持久么？特别是：这样的效果，能算成功么？

人们会很快散去，有关社会职能部门会出面干预，围观过的人会有不少表示后悔，没围观的人会庆幸自己的明智，自我的"中心感"亦会很快被种种麻烦消解掉，当满街的行人又在目不斜视地奔往各自目的地，形成无中心的如织人流时，这种"重返中心"的壮举，不是悲有余而喜不足吗？

有时候，又觉得不是在闹市长街上行走，而是在晨雾中趱行，雾后必是大晴，不过浓雾中暂时不见他人，不知自己有无同路人，于是发出自己的声音，也不一定会有人应答，正如雾中听到别人的鞋跟响和咳嗽声，觉得不是同一目的地，不喜欢，因此不予回应一样，但很可能，自己的吟诵，乃至仅是自言自语，却引来了一声、两声，甚至是很不少的应和，雾中不见人，却听见了与自己相谐的心音，其乐如何！

人在边缘，人在雾中，对一个总想把自己展示表达的东西付诸社会与他人的创造者来说，都并不是困境。关键在于，无论在什么位置，面临什么气候，都心不乱，神不散，从容安详地创造，满足于哪怕是不多的真诚而自然的回应！

1994 年 4 月 3 日绿叶居

喇叭口裤

二十年前，喇叭口裤非常流行，当然是在西方流行，不过那时随着一些主要的西方国家纷纷与中国建交，起码在北京人眼中，喇叭口裤已不罕见。到了七十年代末，"文革"结束，中国不少的年轻人马上穿起喇叭口裤来，连某些文化界的中年人，也大大方方地穿着喇叭口裤在街上走，那时的西方记者，把这一现象也作为中国实行改革开放的表征，加以报道。

喇叭口裤刚在中国流行时，也引起了一些人的反感，有的还上纲为"西方腐朽的生活方式"，很不能容忍。但这种时髦，在西方很快衰微，到八十年代，几乎已没有人穿，其原因当然不是西方人自惭腐朽，而是他们又兴起了新的花样。西方的摒弃喇叭口裤，使得喇叭口裤在中国也很快成为了"落伍的丑东西"。当北京等大城市的人已把还很新的喇叭口裤搁到箱底时，他们从电视里的纪实节目中看到一些小地方的青年人仍穿喇叭口裤并自以为美，于是便毫不留情地发出嗤笑。到再后来，连小地方的人也不穿喇叭口裤了。

当喇叭口裤被批判时，也很有些不平之士著文为之辩诬，那证据之一，便是从敦煌壁画上可以明明白白地看出，表演"反弹琵琶"的舞姬，所穿的恰是喇叭口裤，所以当代中国青年穿喇叭口裤不仅并非是拾了西方的糟粕，倒是宏扬了我们民族传统里的精华。

喇叭口裤究竟是怎么时兴起来，又是怎么退出时尚以致令人生厌的，显然与意识形态并无多大的关系，这里面，恐怕更多地关联着"群体无意识"的心理学上的问题。

大体而言，一般时尚，往往是"成也萧何，败也萧何"，"萧何"便是"群体无意识"。比如，原来我们在出版物中对"性"的限制非常苛酷，甚至于一度达到连爱情描写都要回避的程度，于是便蕴育出一种"群体无意识"——对禁制的不满和对性描写乃至色情文字的好奇。好，一旦时机成熟，便有写家、印家、卖家推出"当代《金瓶梅》"来，于是嗡啦一下子"洛阳纸贵"。读完怎么样呢，当然，有赞好的；但许多人是说上当、不好、很糟；有的更给有关部门写信，责问为什么允许出这样的书。其实根据我国现行法律、法规，这样的书并无不允许出的条款，所以我们也无妨问一声：为什么那么多人买它来读呢？就说是出书的人使用了"当代什么什么"的促销招数吧，你们怎么就偏去入彀呢？引出热销货的是你们，给一大哄的又是你们！唉！

前些年，有一种群体意绪，就是说看看人家台湾作家，散文随笔写得那么清纯、靓丽，我们大陆作家为什么那么死性子，就知道一味地抱住什么时代呀、社会呀、责任呀……沉甸甸的，累不累得慌！好，在这种"集体无名氏"的呼吁下，大陆的报纸纷纷拓版，发表出越来越多的大陆作家的散文随笔，举凡以前少见的纯情、闲适、隐逸、谐谑、嬉皮、幽默、奇诡、哀伤、忧郁、精致、玲珑、通达、平和、雍容、优游、华丽、神秘、浪漫、天真、童趣、睿智、憨拙、古朴、朦胧、逼真、村俗等等风格的作品就如天女散花般地撒向了读者，许多出版社也不失时机地成辑推出当代作家的散文随笔集，成为一时之盛。可是，就在最近，报上又开始发出文章，抱怨"散文何其多！"说是不再愿意看到"轻飘飘的文章"；说是文字美不美不要紧，要紧的是"有没有分量"；这显然是最新一轮的"群众呼声"。他们质问道：作家们的社会责任感哪里去了？！时代精神哪里去了？！为什么不用"如椽之笔"肃贪反腐？！……似乎现在的作家，又该从散花天女变成金钢力士才是！

"群体无意识"有其产生的深层原因，化解起来亦非易事，但我对此有两点想法：一、尊重却不屈从；二、相信其中有"少盼多嫌"、"远香近臭"、"螺旋向上"的规律，就是一种东西的总量如果趋少，那么"群体无意识"必趋之若鹜；当那东西多到一定程度后，则群体心理趋向必逆反。可望不可即的东西，必羡慕，真的置身其中，便嫌弃，而随着时过境迁，又往往回归于原来抛弃的东西——当然，是在另一层面上了。

据说，被冷落了十几二十年的喇叭口裤，有可能在今年重新时髦，并席卷全球，箱底里压有当年尚新的喇叭口裤的人们，到了把它抖搂出来，展示"先驱者"风采的时候了！不知这估测能应验否？

我自己的意识，有时也融于"群体无意识"中，但毕竟还有从旁静观和面对面冲撞的时候，在后一种情况下，还是洒脱一点好吧？比如说，喇叭口裤卷土重来时，我不想穿就不穿，但绝不对人家穿褒来贬去；再比如，当有人要散文随笔挑重担时，我仍不弃其"轻散"或"随意"的路数，因为我另有长篇小说，可以挑"沉甸甸"的"心灵重担"嘛！

1994 年春

追 光

舞台演出里，往往从上方射下一束强光，并且追逐着某个角色而移动，这是常见的一种艺术处理，意在把观众的注意力，都导引至追光框定的角色上，这和影视中镜头渐次向前推近，把别的人物乃至所有背景都删出画面，给一个人物来一个大特写，是相似的手法，我认识的一位演员，曾向我坦言，在一处有几十口子人同台的舞台面上，整体昏暗的光氛中，独有一束追光追着他，容他道出长达数十句的铿锵独白，淋漓尽致地刻划出一个性格，那时候，真是很难把潜意识里的一种满足感，筛汰干净，回到后台，乃至卸妆回至家中，回味起来，更是"人生得意需尽欢"。往

往举杯，为自己一贺。我认识的另一位演员，她始终未当过主角，甚至只是在台上
跑些高级龙套，所以舞台生涯数十年，却几乎没有一次被追光勾勒追逐过，她也坦
言，在比如说西洋宫廷舞会那种豪华的舞台场景中，她虽也珠光宝气地扮演一位贵妇，
却不会有哪位观众会专门去注意她，因此当舞台上的追光只照着主角，而她屈居一
隅时，她也就不禁懒懒地用大羽绒扇遮住半个脸，且琢磨自己正编织的那件毛衣该
如何收针；她说初进剧院时，很看重"没有小角色，只有小演员"的箴言，但后来
总无演大角色的机会，自己也一天天成了老大不小的演员，便认命自安，老老实实
地把演配角、跑龙套当作挣钱的职业，对于追光，已然麻木不仁——那虽离自己不远，
却是属于别人的。

在生活的舞台上，也有追光，有的人，就处在追光之中，大如令整个社会都从
光晕中看到其闪烁旋动的各种明星（所谓"大腕"），小如一个小范围内被众目聚焦
的模范、尖子、"红人"，凡进入大大小小、强弱不一的追光中的人，他的社会价值，
可以说是得到了相当明确的肯定。

舞台上的追光，由导演和灯光设计师设定，比较单纯；生活中的追光，却是无
形的，主要由他人的目光汇聚而成，他人的目光，在萨特那样的存在主义者看来，
不仅不可能公正，而且简直是地狱，但在传统的中国人意识中，却是"人心似秤"，
如果我们舍去这两极的说法，那么，我们得承认：一、生活的"追光"，总不是无缘
无故产生的，大凡被追光圈定的人，没有优点，也有特点，如果实在平庸，那么是
几乎没有追光涉及的可能的；二、被追光圈定追逐的人，也不一定就是真有分量的
杰出人物，这里面有许多偶然的因素，生活中有不少优点突出，甚至是很优秀的人物，
我们随着追光去看，是看不见的，他们默默地存在于追光之外。

就普遍人性而论，追光是令人欣喜、艳羡的，有人说他讨厌追光，那多半是享
受过追光，甚至现在还有强烈的追光圈定了、逐射他，他吃饱了光，故而餍，多数
的人，还是愿意在追光中，哪怕只是一回、一时乃至一瞬，有的人明明已得到追光，
可是觉得还不够强烈，不够持久，竟至颓唐、沮丧，因此而弃世的例子，也有，有
的人一辈子就总在那儿寻求追光，或始终未能如愿，或只得到一时的虚光，结果没
能留下扎实的业绩，回顾来路，连清晰的脚印亦无；当然，也有人通过自己坚实而

艰辛的努力，终于得到追光的辉耀，他一方面受之无愧，一方面也深知无论是舞台上的人生还是人生的舞台上，追光也都是不可能永来逐射自己的，一旦追光他移，再不回射，亦处之泰然，并为追光所圈定的新角色祝福；世上更多的人，是始终在追光之外的，他们或者对追光中的人物充满观看的兴趣，自己却从未有过光来追己之想，其实人的价值，固然社会性评估有相当的意义，自我的评估，也很重要，我就认识一位退休老人，他的一生，从未处在追光之中，可是说起往事，自豪多于愧悔，欢喜大于怨怼，在他的心目里，他自己和与他同时代的那些名流，是共存于一段时空里的心灵熟人，他并没觉得自己的生存价值，比那些人低，也就是说，他从未怀疑过自己的生命之光，个体的尊严和价值，本是用不着一定要别人来照亮的。

舞台上的追光，使戏剧更加生动；人世中的追光，令生活变幻莫测；被追光逐射，或者是一种荣幸；而苦苦企求追光来圈定自己，却很可能酿成人生的悲剧！

1994 年春

不再吃惊

你不吃惊吗？不，不吃惊，不再吃惊。常有人来告诉我一些事，告诉我的目的，是为了让我吃惊，可是我就总是这样回答他们。不吃惊，不再吃惊，是因为我已年过半百，见多了，听多了，特别是经得多了，不仅是见怪不怪，闻雷如乐，处变无悚，还真有点"曾经沧海难为水"的味道，所以我在一篇小说里嵌入了很多句"干什么惊惊咋咋的？"很透露着潜意识里的"氛围"。

原来动不动吃惊，其客观原因，是因为所处的人文环境，尚未进入"后现代"，而现在是一种"后现代"的走向。比如说，其特点之一，是一种新潮的东西，虽来势可能汹汹，却会很快地由中心向边缘移动，但也并不会被淘汰，也就是说，新的并不能完全取代旧的，旧的当然更阻挡不了新的，既然是"同一空间里不同时间（代表不同历史时期的事物）的并置"，那"并置"的各方，也就都应心平气和。加以东西方文明的碰撞，在眼下虽然更加频密，却不仅不是"八国联军"同"义和团"的鏖战架势，倒是"麦当劳"快餐店与"狗不理"包子铺和平共处的局面，也就是"同一时空里东西方文化的杂陈"。凡此景观，何惊之有？"后现代"的另一特点，是事物的"平面化"倾向，人们来不及深刻，思想来不及升华，包装华于实际，标准变为多重……整个社会，颇有粗犷的"儿童画"或木刻年画的风格，望之或可喜或陋拙，却不足以吃惊。"后现代"的再一特点，是社会缝隙的扩大，宽阔的社会缝隙为形形色色的社会填充物提供了充裕的存在空间，斑驳陆离的各色"填充物"经常在我们眼前晃来晃去，对之我们即使不能熟视无睹，也难启动起惊奇来；而且，比如说作家这一行，在摆脱了充当政治工具和承担启蒙、救亡、教化等等沉重的负荷之后，也就成为社会填充物之一，对于我们自己，就更用不着吃惊了。

读者读到这里，也不必吃惊地问：你怎么成了一个"后现代主义"的信徒了？我其实并没认真研究过美国那位倡导"后现代主义"的詹明信的著作，我的上述想法，全凭自己的体验，这样一些皮毛的个人体验，当然不值得任何吃惊。

下面接着说这类不值得吃惊的体验。

我的不再吃惊，其主观原因，是我终于认识到，人性不但极其复杂，而且深不可测，所以，由人做出来的事，无论怎么离奇，或极端沉沦，或果然崇高，或逻辑混乱，或井然不紊，抑或黑白交嵌，沙金混杂，都属人世上必有之态。就是我们自己，扪心自问，心灵的脉搏，又何尝能号清？所以，凡人所为，我可以有种种反应，或颇为感动、或无动于衷、或崇敬、或鄙夷、或欣喜、或愤慨、或频频求索、或懒得深思……但唯有一样：不吃惊。

不吃惊的好处，是可以从容地应付人与事，冷静地思考缘与由，宽忍地对待怪与奇，潇洒地度过日与夜。

少不得还要重复那句话：干什么惊惊咋咋的？

是可忍

"是可忍,孰不可忍?"这大概是大陆"文革"中使用率最高的语句之一。举凡大字报、批判会发言、报刊社论等等都少不了它。记得有一次批斗"走资派"的大会上,有一位"女将"举拳领呼口号,当作批判发言的人列举出"走资派"某条"罪行"时,她便气愤填膺地锐声领呼:"是可忍",因为呼出头三个字后略有停顿,与会者便本能地跟呼:"是可忍!"这就等于是她在发动群众为"走资派"开脱——那"罪行"完全可以被容忍!这一片"可忍"的呼叫轰响之后,所有在场的人都不禁一愣,她便赶紧补呼:"孰不可忍?"与会者又都本能地跟呼:"孰不可忍?"被斗的走资派最先回过味儿来,不禁弯唇一乐,这一乐不要紧,会后,那"女将"不仅永远失去了领呼革命口号的资格,还因为心理上愈来愈紧张和紊乱,又在后来的小会发言中,几次出现类似的"错语"(如把"无产阶级革命路线"说成"无阶级革命路线"),竟终于也被"揪了出来",很当了几天"现行反革命"。

"是可忍也,孰不可忍也?"最早见于《论语·八佾》,本是孔夫子的个性语言,后世无数人写文章都挪用过它。70年代中期,孔夫子在大陆遭到了比"五四运动"时更猛烈的批判,并且是全民上阵,当然对他使用的符号也一律化为了充满蔑视的"老二"。最有趣的是,当人们用洪亮的嗓音批判他时,也还是常用"是可忍,孰不可忍?"的短句,倘孔老二亲临会场,大约也不免如同那位"走资派"一样,弯唇一乐吧!真是人事沧桑,如今"忍"字大行其道,你无论到哪个旅游点的售品部去,都可以见到许多有这个字的工艺品,从大幅的碑拓中堂、书法磁盘,到带丝条的小小挂件,那上面都等于在明确地回答你"是可忍,孰不可忍?"的问题。本来孔夫子造的是一个诘问句,是用"问"的修辞方式表达不容讨论的一个"不可忍"的态度,可是现在人们似乎更乐于在"可忍"与"不可忍"之间,取前舍后,这样,这个古老的句子,便有了点西方那个莎士比亚笔下的哈姆雷特的问句的味道。

西方人问的是:活着,还是死去?

中国人问的是:忍,还是不忍?

这是不是也反映出两种不同文化的重大差异？

如果把"是可忍，孰不可忍？"当作一个疑问句，那么，我的回答是：具体问题具体分析，该忍者忍，不该忍者不忍，一定会有人说我圆滑，或指斥我绕来绕去，无非还是孔老二的"中庸之道"。

不过，我觉得至少到现在，我们许多人包括我自己，对"不可忍"的人和事，往往倒忍受乃至于逃避了，对"是可忍"之事，却往往又揪住不放，缺少洒脱与幽默。两相比较，"不可忍"往往是心里明白而行动游移或退缩，"是可忍"则往往是心里就糊涂，所以，提倡一种"是可容忍的就尽量容忍"的大度、亲和精神，我以为还是有必要的。

"律盲"

据说在美国，挣钱最多的自由职业者，前四位依次是：牙医，律师，医生，建筑师。在他们那里，牙医和一般医生基本上是两种职业，而且，一般人对自己牙齿的重视，是很超出我们中国人想像的（我们有"牙痛不是病"的说法，而且并非"幽默"）。中产阶级以上的美国人说起话来，常有"我的牙医"这样的话题："我要找一下我的牙医。""我的牙医来电话提醒我……"他们一般一生都认定一位牙医，也不是有了牙病才找牙医，他们是要定期找牙医检查，以及采取一些如清除牙石等措施的。至于建筑师的吃香，那是因为大凡有了固定工作的"白领"，他们就都要买独立住房，而房产商用以讨好买主的手段之一，便是不断推出新颖的设计，甚至可以根据买主的种种哪怕是琐碎的要求而作特殊设计，在这一过程中，建筑设计师自然大有用武之地。

现在不去说牙医、医生和建筑师，单说律师，稍为有点头脸的美国人，都有自

难 以 忏 悔

己的律师，他们不仅自己动不动和自己的律师联系，也常常让别人"找我的律师去"；甚或是告知别人："你等着，我的律师会同你联系！"

不消说，美国是一个法制国家，这里且不论美国法制的好坏，也且不论他们的法制即便有好的一面，但是否到头来都能付诸实现，只说一点：他们那里，一般人确实都有强烈的法制意识，其表现，就是个人与律师几乎都建立了非常密切的关系，一如几乎每人都有自己的牙医。

我们现在也在健全我们的法制，我们所采取的手段之一，是搞"普法"。许多人因为不懂法，就被称为"法盲"，甚至一些社会地位不低的人，一些大知识分子，也常自己说自己是"法盲"，说时当然都有惭愧之意。我们的电视节目中，常有电视台记者拿着话筒，为了某一项曝光的话题，临时问街头的路人："您知不知道某某法？"所问的，常是一些很专业性的法规，结果大都说"不知道"，于是我们的记者便感叹道：怎么这么多"法盲"啊！

我们这样扫除"法盲"，进行"普法"，自有我们的道理，其正面的效应，是不容否定的。但我的一位美国朋友，当我以为他既然生活在法制国度，问起他是否熟悉美国的法律，并以为他一定会作肯定的回答时，他却耸耸肩，说他并不清楚法律，特别是美国的法律多如牛毛，大的法律还附有很多某年某月通过实施的"修正案"，附加条文，等等；而各州甚至各城又有自己的法律。听他那么一说，他简直是个"法盲"，我以为他是个"例外"，可是听他一说，他的状态，竟是一种"常态"，也就是说，大多数美国人都和他一样，不懂法律细则，也不觉得自己该懂，他们的想法是：所有关于法律的事，我都委托给律师了，法律是律师的专业，我付律师钱，律师给我求得法律保证，这就如同我有病找医生，我完全可以是"医盲"，或只要知道个大概齐就可以了，该掌握医理医道的是医生而非病人。因此，当我的这位美国朋友知道我们这里是提倡非律师专业的普通人也要熟知法律，"自己用法律保护自己"时，他是非常惊讶的。尤其是电视里记者问行人，知不知道某种法，当答曰不知道，记者便感叹，仿佛不知道是不对的似的，更感到迷惑不解，因为在他的意识里，是当然可以不知道，他不必知道，没工夫知道，懒得知道，凭什么要他知道，他所知道的，只是他应该有自己的律师，"这一切我的律师自然知道，请找他。"或"好的，这个问题我的律师将同您取得联系！"所以，他们的法制观念，集中在"律师观念"上，对于他们来说，"法盲"并不可怕，不懂得找律师、依靠律师，成为"律盲"，那才是可怕的！

在我们一般中国人想来，只有打官司的时候，才需要律师，"太太平平"的时候，找哪门子律师！我的那位美国朋友，很少有诉讼之事，却频频地利用律师，比如，他去年从一家大公司退休，不仅退休后的待遇委托个人律师求得了圆满的结果，而且，他并不懂有关法律，律师却依据有关的市政法律，替他另外争取到五六项权益，如乘坐地铁到城外疗养地免费，市歌剧院演出季的三场赠票，秋季海风侵袭期对他这种有哮喘病史的病人营养补助，等等，这些有关的小法律规定，也确实只有律师才能掌握并代为落实其应享权益。

在我们中国，律师事务所，比起医院来说，当然还很少，律师的人数，当然更远少于医生。即使是社会上有头有脸的人物，如果不牵涉诉讼，也很少和律师打交道，"我的律师"这一概念，几等于无，"律盲"实在很多。当然我们有我们的国情，不一定要去跟美国人的生存方式划一，但提升"找律师"、"靠律师"、"用律师"的意识，总还是必要的吧！

欲望与技能

前些时在北京往上海的火车上，遇到一位专攻材料学的研究员，当我们谈及眼下的种种世态时，他几次发出这样的感叹："现在有的年轻人，欲望非常之高，可是技能却非常之低，这很可怕！"

这位专门研究材料在微震动情况下的疲劳限度的研究员，还以他的专业知识打比方说，欲望当然并非坏东西，好比一条钢缆，它想吊起很重的东西，也便是想"作功”，这是值得鼓掌欢迎的。但是，如果它的欲望大大超过它的实际能力，那么，它的“起吊”就非常可怕，或者是它自己断裂，或者是它造成重物的坠落，压坏无辜的人与物，当然更可能两种悲剧同时发生。他认为，一个人的欲望，可稍高于他的技能，但不可大大超过自我技能。超技能的欲望，会导致胡来，也就是用“非技能”的方式，去泄欲。具体来说，便是偷盗、强奸、谋财害命，伤害毁灭别人，最终将葬送自己。

这位材料专家的社会学议论，使我很受启发。有人说现在是个“人欲横流”的时代，言下不胜悲观，我却以为这是言过其实的耸听之论。改革开放的成果之一，便是释放出了合情合理的“人欲”，这些健康得体的“人欲”，成为推动社会生产力发展的积极因素，是不应阻止、抑制的。大体而言，现今的“人欲”确是空前旺盛，但大体还是在一条通向“小康”的河渠里奔流，横溢出的现象当然有，甚至不算太少，有的局部，其景象可能还相当地“不堪入目”，不过这都不应导致我们以偏代全，得出应倒退到那个“狠斗私字一闪念”、“灵魂深处爆发革命”的“绝欲”时代去的结论。

在肯定欲望的前提下，再研究什么样的欲望，什么程度的欲望，是合情理的，同时研究，要达到这些欲望，特别是达到什么程度，需要我们具有什么样的技能；当欲望与技能形成了“落差”时，在什么限度内，是可容忍的，在什么限度外，是危险的，等等，确实都是非常需要的。犹如材料学家，研究各种材料在各种情况下的承受能力，是构筑现代化景观的不可或缺的一环一样。

作为单个的人，我们应自我审视一下，我们的欲望与技能，是否大体和谐。当欲望驱使着技能的提高，而技能的不断提高又不断地导致着欲望的满足时，我们的人生便是美好的；当我们认识到自己技能的局限和所能提升到的终极点，从而自动降低、弱化自我欲望，不去盲目地同别人攀比，自得其乐，优哉游哉，那我们的人生，可能便不仅是美好的，而且是更利于延年益寿的了。

剥离与粘连

生活中,许多情况下我们需要善于剥离:小如用十指剥开一只柑橘,大如从一桩复杂的诉讼案中脱卸自己的干系。

生活中,许多情况下我们又必须善于粘连:小如把破裂成两半的瓷碗用胶粘合,大如在共同的利益前提下把一个公司的同仁团结为一个坚固的粘合体。

可是,我们常常不能在该剥离时剥离;同样,我们又往往不能在该粘连时粘连。

一位男士,总在办公室里跟一位有夫之妇开没有边际的玩笑,在他,本也没有什么深意,但久而久之,不仅别人从旁看来是故意地撩拨、挑逗,那性格本是温和的女士也开始烦躁、嗔怒,以至那女士的丈夫有一天也风闻而至,结果酿成一场极为不雅的冲突。这就是因为该男士没有在该剥离的事情上及早剥离。这当然是个小小不言的例子,苦果也还没有苦到哪儿去。可是,如果是在刑事犯罪分子要求包庇、披赃的情况下,如果是面对金钱贿赂与色情诱惑,也不能把自己从罪衍中剥离开来,那后果就不仅是不雅,也不仅是一般的苦涩了!

说到粘连,应该说,我们该粘连的时候不能粘连,还不是最大的毛病。我们的大毛病,是常常在不该粘连时瞎粘连。比如,只是根据道听途说,或看见有人在慌慌张张地抢购某些物品,于是便把自己粘连到那抢购的行列中,把一些多余的、并不能随时间推移增值的东西,以重金挪移到自己那并不怎么宽敞的家中。结果呢?是事过不久,只好将其低价打发,赔了个心酸肝疼。当然,这也只是个小例子,有人不是连究竟什么叫股票、什么是债券都没搞清楚,只是想走捷径、想暴发,便风风火火地去跟什么并无法律保障的公司粘连得紧紧的,最后弄得自己多年的血汗积蓄一朝蚀光吗?那可真是要了命了!

善剥离与善粘连,哪个更重要?看来,首先还是要善剥离。唯有确立了自我的主体意识,对自己的权利、义务,清清楚楚,才是一块能与同胞们粘合为"血肉长城"的"好砖"!

1994 年夏

别往筐里跳

老早有人说，我写的小说也算是"京味小说"，我听了赶忙摆手。虽然"京味小说"分明是一只"好筐"，人家把我往筐里捡，还褒称为步老舍后尘的佳作，实系抬举，可是我自己心里明白，我并非像老舍先生那样生于北京。我出生于四川成都，童年在重庆度过，虽八岁就来到北京，几十年定居于斯，但我写起北京市民的生活来，所用的叙述语言，还不是地道的北京口语，只是在写到人物的心理活动与对话时，能运用北京口语而已。

这里并非是要与读者谈写小说的事，而是联想起，在生活当中，我们亦常常会遇到这种情况：有人拿着一只"筐"，还往往是"好筐"，分明是安着好心，把我们往"筐"里捡。我们在这种情况下，往往也就不待他捡，自己就往那筐里跳了，结果呢，多半是并不美妙的。

比如我的一位朋友，就因为他当年负责过一阵大食堂的工作，口碑不错，于是便有若干人抬出一只"筐"来，说是"像他这样的人才，开饭馆肯定大发特发！"他自己便往"筐"里猛跳，辞职"下海"，开起了个体饭馆。谁知非但未"大发特发"，还闹了个"进退两难"。其实，在计划经济中经营大锅饭的才能，与在市场经济中参与竞争的才干，并不是一个"筐"里的事儿，别人可以乱捡，自己焉能乱跳？

又比如我的一位邻居，只因为她体态丰盈，就有人把她划入"亟待减肥"的"筐"中，她自己未加深思便往那"减肥筐"里猛跳，半年过去，她腰身倒真苗条了不少，但种种疾患却也不期而至，她去找大夫诊治，结论是：她本来的体重体型体况都属于正常，现在却打破了体内的代谢平衡，分明是添了毛病！但要想恢复原状，已"谈何容易"！

所以我说，别管人家怎么抬"筐"，哪怕是"好筐"，"关心筐"，"科学筐"，你可以"观筐"、"赏筐"，聊作参考，却千万不必自己往那筐里跳！

1994 年夏

心不碎

　　一位朋友对我感叹道：现在，信息太分散，太零碎，可以说，进入了一个"碎片时代"！他这人同许多知识分子一样，思维耽于"形而上"，说话喜欢"语不惊人死不休"，对他那"碎片时代"的说法，你别那么认真。其实，他也并无以此概括时代全貌的意思，他只是敏锐地感受到，现在的许多情况，确实与几十年前乃至十几年前，大不一样了！不那样集中，不那样统一，不那样群耳同闻众眼皆观了。比如说，他这两年在报刊上很发表了一些文章，还出了一本书，可是有那以前的老同学见到他，总是问："老兄还写东西吗？""怎么没见你发表东西了呢？"还有的说："你怎么老待在家里？也不活动活动？"其实，他并没总待在家里，算起来，参加社交活动的次数倒比十来年前还多，去年还出境参加了一次学术会议。

　　回想起来，直到十多年前，他那个圈子里的知识分子，发表文章的园地，就那么几个，所以一篇文章出来，绝对是"众目睽睽"，出一本书更不得了，一定是"尽人皆知"，至于出一趟国，那消息必会"不胫而走"，自己也很引以为荣。现在呢？发表文章的园地多得无从统计，而且，原来的"权威园地"很可能"有权无威"或竟"威权两衰"，人们习惯于只看自己喜欢的那几个报刊，眼目大分流，你没在人家常看的报刊上发表文章，人家也就不再知道你究竟是还在写还是已罢笔"下海"或"歇菜"。现在出书的机构、方式和所出的种类、数量也都绝非往昔可比，别说你只出了一两本书，就是你出了十本书，如无"托儿"爆炒、进入畅销行列，那一定会淹没在书海中，甚至你自己到书店里去寻觅，也难找到其踪影。至于出境参加学术交流活动，十几年前会令人艳羡，乃至那时一个人写自我介绍时，都会郑重写上参加过什么团访问过什么国家或地区，现在呢，实在不稀奇，每天飞往境外的飞机上，总是满满当当坐着出访的人士，而且，同一个圈子里的人，聊起来时，还会有人告诉你，他因为忙，或仅仅是兴味索然，推掉了哪儿哪儿的什么邀请……是的，现在真是"碎了"，不再是一个能把什么都装进去的瓶子，而是许许多多闪光或不闪光的碎片，人们所接触的不可能是所有的碎片，只能是有意或无意接触到的部分碎片，从这个意义上说，也真无妨谐称为"碎片时代"。

如果有人忌讳"碎片"这个词儿，那么也可以换一个词儿，比如，"散珠"。实实比喻不过是让你去意会而已，不必太纠缠用词。以我看来，就文化状况而言，这种分流为许多"碎片"或"散珠"的形势，是社会转型期的必然，不必大惊小怪。

问题是，在这个充满了"文化碎片"的过渡时期，我们虽然很难避免迷惑、厌烦、焦虑，却不能麻木、颓废、纵欲，也就是说，心不能碎，我们绝不希望"文革"式的集中和统一卷土重来，但我们也不应甘于在"碎片"或"散珠"中徜徉，我们还应苦苦追寻，架构出新的"良知大厦"。

从僵硬过时的板块中，碎裂出许多的珠片，呈现出多样的异彩，这首先是一桩好事。但过分地无序与无规，使得"闪光的"似乎都成了"金子"，埋在边缘或下面的宝石反成了"累赘"，那也不是个事儿。所以我呼吁"心不碎"，以不碎之心，在多样并存中，架构出璀璨的适应新时代的"七宝楼台"！

自律时代

实话实说，在这个转型期社会中，种种管束、制约、调节我们个人行为的因素，大体上是在不断地改进、优化、健全，却毕竟留下了非常多，而且有时还非常大的"空子"。因此，每个人究竟如何参与社会，在很大的程度上，是取决于他能否自律。

我们常说的一个词："好自为之"，其分量现在比以往任何时候都更显沉甸甸的。

上个月锦州市委书记张鸣歧在指挥抗洪抢险的第一线以身殉职，虽有难以预料的偶然因素在内，但他那面对洪害，满心挂念着一市人民和国家生命财产的安危，而全然忘记了自己得失的精神状态，应是构成这一英勇悲壮事迹的内在因素。他的牺牲，当然令人惋惜，不过，他的生命之花并没有白白地突然殒落，他成为一种在这个有太多"空隙"可以推诿、怠惰、敷衍乃至"化权为钱"的转型期中的耀眼光焰，昭示着我们，一个公务员除了在督促、监察、评议的约束下恪守其职以外，他的自律精神是多么可贵！我们当然不希望偏偏是这样的好人陆续地牺牲，但我们又实在期盼有更多的这样不怕为国为民牺牲的好人出现在关键的岗位上，以他们的自律精神，在民族的脊梁中灌注更多的良知与信心。

我们在报上读到了若干与张鸣歧级别相当，甚或还高过许多的腐化分子受到应有制裁的报道，那些报道常常引出这样的感叹：他们之所以能那样地胆大妄为，除了是因为他们的灵魂已为金钱锈蚀得寡廉鲜耻以外，也是因为这转型期中的种种事情实在是变化得太快了，往往会突然出现某种以往万万想不到的"空档"，有关的"游戏规则"尚来不及细致厘定，那"游戏"却已俨然开始，"捞一把"不仅"易若反掌"，而且追究者会闹个"查无实据"，甚至于一时"究无所依"！我的一位在教育行政机构工作的朋友跟我说，原来他那儿确是"清水衙门"，他们的"权"，几无转化为"钱"的可能。但眼下私立学校纷纷筹建，他们忽然获得一种前所未有的审查权，几个想办私立学校的人，会忽然都对你热情得烫嘴、烫手、烫心，你既不能都批准，也不能都不批准，而且往往几个申请者都处于没有死道理非批准或非不批准的状态，你批了谁否了谁都算不上错误，这时，申请者幕后对你的"恭敬度"，就难免成为你批谁否谁的砝码了。而这"恭敬"会是很隐蔽的，甚至会是让你充满安全感的，只是"天知地知他知你知"的，怎么办呢？他说，唯一的办法，便是"好自为之"了！这时你要作出的牺牲，从某种意义上说，比张鸣歧虽小，但也并非是可以"忽略不计"的！

从上到下的中国人，目前都进入了一个"自律时代"。这是一个严峻的时代，一个会出现危机的时代，也是一个磨炼每一个个体灵魂的时代，一个熔铸新的民族魂魄的时代，一个充满了希望的时代，一个含有苦涩味的乐观的时代！

无聊这把双刃刀

世上一般的人，纵使是大忙人，也难免会有偶尔闲下来感到无聊的时候。所谓无聊，就是失去了目的与意义，"下意识"涌动，这时候，人的精神处在一种浑噩状态中。

无聊并不一定导致消极，许多人在陷入无聊后，会顺着情绪的流动，用一把向善的梳篦，将紊乱的"下意识"，梳理为缕缕柔和飘动的游丝，其终极效应，竟可"池塘生春草"，在无意之中，获得美与益。所谓"无聊才读书"，"无聊才动笔"，"无聊才访友"，"无聊才吟诗"，"无聊才施舍"，"无聊才顿悟"……都是这样一种境界。拿"无聊才读书"来说，人在奔忙中，哪儿有时间通过读书来给自己灵魂"充电"，如果一味地奔忙下来，耗干原有的知识才情，岂不会危机四伏而应对失措！唯其有偶尔的"无聊"，才会"有一搭没一搭"地"乱翻书"，而这一"乱翻"，很可能便起到了自我"充电"的作用。因此说，"无聊"是把刀，这刀可以裁出有用的"尺幅"，因此不必惧怕"无聊感"的袭来，问题只是，如何使用"无聊"这把刀，如春风般地于无意中，裁出条条"二月柳"来。

但"无聊"是把双刃刀，它的另一面，是恶的"沉渣泛起"。有的人在穷极无聊的情况下，会将难改的坏秉性，顺着情绪的流动，作出些"蝎蝎蜇蜇"的卑陋之事来，其结果呢，是惹人生厌，而他自己，也多半讨个无趣。听说有个"文革"中善编"内部简报"的"秀才"，前些时忽感"百无聊赖"，于是"手痒"，竟编起"文革"式的"内参"来，其"技巧"之一，便是"客观"摘录、组接港台报刊与外电中的某些段落、词组，以证明谁谁有什么什么不得了的问题，希图以此重掀"以阶级斗争为纲"的"风暴"，自己呢，便恍恍惚惚返回了28年前的"盛境"，颇为自得。他这种"自娱"，一旦溢出了自我的天地，理所当然要受到上下四周的唾弃。在这改革开放已成洪流般的大势中，"以经济建设为中心"已化为亿万民众的自觉意识，无论是"大批判"还是"小报告"都再难找到"知音"，也难再具备"杀伤力"的时代，他的这种无聊行径，与某些发了点财便追逐声色淫欲的酒徒赌棍的丑行，均可归入"嗜痂之癖"

的范畴，所以对"无聊"情绪和"无聊者"的恶性发展，确也不可不防。

对于正常人来说，无聊不会更不应是一种持续很久、浓酽难化的精神状态，即使是良性的"无聊"，这面刀刃也不能久割不舍。人在大多数时间里，应是"有聊"的，也就是感到有许多有意义的事要抓紧去做，并争取早日达到预期的目的。也就是说，"无聊"应是镶嵌在"有聊"中的若干"盲区"，而不能弄得只有"一片白茫茫的无聊"。至于这"无聊"把你的精神剪裁成意外之花，还是腥秽之物，那可全在你自己把握之中了。

找话来说

今年文坛上，先后出现了不少"新说法"，如"新感觉"、"新状态"、"文化关怀"，等等，有人读了被网罗在这些"旗号"下的作品后，不禁撇嘴说："什么呀！我怎么没能产生那个感觉、状态、关怀……呀！"更多的批评是：种种说法应产生于"事实"之后，而不应产生于其先！我也向一位批评家提出了类似的疑问，没想到他呵呵一笑说："总要找些话来说嘛！"

在一个重行为、重实效、重此时此刻此身此意的社会中，话语的法力越来越趋衰减，这未始不是一桩好事；但倘若衰到过分的地步，从禁绝"废话"发展到一切"话"均被"废"掉，那也不是个事儿。

所以，当文坛过于商业化，闹到"畅销没商量"的地步，有一些搞理论的、弄批评的和一些编辑，想出一些颇为高雅的话题，带头来说，为不畅销的"严雅纯"文学卫冕，并引导走畅销路子的写作也"讨个说法"，应当说，还是有一定意义的。

我所认识的一些企业家，他们那个企业搞得好，因素之一，就是能常常"找话来说"，使职工的思想活跃起来，而不是一味地"埋头苦干"。所谓"找话来说"，当然不是说些陈词滥调，也不是就事论事，而往往是：一、话题新鲜，有刺激性、趣味性；二、多少带些"形而上"，令人的思路得以"升华"；三、却又不必搅死理，太认真，不能闹成"大是大非"的"路线斗争"，所以鼓励"七嘴八舌"，而实行"不争论"的原则，并不追求"水落石出"、"黑白分明"。

正因为现在人们都在紧张地奔小康，为全社会，为一方一群，或为一家乃至仅为自己，在奔忙的时候没工夫说"废话"，所以一旦歇息下来，不少人便有一种"找话来说"的欲望，以慰身心的疲惫，这便是各地都出现了若干"热线电话"，并极为热门的根本原因。尤其是广播电台的"热线"，使头些年广播不敌电视的局面，大为改变，人们，尤其是普通的"白领"和"蓝领"，又尤其是青年学生，常常守在电话机前，一遍遍地反复拨号，直至终于接通，与电台节目主持人形成对话，那第一句，往往便是惊喜不已的"（接进来的）是我吗？"或"打进来真不容易呀！"这些打进热线电话的幸运儿或发牢骚，或侃观点，或提问题，或报请求，或竟语无伦次、不知所云……我认识的一位电台节目主持人跟我说，他的体会是，那些打进电话来的听众朋友，多半是"找话来说"；他的应对呢，其实也只能是相应地"找话来说"，大家在这种宣泄当中，得到一种心理松弛与交流的快感，要说真"解决问题"，那是做不到，也不必奉为目的的。

只要不是像当年"四人帮"那样，用种种"说法"、"提法"，用"大批判"的"语言洪水"来无事生非、无限上纲、胡搅蛮缠、包藏祸心、兴风作浪、祸国殃民，在这务实重行的奔小康的途程中，找些有趣、有益或起码是无害的话来说，活跃思想，活跃气氛，我以为还是很值得肯定与支持的。

1994 年 8 月 19 日

发财不易

中国人坦然地议论发财，少说也有十多年了。

前几年，说起发财，似乎认为容易者居多。民间流传着许多绘声绘色的发财故事，讲述者往往眉飞色舞，倾听者则不禁心动神移。这样的群体情绪反映到大众传媒中，便构成了若干新富翁的浪漫故事，而离开原有的"工薪圈"去商潮里闯荡，被称为"下海"，成为了一种备受称道的时尚。人们自己可能并未发财，说起人家的财富，却"如数家珍"，而且多半要"狮子大开口"，那估算出的款额，动辄以七位以上的数字起计。至于到深圳、海南等特区去淘金，说起来就仿佛那边遍地黄金，甚至不用弯腰，金雨也会洒到肩头似的。

前几年吹起"发财易"之口风，我想也很自然，一是那时候得以发财的良机确实很多，而观望者多过投入者，勇于投入的人便有比较宽阔的发财空间和比较高的发财几率。如深圳发行首批股票，购买者寥寥，有的"勇于吃螃蟹"者，还确实遭到了嘲讽，因此，"抱惭而退"的，也大有人在。谁知后来股市运作起来，凡购首发股者，几乎无不暴发，据说有的干部当初认购，只不过是为了"带一个支持改革开放的头"，不仅绝无发财之意，还抱定了"甘愿损失"的牺牲精神，临到居然发财，倒手足无措起来，不想发财亦发财，你说容易不容易？当然，那时候有关市场经济运作的"游戏规则"尚未健全，甚至有的规则还几乎全然空白，而"游戏"居然已经开始，钻空子的人，自然也就无拘无束、舒舒服服地发了横财。他自己也好，艳羡者或侧目者也好，都似乎有"发财易"之叹。

现在不同了，我耳边时时响起的，是"发财不易"的声音。一位公司经理有天对我说，他真高兴，因为他那个公司，那天实实在在进了一笔账，"干干净净的账"，也是"清清爽爽的账"。这话令我很是吃惊，我问："你们不是整天在那儿坐着豪华车，手握'大哥大'，出入大饭店，吃完了谈，谈完了吃，还时不时卡拉 OK，甚至桑那浴、保龄球什么的……难道以往都没有进账吗？"他说："你哪里懂得，那些个排场，都是在不惜血本地投资，如果总那么投入，而毫无实际成果，要不了多久，也只能是破产！以往倒常常有'假性进账'，其中奥妙我也懒得跟你细说，不是那么好让你懂的，一句话，只有像今天这么真的进了账，才作数的，才叫真发财！你当发财是容易的么？"前些时去了趟上海，见到几位"股民"，他们都叫苦不迭，一位对我说："'杨百万'的时代早已结束，现在想要发财，就是天天盯在交易所也不灵光的……我们都被'套牢'了，真是进退两难！"

"发财不易！"的口风开始上升，我以为是社会的吉音，我想这主要是因为，一、市场经济大繁荣了，空白点少了，竞争性强了，也就是"切蛋糕的刀多了"，不够切，于是有可能促使大家来造"更大的蛋糕"，"造蛋糕"自然比"切蛋糕"难，这份难，即这份不易，是良性的；二、市场经济运作的"游戏规则"，开始健全、细密起来了，想通过"无规则"运作乃至于"犯规"行为"捞一把"，被"黄牌警告"、"红牌警告"乃至"罚下场"甚至捉起来受制裁的可能性是大大地提升了，纵使一时得逞、逍遥法外，其内心也肯定惴惴然、惶惶然，连这种人现在也可能要叹口气说："发财不易！"这当然不是坏事。

从"发财易"之惊叹到"发财不易"之慨叹，我以为是在社会转型期中的一种心性成熟的表现。我们的大众传媒，从今该多些艰难生财的故事，少些唾手暴富的浪漫神话了吧？

把恶魔变成一个角色

通夜有电视节目看，这也是近年来的社会变化之一。我这只"夜猫子"夜里敲电脑敲累了，偶尔也就打开电视机，且看在播些什么。好几次，都碰上正播苏联拍成电影片的舞剧《天鹅湖》。本是并不打算久看的，但遇上了起码要看上好一阵。首先，柴可夫斯基的音乐真是太迷人了！

一部好的舞剧，当然首先要有优美动人的音乐，不过也还有赖于编导的诠释，有赖于舞蹈家的魅力,以及乐队、舞台美术设计、服装设计乃至灯光、道具……各个部门的共同努力。《天鹅湖》一八七七年首演于莫斯科,立即大获成功,一八九五年由俄国芭蕾舞大师伊万诺夫和法国舞剧名编导彼季帕将其重排上演,因其臻于完美,而成为一种范本,后来苏联的芭蕾舞皇后乌兰诺娃所演出的该剧,虽小有这样那样的调整,大路子是延续下来的,到五十年代中国在苏联专家指导下排演此剧,白淑湘跳白天鹅和黑天鹅,也是在此格局中施展其技。但苏联的艺术家们在六十年代后期——那时乌兰诺娃已挂鞋——却毅然打破了半个多世纪的"定式",在重排该剧时,作了许多全新的处理,其中最引人注目的一点,便是将剧里的恶魔从一个近乎抽象的符号,处理成了一个仅次于天鹅和王子的重要角色。

《天鹅湖》的剧情很简单,讲的是公主奥杰塔和一些少女被恶魔施魔法变成了天鹅,只有在夜幕降落时,她们才能还原为人身,王子齐格菲尔得在一个傍晚于湖边偶遇奥杰塔,二人一见钟情,但湖面上出现第一缕天光时,奥杰塔和少女们又都变为了天鹅,不得不凄然飞去;恶魔为破坏王子和奥杰塔的爱情,假扮为魔术师,将他的女儿假扮为奥杰塔,到王子的宫里迷惑王子,但阴谋终未得逞,王子与奥杰塔忠贞不渝的爱情所产生的善美力量,击败了恶魔,瓦解了魔法,使其他被恶魔变为天鹅的少女们都还原为了己身。以前的演出,除第三幕里恶魔化为魔术师入宫时,稍有一点舞姿外,也就是剧的首尾有一些在山石上张开黑色大翅膀表示大施魔法的动作。而苏联在六十年代开始将恶魔一角化为了一个具体的角色,他在每一幕里都有大量的复杂的舞姿,或尾随在王子身后,成为一个狰狞的符号,随时提醒观众"恶"的无孔不入;或与奥杰塔残酷地绞身纠缠(扮演恶魔的演员因而不再是龙套,而由大明星出任,需很高的舞蹈技巧),以造成一种在乐音舞影中引动观众进行哲思的效果;最后则是善美与恶丑的大搏斗,把老柴的音乐诠释得比以往更惊心动魄。

这种对舞剧《天鹅湖》的新处理,给了我们一个有益的启示:有时候,需要把恶魔从抽象的概念,化为具体的角色。

我们的社会生活,曾在很长的时间里"以阶级斗争为纲",那时候"阶级敌人"就是恶魔(所谓"牛鬼蛇神"),经常还出现把"恶魔"扩大化的偏差,我现在想到的"把恶魔变成一个角色",当然不是要回到那个"纲"上去的意思,我是最痛恨"把人变成鬼"，搞扩大化的；我想到的是，现在我们的社会生活是以经济建设为中心，这几年又加速了向商品经济转型的进程，当然在这样的转型期中，也有社会恶魔，如腐败堕落的贪官污吏，胡作非为的盗贼歹徒，以及形形色色的社会渣滓，等等，他们作为反面角色，已经常出现在新闻报导、纪实文学、影视作品及舞台演出之中，得到了应有的鞭挞——当然，那鞭挞可能还不够有力，揭露也还不够深刻，但那是另一回事；我现在想到的，还不是这些社会层面上的恶魔，而是那很可能已钻进我们灵魂中的腐蚀着我们心魄的恶魔。

鞭挞、鄙弃我们身外的恶魔，相对而言，是比较容易的；发现并驱逐我们心内的恶魔，那就不大容易了。我常听见人们抱怨社会上的不正之风、腐败现象、丑恶行为——这种抱怨诚然是有根据的，如果能化为一种参与对其抵制、斗争的行为，那更难能可贵；不过一个人除了发现身外的恶魔并对之作出本能的反应，也还应具有发现诱惑着己身甚至于已侵入心灵的恶魔的能力，有没有这样一种能力的标志，便是会不会将魔变成一个具体的角色。

比如说，现在钱这个东西越来越成为个人生活中的一种不仅不能忽略，甚而还相当重要的因素，总体而言，这并不一定是坏事，因为社会的发展，是不能绕过商品经济这个"河湾"的，而商品经济的"游戏规则"之一，便是充分发挥钱这个东西的作用；因此，我们在社会上只要是不犯规地挣钱、赚钱、积钱、花钱、以钱生钱，都可理直气壮，不必良心自谴。但是，一位很发了点财的朋友Z，那天不是对我说，他每晚失眠时，还是有一种锥心的痛苦感吗？为什么呢？他说，他后来悟出，那是出于内心里的一个恶魔——他抓住了那个恶魔，那恶魔的名字便是"贪欲"，或叫作"贪得无厌"；这个恶魔总是在那里狞笑，引诱他从"守规矩的游戏"滑向"犯规的游戏"，如任其在心窝里安营扎寨，那后果不堪设想！怎么办呢？Z来商之于我，那天我便给他讲新版《天鹅湖》的处理——把恶魔变成一个角色，我说，也许越把自己意识到的"心鬼"具体化、形象化，就越有可能警惕它、战胜它！当时他问：怎么个形象化呢？是呀，我也犯难，西方的基督教文化里，魔鬼是有具体形象的，如有一个叫靡菲斯特菲勒斯的魔鬼，它头上有角，身后有尾，双脚好像是鸡爪状，它的个子似乎比常人还小，其作恶的手段倒不是以其形象吓人，而是用种种非正途的诱惑，来勾人入邪，德国十八世纪大文豪歌德写的诗剧《浮士德》，表现的就是名叫浮士德的一位博士，与靡菲斯特菲勒斯的诱惑作了不懈的搏斗，终达悟境的心路历程。如果我们是西方人，自然无妨就把"贪欲"变作一个发散着臭铜味的靡菲斯特菲勒斯，可是我们是正宗的东方人，所以此法不灵。用新版《天鹅湖》的那个恶魔形象，也不符合我们的思维习惯。后来有一天还是 Z 自己打来电话，说他想出了一个把"贪欲"变为具体角色的办法——他在他家总吃不完的火腿上，发现了一只往肉里钻的肥蛆，真是触目心惊、生十日之呕！他说，以后每当他心里冒出"宁愿犯规也要多捞"的贪欲时，他便立即把那贪欲的恶魔"蛆虫化"，保证能跟戒了烟的人再见烟卷一样，再不作"抽一颗"之想！这种把心中的恶魔变为一个角色，从而起到心理阻塞作用的"健心法"，难道可笑吗？我说：不！

我也要时刻警惕"蛆虫化"的"心魔"来骚扰挑逗！

1994 年 10 月 12 日

有毒的逻辑

《文艺争鸣》1994 年第六期上有篇文章，抨击"过于聪明的中国作家"，其中以重炮轰击了萧乾先生"要尽量说真话，但坚决不说假话"的观点。萧乾先生说："1955 年在文联批判并宣布胡风为反革命分子的大会上，书生吕荧跑上台去说了句'我想胡风的问题还不是敌我性质'。他马上被台上两位文艺界领导制止，随着就有人上台把他揪了下来——一直揪到监狱里去……至于'文革'期间，像张志新和遇罗克那样死于说真话的人就更多了。是这些活生生的事例使我对'说真话'做了那样的保留，但我坚决认为不能说假话。能保住这一原则，有时也需要极大的勇气，甚至也得准备做出一定的牺牲。"批判萧乾先生这一观点的那位文章作者使用了这样的逻辑："在批判和宣布胡风为反革命分子时，沉默，也就意味着默认，意味着赞同，在这种场合，不说真话，就意味着亵渎了某种神圣的原则、道义，意味着认可、助长了邪恶……如果当时在场所有的人，全都像吕荧先生那样跑上台去说真话；如果当时全中国的书生，都像吕荧那样说真话，情形又会怎样呢？"

这种批判的逻辑，二十多年前，也就是"文革"当中，我听得真是太多了，大都出于最激昂的"红卫兵小将"之口。没想到如今竟又"如雷贯耳"。其简单化绝对化的直线思维，以十二万分的激情喷涌而出，的确颇令人一时"有口难辩"。下面罗列当年两例，均非杜撰，都是"言犹在耳"的"响当当"的"钢铁逻辑"：

单位里一位老同志，解放前曾被敌人逮捕，后因未被敌人查实党员身份，由地下组织设法，以一当年同情革命的资本家出面作保，营救出狱，这段历史，清清楚楚，组织上早有结论，可是"红卫兵小将"把他揪出来，一再地批斗，非说他是叛徒，其逻辑便是："你明明是党员，为什么不敢在敌人面前挺起胸膛承认？你不敢承认自己是党员，就是脱党、叛党！你就是一个可耻的大叛徒！谁不知道反动派'宁可错杀一千，不可放过一个'，他们为什么偏偏放过了你？！那么多革命烈士都不怕被反动派屠杀，'砍头只当风吹帽'，你为什么就不能英勇牺牲？！你不是怕死鬼、懦夫、屠头，是什么？！而且你居然接受资本家作保，你还有一点点共产党员的气味吗？！你说你是为了出来继续为革命作贡献，胡说！你既然被反动派逮捕，就应该视死如归！需知革命党是杀不尽斩不绝的，杀了你一个，自有后来人嘛！……"

单位里一位工友，解放前曾为资本家拉洋车，属于光荣的"红五类"，可是他"文革"中一点不积极，只是干他的那份勤杂务，不知怎么的也惹怒了某些最激进的"红卫兵"，有一天就遭到训斥："你怎么能光知道'拉车'，全不问在什么路上跑？！你在无产阶文化大革命中保持沉默，就是对文化大革命心怀不满！你的阴暗心理是怎么来的？！要么你是隐藏得很深的阶级异己分子，要么你就是个可耻的变质分子！你少为自己辩护！你算什么劳动人民？你解放前甘心给资本家拉车，一直拉到解放初，资本家都不敢坐了，你才当了勤杂工，你说你这是什么问题？如果所有被剥削被压迫的劳动者都像你这么甘于给资本家干活，旧社会岂不是要永远存在下去了？！告诉你吧，就是因为有你这种人存在，所以旧社会才没能更早地灭亡！你跟资本家一样，都是旧社会的维护者！你现在不积极投入无产阶级文化大革命，你也就是跟死不改悔的走资派抱成团儿，整个儿是螳臂挡车！告诉你，我们是要扫除害人虫，全无敌！……"

前一例，是一定要你当"烈士"的逻辑。后一例，是根本不承认在"革命"与"反革命"之间，"左"与"右"之间，有一个层次丰富的中间群体。

这类"沉默即默认即赞同即认可助长邪恶"的逻辑，是有毒的。依此逻辑类推，如果当年被纳粹抓获的每一个犹太人都勇于"站出来"反抗，那不就没有震惊世界的大屠杀了吗？如果当年南京被日寇奸淫砍头活埋的那些中国人个个都奋起肉搏，历史上又怎么可能还有"南京大屠杀"这回事呢？……猛一听，这样的质问真是"义正词严"，细一想，这岂不是在为纳粹和日寇的罪恶开脱吗？

胡风的错打为反革命，"文革"把国家主席弄得死不瞑目，原因比较复杂，但说到这类的事，一不分析历史的沉痛教训，二不批评敦促类似 1955 年文联会上制止吕荧发言的人，以及上去把他揪下台，还有后来将他送进监狱的那些人反思，三不为如何在新的历史时期，将已经大大展拓了的"说真话"空间进一步拆障去阻出谋划策，而将板子狠狠地打在肖乾这样的作家身上，严责他们"太有现实感，太识时务，太聪明"，不知其真意究竟何在？但愿不是极"左"势力通过这种撩拨挑逗，来"引蛇出洞"，以破坏眼下的安定局面，好重返"阶级斗争"的那个"纲"吧？

1994 年 12 月 12 日

超越梦幻

时髦和时尚的区别，似乎也可以从这样的角度来加以诠释：时髦只不过是对现实中某种流行物的追逐，而时尚却是对现实的一种升华，是在现实已有事物和精神的基础上，以超前的审美情趣，创造出的"可享梦幻"。比如服饰箱包，真正达到时尚品味的，很可能并不是街上已流行的，而是有着梦幻般创意的新制作。当然，梦，起源于现实刺激在大脑沟回中的滞存；幻，根植于已有事物所提供的素材；它们必定都带有"泥土气息"和"似曾相识"的韵味，但在无序呈现中组合得极为曼妙的梦境，以及在自由畅想中生发得极为诡奇的幻想，却有可能开放出璀璨的"无土之花"，衍化出全新的审美丽境。时尚的超前、脱俗、高贵、空灵，由此确定。因此，可以说时尚是人类生产和消费领域里的顶尖级文化创造。这一文化创造也浸润于人类总体活动的其他领域，并深深地反馈于人类的精神世界。

不过作为一种世界文化锋头的时尚，到了这二十世纪末，也遭遇到了新的挑战，面临新的攀梯。一种挑战来源于历史的积累。人类文明的积淀已十分厚稠，过多的美好范式反而拘束了梦境与幻想的翅膀。另一种挑战来源于多种文明间的激荡，尤其是站起来了的第三世界，他们不甘只作为西方时尚文化撷取资料的素材库与激发灵感的打火石，他们热望生发出具有自己主体性的时尚文化。因此，现在是世界各处的时尚创造者超越梦幻范式的时候了！

超越梦幻，这是当前世界范围内时尚创造者所面临的新攀梯。

超越梦幻当然不是说要放弃梦幻。仍以梦幻创意的时尚空间依然宽广，但少数成功地超越梦幻的时尚创意，已在许多方面出现。这也不是说要绕回到俗世的现实之中，或仅仅是"回归淳朴"。比如，我们可以在世界上发现某些新开创不久却已获得一定成功的时装品牌，它的休闲服系列，超越了梦与幻的创意，试图从过厚过稠的历史积淀中脱颖而出，不追求具体的"寓意"，而趋向于"随你解释"甚至"不必有解"，它可能是以往历史所提供的丰富范式的随心所欲的大胆拼合、组接或变异，不以梦的迷离与幻的诡奇取胜，直接诉诸你一派无深刻感的平面化的清纯与亲切，但你细摸它的面料，却很可能是以最高级工艺处理过的最纯净的生物原料，柔软而又挺括，吸湿性强而透气感足，穿起来反而给予你超华贵与雅致的身心感受。这实际上也是所谓"后现代"审美趣味的一种体现。一般来说，"现代派"艺术，特别是所谓"超现实"的艺术流派，是热衷于梦幻式手法的，而超越它们的"后现代"艺术，则讲求"同一空间中不同时间的并置"，也就是说，不一定认准了梦幻手段，而是从"时间"中，很轻松地撷取出若干片断，富于灵性地将其组合在"同一空间"中，从而产生出一种超越梦幻的新感受、新时尚。

至于第三世界,特别是处于这个世界中的我们中国,时尚文化的发展,一方面尚处于初级阶段,一方面也在迅猛抽芽,如何在坦率地把西方时尚中的精华"拿来"的过程中,取用我们民族文化的丰厚资源,创造出足令我们民族自豪也足令其他民族钦慕的顶尖级时尚,确实是一个紧迫的课题。

1994 年冬

虽然我不喜欢

我觉得我就要死在座位上了!

一点也不夸张。事实就那样。虽然我两年多以前访问过瑞典,参观过皇家剧院,观看过现代芭蕾舞《培尔·金特》,并且在更早些时在法国巴黎领教过瑞典艾茨·玛克舞蹈团让《天鹅湖》里的天鹅一律秃头的演法,我不能算是个艺术眼界鼠寸、欣赏趣味褊狭的老朽,可是,一九九五年一月十九日在北京首都体育馆听瑞典 Roxette 乐队的演唱会,刚刚开始第一首曲子,我便承受不住了——不是陶醉其中,而是惊恐万状,那摇滚的声响,用"雷霆万钧"来形容,于我都还有轻描淡写之嫌,因为其开唱的方式,是在一片黑暗与寂静中,突然台上灯亮,并且架子鼓、电子震荡器、电吉他与歌手的声音立即达于极致,仿佛火山陡地喷发、海啸狂卷千里……刹那间,我只感觉到那架子鼓的每一重击都锤在我的心脏上,并且我一身的血浆被迫倒泵进心室,在那外击内胀的情势下,我的一颗心真是马上就要迸裂破碎了!

怎么办呢?我用双手捂住耳朵,总算熬到一曲终了,在短暂的间歇里,我凑拢身旁儿子的耳边说:"我受不了……我要出去……你一个人听吧……至少,我得到休息室里呆着去!"儿子吃惊地望着我,说:"那怎么行!"

确实难以实行。因为我们座位左右前后都已坐满了观众，并且，我朝出口处一瞥，因为是大爆棚，连过道上都站着许多观众，此时要挤退出去，噫吁欷难哉！

更何况，我拿的是瑞典大使馆的赠票。头一天，瑞典大使馆为 Roxette 的访华演出在大使官邸举办酒会，我应邀参加，使馆文化专员还特别把我介绍给主唱 Marie 小姐和 Per 先生，记者们还拍了若干照片，拍照时 Marie 小姐还非常亲热地同我头挨头，并且还在他们特制的卡片上为我签名，Roxette 发烧友有知，一定羡煞！我和儿子去看他们演出时，甫下出租车，便有人冲上来问有无余票，当晚开演前首都体育馆前面人头攒动，走进大门，很费了一番力气；求票者甚多，而我们没见到一例转让的；门口有小贩发售荧光棒，生意极火；进到休息厅，几处卖 Roxette 磁带与 CD 盘和演出海报与说明书的摊位被围得水泄不通，儿子奋勇抢购，却只买到磁带，一百五十元一张的 CD 盘早已售罄，那景象，就仿佛是不要钱一样。开演前，偌大的体育馆已黑压压坐满了人，而且，场心的上千个加座，也坐满了看客，那些座位上金发碧眼的较多，儿子在那些座位里认出了中国歌星潘劲东、黄格选，兴奋地指给我看；找座位时遇到了几位相识的年轻艺术家，打招呼时有一位跟我说：外地还有坐飞机来看的啦！当时我认定他是"危言耸听"，后来得知，起码上海是确有坐火车赶来的发烧友；因我是赠票，故开始没大注意票价，落座后才知道最贵卖到六百元一张，然后是四百元、二百元，只有边远座位卖一百元……在如此这般的"背景"下，我刚开演便要退场，当然令儿子莫名惊诧；发烧友们倘若有知，更不知会视我为何等痴傻怪物呢！

演出继续在我有生以来头一回面临的轰响中进行，为防止我耳膜被震聋计，我都想拿围巾兜住头，在下巴狠系，以把我的耳朵挡住；在第二首曲子进行间，我心里还是充满了"求生欲望"，我悲哀地意识到，我的心脏确实有不小问题……但不知是为什么，也许主要是惰性，我竟终于还是熬过了第二、第三首曲子……后来演唱者开始唱不用架子鼓伴奏，节奏也不那么狂野的曲目，我这才如蒙大赦，长长地吁出几口气来。

我周围的听众们怎么样呢？满场是怎样的景象呢？开头，在昏暗的观众区，是无数的荧光管在狂热地晃动，后来，虽不允许，许多的男发烧友还是点燃了他们的打火机，不住地摇晃；头一曲唱响时，便有观众从座席上站起，随着摇滚节拍扭动身躯，几曲过后，越来越多的观众站起来呼应，有的更将双臂高举过头，即兴摆动，很快的，我和儿子两人便成为难堪的"盆地"——惟有我俩没站起扭动；儿子比我"开化"，他知道 Roxette 几年前便风靡欧美，自为美国好莱坞一部名片配过插曲后，更是声名腾天，在摇滚金曲排行榜上连续称霸，但他毕竟"近墨者黑"，受我的影响，还是喜欢读古典文学名著、听古典音乐，所以他听 Roxette 时虽也晃肩击掌，毕竟还不狂热。

我陷于狂热的发烧友之中，不禁有所腹诽：他们是盲目地崇洋迷外吧？他们真能欣赏这玩意儿吗？……那 Marie 一头短得没有道理的银发，穿着镶闪光片的紧身衣裤，而 Per 却是一头长长的披肩褐发……整个乐队在台上放肆地跃动着弹奏着狂歌着，尤其是 Marie，她浑身上下无处不在激烈地舞动，说她是用全身心演唱，是极端地投入，都还不能传达出她彼时的情态，也许，她已化为了一种抽象的曲线与音团，在她是彻底地忘我，在发烧友是醉入膏肓……可是 Marie 唱到一首曲子，她唱了一句便停下来，不拿麦克的那只手遮在耳后，作期待状——她何用期盼，整个体育馆里顿时响起了接续她那一句的合唱声，令我在惊悚中不禁自责：我有什么道理说中国的摇滚发烧友"盲目"？他们对这一 POP 艺术门类的资讯掌握、熟悉程度、欣赏水平、迷恋方式，都已与欧美的发烧友不分伯仲，要说"盲目"，那是我自己……Marie 在获得这与在纽约、巴黎、斯德哥尔摩、香港等地并无二致的呼应后，欣喜地用中国话高呼："北京，你好！"

我居然坚持到了终场。我的心脏并没破裂。场子里发烧友的狂热并没引发出任何问题。演出结束人们鱼贯而出，秩序井然。令我和儿子狼狈的是，出了体育馆我们叫不到出租车，不止我们两人如此，我们一边步行一边期待空的出租车，可是一路上不断遇到先我们出来而依然未打到"的"的人……我们俩差一点只好步行回家。

我不是完全没听过摇滚乐，但以前听的只是磁带，现场感受这还是头一回，据儿子说他以前所听的中国摇滚歌手的现场演唱，音响效果也没这么大分贝值。当晚我躺在床上以后耳鸣了很久，甚至于第二天起床后耳膜还有一种异样的感觉；第二天傍晚我同妻子到一家星级饭店大堂喝茶，为的是听大堂一侧的钢琴演奏，当那位

难 以 忏 悔

坐在三角钢琴前的小姐奏出肖邦的 C 小调幻想即兴曲时，我有一种从恶梦中醒来，憩息在蓝天下碧水旁的欣悦感，谢谢上帝，我的耳膜还没有丧失捕捉这天籁的能力！

我不会再去现场听摇滚乐了。我不喜欢，甚至恐惧。

但是我珍视听 Roxette 的这次人生体验。儿子事后对我说："您知道吗？在我们这个年纪，这种音乐能让我们释放出身体里和心灵里的那骚动着的能量，特别是那些说不清道不明的，挺神秘的心火……很多我们这一代人，用这样的方式宣泄出了心火，耗散出了多余的能量，他就多半不会再到社会上胡闹，就可以更好地学习、工作，更通情达理地跟你们往上的一代人相处……"

是的，虽然我不喜欢这样狂暴的 POP 音乐，可是，我冷静地意识到，年轻一代有权利享受与他们生理、心理发展状态相谐的各种艺术，土生的与外来的，雅的与俗的，古典的与后现代的；不仅代间，异性间，社会群体间，艺术趣味的取向也应允许多元；除了特别恶劣的嗜痂之癖，对社会上各色人等的艺术欣赏取向，我们只能悉听尊便。我们可以竭尽全力地揄扬高雅的艺术，却不能排斥我们个人不能理喻的 POP 艺术。

在这个世界上，排除危害人类的东西不论，在形形色色的东西里，有某些我们很不喜欢，可是却很有一些人非常喜欢，那我们一定要尊重别人喜欢它的权利，至少应当宽容地看待别人对那东西的狂热与痴迷。反过来，我们所喜欢的东西，很可能又是别人所厌弃的，难道我们能接受别人的禁绝吗？

Roxette 啊，你们想得到吗？我不能喜欢你们的歌，却万分感谢你们给了我这样的启示！

1995 年 2 月 22 日绿叶居

错 过

是的，回顾过去的一年，我们又错过了许多……

从在商场所看中的一件很适合于自己，并且价钱也不算昂贵的衣衫，竟因不必要的犹豫，放弃了购买，而再次去那商场，满眼都只是不如那件的样式，这类小小的错过，到明明有一个很好的跳槽机会，不仅去了那里可以收入更丰，更重要的是能与自己的兴趣更贴近，却只是因为决心下得迟点，因而痛失良机，那样大大的贻误……总算起来，真是不少！

人生的路啊，为什么，为什么总是充满了这样多的错过？

然而细想，可有"万无一失"的人生？

错过一般来说，属于人生的常态，只要我们回顾来路，有所得，从在偶然路过的一家小小书店，意外地买到了久访不得的一本诗集，这类小小的收获，到自己积极参与的一项改革，果然取得了重大突破，那样的精神物质双丰收……算起来，也还不少，我们就应感到欣慰！

没错过，抓住了；错过，溜走了。这正是人生的经纬线，见证着我们斑斓多味的存活。

没有意识到错过，或许能产生一种自足感，但那意味着灵魂堕入了颟顸的渊薮。

能意识到自己错过了什么，在追悔中产生出一种真切而细微、深入而丰厚的情愫，则意味着灵魂具备了升腾的能力。

有的所错过的，还有机会再次相遇，正因为对错过有了痛切的感受，当机遇再次呈现时，你便会有高度的应变力与把握力，也许，那最后的结果，是与其在上次侥幸抓获，不如这回你冷静而成熟地驾驭……恰恰是因为你上次的错过，才导致了你这次的获得硕果！

有的所错过的，时不复返，机不再来，属于永远的错过，但因为你善于细细咀嚼这错过的苦果，竟能从惆怅中升华出憬悟，乃至于酿出诗意与哲理……你的生命，或许反更有厚度；你的心灵，或许反更有虹彩。

一念之差中，失之交臂了么？有时我们虽然错过，只要我们立刻意识到了，并立刻追上前去，力挽狂澜于既倒，我们多半也还可以使错过转化为掌握；问题是我们往往在立即意识到了以后，竟滞涩、凝结住了我们的行动；这样的错过，则几近于过错。

错过，即"有所失"，我们要习惯它。

错过，也往往构成另一种得，我们要品味它。

人生如奔驰的列车，车窗外不断闪动着变幻不定的景色。错过观览窗外的美景、奇景并不是多么不得了的事，关键是我们不能错过预定的到站。

我们预定的到站并不等于人生的终点。但在人生的终点上，我们最好能含笑地说：我虽然错过的很多很多，却毕竟把握住了最关键最美好的，这样，"错过"便仿佛是碧绿的叶片，把一生中"收获"的七彩鲜花映衬得格外明艳！

1995 年春

当了一回"港澳同胞"

烟花三月，在上海图书城签名售书，没想到一本名为《人生非梦总难醒》的"94日记"，竟有那么多的热心读者来排队购签，三个多钟头里，我居然签干了四支油性笔！

"好汉不提当日勇"，且说第二天，我与爱人兴致勃勃地去老城隍庙的豫园游览，在售票处买了两张五元的门票，便大摇大摆地往收票口里走去，万没想到刚把那票递过去，便被一位年轻的收票员拦住，他说："你们补票去！你们港澳同胞十五元一张票！补好了再来！"我便对他说："我们不是港澳同胞，我们是北京来的，你听，我不是一口北京话吗？"谁知他满脸不屑的表情，以经验老到的口气说："我从来没有看错过的！普通话谁不会说？快补票去吧！"这下我恼火了，我说："我们从北京大老远地跑来，为了进这豫园里看看，并不怕花钱，多花十块钱实在也舍得，只是我们确实不是港澳来的，总不能冒充港澳同胞对不？"他还是斩钉截铁地说："你们就是港澳来的！老老实实补票去！"爱人这时也忍不住说："你怎么这样主观啊！我们真是北京来的！"售票员板起脸说："北京来的？拿出你们的身份证给我看！"当时我们没把身份证带在身上，而且觉得逛豫园一类地方也并无出示身份证的必要，难道我们兴冲冲而去，竟要吃个闭门羹而回去？尤其令我备感受辱的，是那年轻人脸上仿佛写着"怎么样，拿不出大陆证件吧？我眼睛从来没有认错过！北京来的？骗啥人？哼！"等等"话语"。于是，我情急中便同他嚷了起来："我们不是港澳来的！不能补票！我们北京来的！我们有权用这票进去！"这时如有头一天去图书城找我签名的读者恰好在场，见我那满脸溅沫、声容不雅的形象，一定会惊骇莫名。我与收票员的争吵，引得一些游客围观，已构成了一种不文明的景象，于是有另几位工作人员从里面出来，加以疏导，我在激动中，不知不觉发现自己连同爱人已经被一位老先生引入了园内，这说明他们承认那年轻的收票员不对了吗？我在意识到自己的发火很不得体并紧急收敛时，却偏听见不远处的一位工作人员对另一位在说："算了算了，让他们进来吧……这两个港澳同胞倒蛮厉害的！"唉！到头来我们还是"港澳同胞"！

事后把这段经历讲给上海的几位朋友听，他们说，曾陪同港澳来的亲友逛豫园，也是被那年轻的收票员"一眼看出"有几位是该买高价票的，于是只好乖乖地去补票。他们说，你们这回倒让他跌了回眼镜，从今后他怕会慎重点了！其实何尝会有那样效果？他怕只会是觉得"这回遇上了两个厉害的港澳同胞！"

进同一风景名胜地游览，外宾及港澳台同胞与"内宾"为什么要规定出两种价格？特别是在"外币兑换券"都已取消之后，还坚持这种做法，是否得当？又特别是对很快便要回归祖国怀抱的港澳地区的同胞，偏要在门票这类的小事情上跟他们"见外"，是否颇伤他们感情？我想有的港澳同胞"逃票"，恐怕省钱的心理只占到三分，"不服"的心理怕要占到七分。不过我这篇随笔不想多讲这些个具体意见。现在我已回到北京，细品这次的小冲突，倒觉得可以挖掘出若干颇幽深的内蕴来。

那位年轻的收票员，其实倒还是满恪守职任的。双重价格如不合理，也怪不到他。他与我的冲突，恐怕主要是一种心理冲突。他的"眼尖"，是从"看衣衫"上练出来的。我那天的衣衫，也就是"包装"，最突出的，怕就是那件法国梦特娇的休闲短大衣，的确，穿在黑头发黄皮肤的人身上，是很容易被指认为"来自港澳台或新马韩"的。孰不知如今的北京，已经有了比上海更多的星级饭店，高档购物中心里也满坑满谷地尽是世界名牌商品，以及合资的与完全国产的精品，北京人的衣装，整体而言已大为改观，相当地"洋气"，乃至于新潮，甚至于已有相当多的"后现代"味道，当然不是大多数的北京人，但也不是很少的北京人，他们在衣着上，与"港澳同胞"已无根本的区别，在这方面，"水已流平"，实在不应该把北京人如我者，揣想为想"逃票"的"港澳同胞"。

这样一想，不仅心平气和，而且觉得，小小冲突，倒还折射出了北京人生活水准的提高，当然也就显示出了商品经济所带来的"丰衣"已普惠于南北，而令所谓的"港澳才有"，已渐成往事，年轻收票员的"大跌眼镜"，实是一出喜剧。

但我因穿了价值不菲的梦特娇之类的"行头"，而当了一回"港澳同胞"的经历，也实在有值得惭愧之处——这也不是我一个人的问题——当我们的生活日渐富裕，"港澳同胞"与"外国朋友"们穿得的名牌或雅致衣衫"我们也穿得"时，我们是不是该想一想了：为什么我们的服装设计师们，不能尽快设计出一些一看就有别于"港味儿"、"洋味儿"的，体现出丰沛的"大陆意态"，并能为大多数国人所认同的流行服装来呢？如有那样的服装上市，我一定率先用其"包装"，再到豫园时，那位年轻的收票员一定会与我"一笑泯恩仇"吧！

1995 年春

"百忧解"与脑芯片

　　一位在美国留学的年轻人，给我的来信末尾注明"刚吞下了 PROZAC"，这 PROZAC 是什么东西？令我狐疑。通读他的来信，文字中充满了乐观与自信，一扫他初到美国不久的那种在高度压力下的失落与忧郁。想必这 PROZAC 不会是坏东西。最近一位朋友自台湾来，从他那里知道 PROZAC 在台湾译为"百忧解"，是一种美国发明的抗忧郁症药。据称此药自一九八八年上市以来，全球服用者已逾一千五百万，并经反复验证为"无副作用"。该药本是神经科医生用来治疗强迫性行为、情绪抑郁、过度敏感等病症的，但现在已渐成一种"保健药"，乃至"补品"，许多人都称服过该药后，精神疲惫变为精力充沛，神思恍惚变为记忆良好，而且最明显的效应是变得乐观自信，因而人际关系大为改善，"整个儿变为了一个新人"。

　　据说服用"百忧解"并不会上瘾。若干被抽样调查的人士历数此药给予他们的益处，在所有的益处中，"能使人摆脱沮丧感，顺利地进入人际交往，并保持良好心态"被列于首位，其余的益处甚至还包括"有利于减肥"。"百忧解"的药理，据说主要是能抑制神经末梢对血清素(Serotonin)的再吸收，因此使得血清素在脑中的作用得以加长，这是能让人比较不忧郁的最主要的原因。

　　但是"百忧解"在西方的普及也引出了争论与忧虑。个体生命的忧郁，以及这一类的情绪问题，一般来说，既来自固有的性格（这与遗传有很大的关系），更与客观人文环境所施与的压力有关。个体生命所承受的来自他人、群体和整个社会的压力，有其必须适应的一面，法律的规范、道德的约束，都是不能任性突破的；当然也确有因仅仅是性格特异或难以合群而引出的误解，所造成的心理压抑，这是应设法解脱的。要克服所谓"后现代综合忧郁症"，本来一是应在改善总体人文环境上下工夫，二是应提升个人的人格修养，这都不应是通过服用药丸来速成的。"百忧解"却将人体视为一介碳水化合物，通过人为改变其神经末梢对血清素的吸引状况，来达到本是应通过教育、领悟、修养、锻炼等手段获得的人格提升。这就不能不引起严重的科学伦理问题：医药界有无权利向社会推出此种"视人为物"的药品？

关于"百忧解"的争论未息，又从西方传来消息，有些科技界人士正研制着能与人的大脑神经末梢相连接的脑芯片，从而使人的大脑变成一个能与微机连网的信息库与处理器，这样，一部《大不列颠百科全书》或一部《中国的二十四史》，只要按几下键，就能使安了脑芯片的人"无师自通"，并且"永志不忘"。这项科研，据说到下世纪初便可达于成功。这就更关乎科学伦理了。能这样地把人"不当人"，而当作"电脑"（机器人）的"延伸物"么？由此发展下去，人类不是要把自己化为"非人"了么？

在这高科技迅猛发展的时代，许多新的科技成果都催促着关系重大的人文学科的新阐释、新探究的领域得到展拓。技术科学的演进尤其需要人文科学的配套调适。这当然不是靠焦躁与恐惧的呐喊与爆破所能奏效的，而是应当冷静与理智地进行探讨与制衡。

1995 年春

心理质量

产品的质量，固然有种种形于外的、可测试的标准，但究其内，往往还有生产者的"居心"在焉，那"居心"从设计始，经各道工序，到成品包装，送出销售，如含"不良"因素，则不管外观如何堂皇，甚至基本指标测试及格，到了消费者手中，必定会引出不便、不快乃至不测；倘其中所含的"良善之心"颇丰，则虽测试时未必会在指标上显现出多么多的优秀，消费者使用时必会感受到一派关心、细心与爱心，这样的产品，可谓具备"心理质量"。比如一种家用电器，厂家在生产过程中，从一开头就考虑到"如果是老人和小孩使用怎么办？""如果是不识字的人使用怎么办？""如果消费者家里现成的电插口不能马上与我们的插头匹配怎么办？"……那么，他就可能设计得功能虽多，操作方式却尽量简单，并且在说明书上尽量用"图示"

解决问题，又总是随机附送多用插板，总之，它的质量不仅体现于"机身"，更体现于消费者亲和的"心理态势"。

一位实业家朋友告诉我，他那工厂流水线的工人，接受培训时不仅是学操作技术，也要经受"心理调适"，比如有一份"心理答卷"，上面所开列的问题中便有："经你手的产品将大量卖给你根本不认识的人，你是否因此觉得做好做坏无所谓？""除了'出废品会影响我收入'，你还能不能找出至少一条促使自己不出废品的想法？""当你想到将有人用他很不容易赚来攒起的血汗钱买我们的产品时，你的心是否可能变得温柔一些？"……这位实业家由于重视其产品的"心理质量"，企业和其代表性商品的声誉都极佳，企业的产值、利润连年递增，不过，也许恰恰是他在这方面费了不少在某些人看来"多余"的投入，因此，他也始终未能暴得大利。他这样注重产品的"心理质量"——即产品的"所含良善之心"的"度数"——我是很敬佩的。

在商业领域，服务质量中的"心理质量"就更显得重要了。比如有的售货员，他或她倒也能做到有问必答、有索必拿，从其外在的服务状态上看，很难说有什么问题，但往往顾客还是感到不快，甚至引出某些纠缠不清的纷争，这就是因为，那售货员服务时的"心理质量"欠佳，比如说，虽一边答着顾客的提问，手里也一边取着货品，甚至脸上也有微笑，但心里想的却是：

——真是"老憨"，头一回来这么高级的商店吧？连这个都不懂！

——要想省钱，就别来问这个！

——行呀行呀，都给你拿出来，看呀看呀，给你拿了这么一大堆，你好意思吗？

——有有有有，要多好多贵的这儿都有，问题是您买得起吗？真买吗？

——瞧你那副神气劲儿！知道你什么都买得起，那又怎么样？我还偏不尿你这一壶！

等等。好的售货员，他或她的服务态度里，一定包含着"良善心理"，像上面所开列的种种"不卫生"的心理，当然是要清除的；并且，他或她还往往会洋溢着温馨健美的心理，比如说：

——头一回来大城市大商场吧？别发怵！我头一回到"高级场所"也是这么手脚无措的，来，别不好意思，光是看看也不要紧……

——是呀，就是挣得再多，买东西也没必要大手大脚啊，我理解，能理解……

——说真的，拿得我挺累的，你到头来又并不真买……可是能给你留下一个美好的印象，也好……这不仅有助于提高我们商场的形象，也体现出我的职业尊严……

——看样子，这位是个又想来点高级享受，又并非什么都买得起的主儿，行，我来帮他（她）参谋参谋吧……

——是呀，就是这种花钱满不在乎的主儿，看来他也不想听别人的哪怕是善意的建议，那好吧……能接触到这么一种人，倒也挺有意思的！

富有类似心理素质的售货员，哪怕长相上欠缺一点，动作上迟慢一点，言语上超规范一点，我想，顾客们与之相遇，都会是浮生中的一次幸运！

现在许多商场实行开架售货，有的售货员看到顾客接近货架便立即笑面相迎，一叠声地问："您要点什么？"如果是卖衣服，顾客刚一摸某件样品，或只是取下来挨身比一下，售货员便热情洋溢地来劝顾客试穿……这样好的服务态度，往往却并不能令顾客满意，为什么？就是因为售货员只注意到了外在的服务质量，而未能起动"心理服务"，如果是注重服务的"心理质量"，售货员便应该想到，许多顾客（尤其女性顾客）在自选性质的货架前，多半有一种"先让我一个人静下心细看看"的心理需求，售货员密切注意这种顾客的动态是必要的，但应尽量与顾客的心理需求相呼应，在顾客需要售货员来解释商品或帮助挑选购买时，再不失时机地及时出现在那顾客面前，方为上策，一味地逼上去热情促销，实属下策，应尽可能避免。

其实"心理质量"岂止是一个生产和销售领域的问题。大而言之，我们每一个人的生命历程，也便是一串串几无间断的心理流程，时常搞搞"心理卫生"，注意提高"心理质量"，至关紧要！

1995 年春

"顾问"多棱镜

"我们恭请您担任我们的顾问……您德高望重……您名声显赫……我们真是不胜荣幸！……"

"……我们请他当顾问，你猜他怎么说？先是问：为什么要请我？有必要吗？……当然马上回答他：您德高望重啊，您名声显赫啊……你想知道他下面怎么说吗？他竟然问：当你们顾问，我能得到什么好处呢？……嗤，这人，我们把名誉送给他，他竟还问我们要好处！"

"……是的，我甚至问他们：你们既然要借助我的'大名'，那么，你们打算给我多少报酬？……因为，如果我的名字确实有利于抬高你们的档次，有利于提升你们的号召力，更直白地说，有利于你们促销，那么，我也就等于为你们作广告，你们既然使用了我的'符号价值'，那么，我向你们索要酬金，不仅合理合法，也是对你们和对我自己以及对面对我们的大众负责任的表现！"

"现在的名人，真是越来越掉价！人家把他的名字印在顾问栏里，他不仅不敢问人家要报酬，人家甚至连印着他大名的杂志都不寄给他，他也没脾气……什么顾问，哼，简直是一钱不值的破花瓶！"

"……怎么这里印着你是顾问，那里也印着你是顾问？你顾问得过来吗？你怎么那么喜欢过'顾问瘾'？……"

"……我也不知道怎么就成了他们的顾问……好像来过一次电话，我并没有答应嘛……好像我碍不住情面，电话里答应得很勉强……哎，说真的我记不清答应过没有……反正，他们其实并没有真顾问过我……他们的事我真是一点也不清楚！……"

"……是吗？真的吗？……反应那么好？上面表扬了？群众很满意？海外舆论也看好？……嘻嘻，其实，我还是他们的顾问呢？……哪里哪里，我并没什么功劳，都是他们干得漂亮……当然啦，嘻嘻，你别忘了，我确实是他们的顾问哩！……"

"鉴于你们几年来实际上从未来征求过我的意见，我也确实从未参与过你们的任何事宜，因此，我不得不向社会各界郑重申明：此次你们的这个严重错误，与我毫无关系，我不能分担任何责任……并坚决辞去顾问头衔……"

"……说实在的，连我们自己都说不清谁是我们的顾问……你说期期印着顾问名单？那倒也是，可是我真的背不全……你说他是？她也是？我怎么毫无印象？……我们顾不顾他们'茅庐'？问不问他们方针大计？唔，以往好像每年还由头头出面。请他们到馆子里噱一顿，由他们清谈一阵，我们也是这只耳朵听进去，那只耳朵飘出来，我们该怎么干还怎么干……现在经费吃紧，就连请他们噱一顿的活动也免了……"

"……你说他有多可笑！竟然隔三岔五地真'顾问'上了，又是电话、又来信，倒好像我们真指望着他指导似的！……哎，人贵有自知之明啊！就怕这号不知趣的，人家丢给他一个虚名儿，他就搂在怀里当真烧饼啃了！……"

"……你说他算个什么人物？好几年了，一条建议也没提出来过！……我们寄他的刊物，他竟经常是连邮封都懒得拆！……你说要这样的顾问有什么用？！……为什么不取消他的资格？唉唉，请神容易送神难啊！……"

"……我们的顾问可都是真的，一是我们认真研究过人选，二是凡答应下来的都是经过慎重考虑的，三是顾问们确实时不时地给我们提出些很好的建议和中肯的批评……我们也根据尊重知识产权的原则，适当给顾问们一些报酬，算是'车马费'吧……"

"……我这顾问是真的，前几天我还给他们推荐了一位新作者的文章……至于报酬嘛，在我来说，有没有都无所渭，偶尔聚聚，公费吃一餐，轻松地漫议一番，我以为不仅无可厚非，而且对双方都很有意义……"

"……听说他们把你从顾问名单里划掉了？为什么？……岂有此理嘛！怎么可以这样随便排斥人呢？……什么？'反正那顾问也是虚的'？.话不能这么说嘛！……不可不重视他们这个举动！……"

"……恭喜呀！当了他们顾问啦！什么？'那不过是个虚衔'？话可不能这么说啊！这回顾问名单的变化，我们这儿议论可多啦！……意味深长啊！……"

"……你怎么能答应他们，让他们把你的名字，跟那几个人搁在一处呢？其实大家都知道，你跟他们根本不是一回事儿嘛！你们的观点是冲突的嘛！特别是那一位……你们是死对头嘛！你们怎么都列在了一个顾问名单里呢？……他们是要'搞平衡'？你没办法？……"

"……感谢您以往作为我们的顾问，对我们的深情厚爱与谆谆指导……我们今后不再设专门的顾问，但仍竭诚希望您一如既往地给予我们热情支持与宝贵指点……"

"……虽说顾问是虚衔，也不能随便就取消嘛……难道这也能算是一项改革吗？！"

"无论从哪种角度来说，都应该设一门叫作'顾问学'的学问……"

1995 年 5 月 12 日

不可想象

一早还未起床，接到一个陌生人电话，说是我的一个读者，读了我一篇《记忆力与想象力》的文章，想让我帮他解决他的一个问题，什么问题呢？他说："我这人很怪，我一点想象力也没有，真的！比如说，我离开了家，家里会怎么样呢？我一点也想象不出来……我去过好多医院，找过好多大夫，让他们给治，他们都没什么好办法……也就是查这儿查那儿，查来查去，说我生理上没毛病……反正他们没法子给治……"天哪，难道我能给他治吗？可是电话打来了，总不能生硬地给他掐断，于是我便启发他说："你读了我的一篇文章，便觉得我能给你解决问题，这本身就是一种想象啊！其实想象起来很简单，比如说，你在电话那一头，你看不见我，你说说，我是什么模样？是个胖子，还是个瘦猴？……"他说："我看见过你照片，你可不瘦！"我便又对他说："那你就想象一下，我现在是怎么一种状态？是坐着，还是站着，还是躺着，还是趴着，还是干脆拿着大顶在接你的电话？"电话那边却传来他极端委屈的声音："大哥您为啥生我气？"唉！我只好以劝他去找心理医生，结束了我们的交谈。

这一天里，我不断回味着一早的这个古怪电话。说实在的，一个人失去记忆力，算不得奇怪，一个人有记忆力却毫无想象力，于我来说，倒真是不可想象。

我想象不出来，我在保有记忆力，并且生理上并无病变的情况下，如果彻底丧失了想象力，会是怎么一种生存状态。

于是忽然憬悟到，想象力于我们的生命，该有多么重要！

从浅层次说，饥渴时想象一桌佳肴美羹，寒冷中想象一炉熊熊炭火，黑暗处想象一窗明媚春光，异乡里想象家中父母慈颜……都是维系我们生命的不可或缺的心理营养。

更何况，我们灵魂深处的种种欲望，总是借助于想象力，鼓动着我们的思维，煽动着我们的感情，驱动着我们的行为，当我们对欲望想象驾驭得当时，我们便很可能获得成功，将所想象的至少是部分地、渐次地化为活生生的现实；当然，过分奔放的想象，如果脱缰乱骋，导致悬空于现实，并进而破坏了理智，在社会性行为中造成盲动、蠢动、逆动，那也有可能遭致失败、错误乃至于触犯刑律，不过后一种情况对于大多数人来说，其危险性并不是那么大，特别是度过了青春躁动期，心性已然成熟的人士，一般都能将欲望想象的缰绳控制住，在驾驭中，到头来还是良性的效应凸现。

我们不论要掌握哪一门知识，想象力都是重要的，如果说记忆力是掌握知识的粘合剂，那么想象力便是掌握知识的放大器和融合液。我们不论要在哪一行中有所发明创造，也都离不开想象力，想象力是所有新生事物的催化剂，从厨师创新一种新菜，到物理学家提出一种新的理论，在依赖经验和实验的具体操作中，都离不开合理想象。

至于作家、艺术家，想象力简直就是他们的命根子，可以这样说：没有想象力，也就不存在文学艺术了。

作为个人，想象力丰富是生命力旺盛的体现。作为群体，想象力萎缩时，一定是处于深重的内部危机中，个人丧失想象力是很大的不幸，群体想象力被强行压抑，则是极大的悲剧。

想象力的升华，便是理想。对于个体生命来说，固然外部的启蒙、启迪、启示很重要，但理想的诉求最好还是通过心灵深处那丰富酽厚的想象力来旋升和凝结。我们如果觉得自己的理想正确而崇高，希望别人接受、皈依，那么就应当与别人的天然想象力接轨，而不能采取压抑乃至取缔他人想象力的手段，来实行强制。在文学艺术领域，推行自己的美学理想尤应如此，如果沉浸在"唯我独高"的思绪里，竟不能想象到多元的美学格局中存在着许许多多条"通向罗马"的道路，因而采取了诋毁乃至于恨不能取缔与己不同的"美学元"的态势，那便是想当"美学暴君"，实在可笑。

一个陌生人的电话，竟引出了我这么多思绪。我实在应该感谢他。可是我很惭愧，因为对于他的不能想象，我实在不可想象，竟不能提供丝毫帮助。我只能为他默默企盼，能在某一天，如从暗室中飞翔而出，忽然天宽地阔，想象力犹如万花竞放般显现出来！

1995 年 5 月 12 日绿叶居

不赞同与不允许

宽容，首先意味着直面你所不赞同的事物，比如我对俗世中的某些现象并不赞同，如年轻人结婚动辄要花几万元的巨款，家居装修照五星级宾馆甚至歌厅舞榭模样"画葫芦"，许多年轻人只迷恋摇滚乐而不能欣赏古典交响乐，高级购物场所布置得全盘西化，等等，我都首先取直面的态势，我往往并不拒绝出席年轻人的超豪华婚礼，也可以在应邀前往的在我看来装修品味奢而欠雅的家居中同主人言谈极欢，我偶尔也进一下迪斯科舞厅，了解一下那些"摇滚青年"的亢奋状态，并且有时也去那些布置得尽量与纽约、巴黎无异的购物中心，一方面意识到跨国资本的威力，一面也心平气和地观览商品。

我直面俗世，这并不意味着我要将自己彻底世俗化。但我愿以宽容的心态对待大多数世俗中的我不尽赞同或简直不赞同的事物。我以为宽容的进一步表现便是将自己不赞同与不允许这两种态度区分开来。不赞同并且简直不能允许，这就成了拒绝宽容了。每一个人的宽容都有限度，这很自然。另外有一个社会的宽容度。社会的宽容度集中体现于法律和法规所未限定的存在空间。另外也体现了超法律的某种群体谅解之中。但个人的宽容度，可以超越社会的约律与俗成，他可以更宽，也可以更严，如果严到"凡我不赞成的都必须清除扫荡取缔禁绝"的地步，那他当然也就毫无宽容可言了；这样的人，对主张宽容的人，以及种种宽容指向，当然也不宽容，并且往往先于他所不宽容的事物，来取缔荡灭宽容者和宽容说。

我是主张宽容的。但我也有不能宽容的时候。当我说"我不赞同，但我觉得这事物至少是可以暂时存在"时，体现出了我的宽容。当我说"我觉得不应该允许这种事物存在"时，我便是在表明我在什么事情上关闭了宽容之门。

我的宽容当然不等于我的赞同、欣赏乃至于自我取向。比如我说巴尔扎克一度是为稿费（版税）而赶写他的大作（这在他的传记中多有记载），并且他写作的政治立场是反动的（这由马克思和恩格斯所指出），这当然并不意味着我自己要那么看重稿费或决意政治上反动，更不意味着我主张作家们都去以此为榜样。再比如我宽容张爱玲在上海"孤岛"时期不是积极投入抗日斗争写反映抗日题材的小说，而且欣赏她《金锁记》那样的作品，都只说明我和大多数论家一样，对作家的存在状况和创作方法，取允许多元的评论定位。也就是说，把作家只当作作家，评价时主要看他在文学上的造诣和贡献。作家当然应当尽可能成为一个崇高的人，尽量具有伟大的人格，但如果实在做不到，只要他不是一个坏人，或坏到底的人，而能写出具有相当文学性的作品，也就是作家，比如周作人。我这样说当然不是主张作家们都去学周作人的堕落为汉奸，而是主张对他作盖棺论定时持宽容之心。要求作家一律参与时代的政治、社会活动，不断就重大问题发表高见，甚至去占据中心位置，成为大圣大贤、教主教宗，乃至走向广场，角逐政坛，或一定要他清贫潦倒，退出社会，去埋头结撰巨著，死后方可显名，我觉得都是一些极端的看法。

我对散文、随笔的看法，也是反对极端，而取宽容的态度，对于报纸上的专栏文章写些凡人小事乃至于饮茶喝粥、花猫小狗，以及只不过讲点"人与人之间应当理解"这类的"简单道理"，我是觉得不必反对，更不能禁绝的，这当然并不意味着我主张散文、随笔就得这么写，我只是觉得散文随笔不必都那么微言大义，或者都需与余秋雨模式划一。我已年过半百，耳闻过"胡风事件"，目睹过"反右斗争"，经历过"文革"的全程，我体会到至今所初步形成的文学多元格局的来之不易，以及作家特别是新一代作家存在方式与创作取向自主择抉的可贵一面，所以我特别主张对作家、作品和文学观点的尽可能宽容，只要作家的创作活动是在法律和法规的范围之内，你可以不赞同，甚至厌恶，却一定不要轻言"不允许存在"，更不能动辄"严厉批判，无情打击"。我忽然想到了邵荃麟，这位文艺理论家于六十年代提出了写"中间人物"的主张，结果被劈头盖脸地狠批一通，说他反对写英雄人物，其实你查一下他的全部言论，他何尝反对过写英雄？他只不过是想在写英雄人物为主的"一统"意见中，补充进一点建议罢了，结果"文革"中这竟成了定为死罪的重要一款，惨死狱中。对于导致"文革"的那种"越来越极端"的"多米诺骨牌效应"，我还想多说几句，比如散文、随笔的命运，先是像周瘦鹃那种写花花草草的文章被芟除了，然后轮到丰子恺，你写闲情雅致嘛，当然扫荡！那么，杨朔那种讴歌时代、抒写革命情怀的散文行不行呢？"文革"大风暴一起，不光他的文章不行了，他人也"反动"了，结果他只好自杀，这种要求无比革命和极端崇高的连续清除的运作，最后是干脆取缔了散文、随笔这些个文学门类，并取缔甚至是赵树理这样的作家的生存权。这类因不宽容而产生的悲剧，难道我们还能令其发生吗？

在目前的商品经济大潮中，确有种种令人忧虑乃至愤慨的消极、腐败、丑恶的现象出现，一些论者期望作家们承担起匡世相正人心的职责，这种期望无疑是有道理的，也有不算少的作家，在这方面作出着自己的努力。我自己写《风过耳》《四牌楼》这样的长篇小说，也算是在边缘地带发出自己的声音，参与呼唤正义、正直与正气，但我还是认为不能也不必要求所有的作家都来写政治性、社会性那么强，或理想主义高扬的作品。我对某些论家把他们对所期望的作品久等不至，或恨其稀少，便容不得王朔的"缺乏理想"，也看不惯苏童等的"缺乏现实热情"，并不容若干女作家的"私人化倾向"，又兼及对以上作家、作品表示了在某些方面有某种程度欣赏的人，表现出一种毫不宽容的粗暴批评，我是很不理解，也很不赞同的。但我现在能大略意会到，他们或许只不过是代表个人，或民间的一小群，在这样一个思潮激荡的多元文化格局中，扮演激进的"新理想主义"角色罢了，他们现在并不能真的对所不宽容者加以清除，因此，我也对他们宽容。

　　我的不宽容也是有的，比如我对贩卖色情和暴力的勾当，对法西斯主义，是绝不宽容的，对日本奥姆真理教麻原教主那种人我也不宽容——他也许可以在他自己的信徒中宣布"世界末日"的到来，但他怎么可以因为要"坐实"那"预言"，便派人到地铁施放沙林毒气，强迫有另外想法的"俗世"芸芸众生，都跟他一起进入他那"理想境界"，从而滥杀无辜呢？！

　　我不赞同的事物也许很不算少，特别是那些我仅凭感觉便觉得别扭和反感的人和事，还有听到看到便觉得不对头的言论和文章，但我在未获得准确判断与清澄认知前，我尽量不作出"不允许"的结论，虽然现在我个人允许不允许对社会的存在不会起到什么作用，但我有过"文革"中被卷进社会浪潮，竟也参与了不该去做的"不允许"的群体疯狂的人生教训，我得警惕某种极端主义的"大破"卷土重来，这固然很可能是个人的杞忧，但我牢记尽可能宽容的必要性，并要慎以"不允许"的粗暴态度对待尚未能搞清楚的事物，多与自己不赞成的事物和见解争鸣、商榷，而不是动辄抨击、批判；习惯于与自己看不惯的事物和听来刺耳的意见起码是暂时并存，而不是恨不能马上有一个什么社会运动，来借势将其扫荡，以解"心头之恨"。

　　我愿展拓自己的宽容心，同时，也渴望着他人的宽容——也许，最好的方式，便是平等地、充分说理地、心平气和地就各自的"不赞同"开展对话。

1995 年 5 月 18 日绿叶居

通感与通才

　　一个人应当有通感。所谓通感，就是一种从他所熟知的事物，他所积累的人生经验，他所专攻的职业领域中，将其领悟力延伸到他所生疏的事物，他尚未体验到的人生，他所未专攻的职业领域中，并且还能从那所延伸的感受中，派生出一种获得性回流，从而深化他已有的认知，激发出更多的灵感，使他在所专攻的领域里有更大的成就。无疑那是一种能力。

　　一位政治家从书法上更深地体味到纵横捭阖中的过渡性环节之尤其不可忽视；一位建筑设计师从巴赫的古典钢琴曲里领悟到均衡韵律之美艳，又从现代派乐曲中发现出打破均衡的无旋律之诡奇，并因此改进自己最新设计图；一位交通警从电视里的空中鸟瞰镜头，获得了平时双眼并不能感受到的立交桥与车流的美感，从而潜意识里丰厚了对自己职业的自豪……这都是通感的良性效应例证。从事文学艺术创作的人，更不能缺乏通感。我这时所说的通感，比严格的美学概念中的通感要宽泛一些。我以为不仅在文学艺术的各个门类间，通感是至为重要的，从事文学艺术创作的人，应在超出文学艺术范畴的所有社会科学中去尽量汲取通感，并最好能在若干自然科学中获得贯通性启发。这方面的道理和例证，已有若干文章列举过。但从事文学艺术创造的人还应注意从应用技术中获得通感，以升华自己的创作，这方面的话题似还有展开的必要。

　　比如计算机技术现在已相当普及，有不少作家用电脑写作，有些作曲家借助电脑编制配器，搞动画的更凭借电脑完成一系列以往手绘起来极为繁琐的工序……其实即使自己从事创作时并不直接使用电脑的人，也可以从对电脑的旁观中获得一些印象，比如那显示屏上的扫描与图像翻滚，往往带来一种非自然的节奏感，这便可以引起若干文学艺术创作中的"节奏通感"，可以说，与自然状态的节奏同步，在绝大多数情况下，是文学艺术创作中的大忌，即使最写实的作品，如给予人"似乎将生活节奏照搬"的某些戏剧，其实那节奏也是经过艺术调理的，大多数文学艺术作品的节奏，是从实际的时空存在里提炼出来的，是一种"变异节奏"，从小提琴协奏曲《梁祝》到舞剧《丝路花雨》，从小说《祝福》到电影《早春二月》，对主人公的命运宣叙都有一种诗意的非原生态节奏；但是电脑所带来的处理可接受信息的节奏感，开始给人类审美心理中的节奏意识注入了新的东西，比如电脑在进行文字处理中的快速"翻屏"，就能给追求创新的舞蹈家，带来新的节奏转换启示。

　　一位小说家告诉我，当他在上海的波特曼商城阔大而富有创意的前庭中转悠良久，体味到建筑设计中对"共享空间"的重视达到如此风格化的程度，由此憬悟，长篇小说的叙述文本里，也一定要注重雅俗共赏的"叙述空间"的精心营造，这也是一种通感效应。虽然建筑艺术本也应属文学艺术的一个门类，但迄今为止我们的文联组织里尚未容纳建筑艺术家协会，因此我这里仍把上述情况当作一个从应用技术里汲取通感营养滋育文学的例子。

人类历史上，因通感的大融汇大张扬而出现的通才，各民族中都可找到例证，如意大利文艺复兴时期的达·芬奇，他不仅是伟大的画家，也是了不起的冶金工程师、机械设计师、飞行器研究家、解剖家……而我们的曹雪芹，虽然关于他的身世还笼罩着迷雾，但说他不仅是伟大的小说家、思想家、美学家、诗人，也是了不起的画家、民俗研究家、烹调家、工艺美术家……而当无大的争议。这种通才，现在是越来越少了，即使有，也很难跨越几个大的领域，而在各领域都达到堪称大家的水平，比如物理学家兼小说家又是雕塑家，或指挥家兼大诗人又是微生物学专家，都几乎成为不可能的事了，这是因为当今世界各文明领域的大分工、中分工乃至小分工都已趋极度细密，人们进入各个领域所需接受的专业训练都需用去更多的时间、精力与才智，发现新的创造空间与创造出震撼人类的成就的难度增大而几遇率却似乎在缩减。

我们从事文学艺术工作的人，不必苛求自己成为通才，哪怕是只抱着很专门的一个品类。不求"两栖""三栖"，唯愿在"单栖"中磨砺出光芒；但展拓自己的通感，却应不遗余力，并可将那通感的触角，推及世界、人生乃至宇宙的每一个可能达到的领域！

1995 年 5 月 23 日绿叶居

恐惧与恐怖

从我这个年龄以上的知识分子，其中有不少人常担心极左思潮特别是以阶级斗争为纲的种种极端行为的重新肆虐，因为那浓重的阴影不仅会储藏于个人记忆的深处，也是群体的历史记忆储留的重要构成部分。

有某些年轻的知识分子，轻蔑地将这种个人以及群体的记忆，称之为“恐惧心理”，并认为在思维与言论的过程里，常用改革开放后某一范畴内的状况，与极左状态下同一范畴的状况相比，得出“现在毕竟更正常些了”一类的结论，不仅可笑，而且可鄙。依他们看来，怀有如此“恐惧心理”的思维定势，是坏事，应予批判斥退。

这说明，代间的认知冲突，萌生于心灵中记忆储留的浓酽区与敏感点的不同。

各代人的思维定势当然会有不同，同代间每个人的思维定势也很可能大相径庭。各代之间，同代各群之间，同群各人之间，乃至同一人在不同时期，思维定势有所不同，乃至竟相抵牾，这本没有什么好笑的。当然，也不是说任何一种思维定势都应得到鼓励。比如希特勒的《我的奋斗》里所体现出的思维定势，或日本至今仍坚持“对华战争不是侵略战争”的军国主义分子的思维定势，我们就都应群起批判，因为那样的思维不仅不符合人类的良心，并可导致法西斯主义和侵略行为的复活。

但在中国大陆，像我这个年龄以上的知识分子，如果记忆中总储藏着极左肆虐时的种种阴影，并在思维定势中存在着一种敏感性的对比与警觉，这种“恐惧”，实在有其合理与必要的一面。

比如面对时下所出现的俗文化现象，不同的人就可能以不同的思维方式来作出回应。有的人，他可能只容忍雅文化，认为俗文化是庸俗无聊的东西，应予取缔；即使取缔不了，凡能称为文化人的人，也应与其划清界限，绝不能竟陷入其“污”，比如原是写严肃文学作品的作家，竟到“报屁股”上写起专栏来，并且还是什么立足于给读者消遣消闲的“周末版”“月末版”上的专栏，写些什么饮酒喝茶，花猫小狗，凡人琐事，闲情雅趣，至多不过讲点“人与人之间多一点理解与爱”之类的“废话”，他看到了，便不免义愤填膺，痛恨那作家的堕落；他的思维定势，是作家必须是人类灵魂的工程师，并且最好还能以作品批判、对抗、消除、解决现实中存在的腐败、消极、阴暗、难题，作家应当听命于"绝对命令"，说出一切心中的真实想法，并随时不惜抛头颅、洒热血，当烈士，成饿殍，总之，作家如果把自己"混同于一个普通老百姓"，不仅过小日子，还写小文章，甚至于把写作当成社会中许多职业中的一种，"卖文为生"，便不仅本身可耻，也有悖于作家之神圣，因此甚至恨不能先于社会现实中所存在的种种负面现象，将这样的"败类"予以清除。以上这种思维，我以为自有其逻辑，虽然偏激，但言者并不能真的实行"文革"那种方式的"横扫一切牛鬼蛇神"的实际操作，我觉得当然也属一家之言；并且，其中所包含的对作家的高期望、高标准，也有一定的合理性，作家这种职业与社会上许多职业确有所不同，作家"上市"的是精神产品，作用于读者的心灵，因此社会对作家及其产品要求严格些，是必要的，作家对此更应有所自律。

　　但对俗文化，以及因此而引起的关于作家的看法，也可以有不同的思维路径。这些路径中，有的便可能以极左路线下，"文革"中的文化专制主义状况中，那些记忆犹新的"恐惧"，来作为参照，得出这样的认知：文化不能只是"一元"状态，文化应是多元的，不仅可以有高雅文化，也可以有俗文化，雅俗共赏再好不过，但雅赏俗不赏，俗赏雅不赏，种种不同状态的文化，都可以存在——当然也不是说什么都可以存在，比如诲淫诲盗的东西，也就是色情和暴力的东西，那是要禁绝的，但在操作中也要有法可依，不能用"红卫兵""破四旧"那种大轰大嗡的方式来解决问题。因为社会应容纳多元的美学追求，多种多样的文化产品，因此当然也就应允许有多种多样的文化人存在，作家也便可以有多种存在方式，一定不能没有以人类灵魂工程师为己任的作家，不能没有为了终极追求，为了写出伟大作品不惜呕心沥血的大作家，但是也不能要求所有作家都达到伟大与崇高；有些作家可以既苦心营造容量大、蕴意深、艺术精的大作品，也插空写些中的、短的作品，乃至于"报屁股"上的小文章，这无可厚非；有的作家可以只写俗文学的东西，比如言情小说、武侠小说，有的作家也可以只写花花草草、凡人雅事，供读者消遣消闲；现在这种多元局面初步形成，是好事而不是坏事。社会对作家要求严些可以理解，但不能要求所有作家都议政、议经，随时就社会重大政治、经济问题敞开表态，作家当然不能说假话，但不能要求作家把他心里的真实想法都说出来，不能要求作家都充当志士仁人，都成为广场人物，风云人物。作家确实也只不过是社会上多种职业中的一种。"著书都为稻粱谋"也没有什么不可以。作家依据《伯尔尼公约》、《著作权法》等索要自己应得的劳动报酬，甚至为此而进行诉讼，不放弃一分钱的应得利益，并用所应得的报酬过小康生活，进行雅致享受，都不仅不"掉份"，而是其应有的尊严与权益。

我的思路，基本上属于第二种。因为我在思考问题时，不可能闪开我的记忆储留。其实也不可能，并且没必要闪开。个人的记忆里，包含着许多宝贵的生命体验；群体的记忆里，更包含着许多黄金般的经验教训。记得"文革"初期，我在阶级斗争的急风暴雨裹挟下，也试图令自己的思路"就范"。拿唱歌这件事来说，树立了必须是百分之一百的绝对清洁的无产阶级的革命歌曲这个一元化的标准后，那么，要批判、扫荡的反动歌曲真是太多了，《四季歌》、《天涯歌女》成了"靡靡之音"自不消说，《义勇军进行曲》的词作者是"四条汉子"之一，揪出来了，当然不能再唱；《莫斯科郊外的晚上》属"修正主义歌曲"；《老人河》即使算不上"帝国主义歌曲"，至少是"低沉消极"……最令我震惊的是，连《社会主义好》这首歌，也遭到批判，"反动派，被打倒，帝国主义夹着尾巴逃跑了……掀起了社会主义建设高潮！"这歌词怎么样？据说更反动、更恶毒，因为是"公然宣扬阶级斗争熄灭论和唯生产力论"！那时候的批判斗争可不是闹着玩的，我就目睹过批斗作曲家马可的场面，那种残酷的武斗，那种骇人听闻的人格污辱，至今回忆起来，我仍不寒而栗！那可是个早就投奔延安的，作了许多革命曲子的文艺家，但是，对不起，在推向极端的一元化的纯粹的不容辩驳怀疑的"终极标准"面前，你也是死罪！结果马可果然走向了"死路一条"。想起这些事，我当然会对现在有这么多的歌可以放心地唱，有那么多的作曲家可以那么任由个性地作曲，由衷地感到高兴；对于市场经济下的歌曲创作中所存在的问题，我也不是没有看法，对雅歌的不如俗歌流行，我觉得可以理解，对有的俗歌内容曲调都很粗鄙，我也很有意见，有的俗歌我觉得俗不可耐，简直糟糕透顶，认为应当批评；但我一般来说不动肝火，并且不轻易提出取缔、清除、扫荡、扑灭一类

的主张，因为我从"文革"的记忆中，获取了极端化的主张必导致极端化的粗暴行
为的认知。确定什么是允许的、什么是不允许的，在很多情况下会遇到"边际界定"
上的困难，因此必须非常慎重。比如说，我们反对色情作品，这个出发点当然是对的，
但什么样的作品算色情作品？《红楼梦》里写贾瑞的那些段落，还有贾琏和鲍二家的、
灯姑娘乱搞的那些描写，算不算色情？茅盾的《子夜》里有的描写也够呛，怎么算？
"扫黄"要不要一起扫掉？曹禺的《雷雨》同情繁漪和周萍的乱伦恋，又该怎么论？
如果说这些都是经典作品了，可不讨论，那么，对时下的多种多样的作品，又怎么看？
我的总体看法是，宜慎重。比如有的人对张艺谋的电影深恶痛绝，从《红高粱》表
现野合，到《菊豆》表现乱伦变态，到《大红灯笼》表现妻妾争宠，不仅是"贩黄"，
而且是为了"迎合洋人，专门贩民族之丑"，是可忍孰不可忍？作为一种批评意见，
我以为当然有其逻辑，自成一说；但我却觉得经历过"文革"时那种连《早春二月》、《舞
台姐妹》都打成"大毒草"的文化专制，不管怎么说，有张艺谋这样的别具一格的
电影问世，毕竟首先是一桩好事，促进了我们民族文化朝多元格局发展，也有利于
我们文化与外部文化的双向交流。我对上述电影也不是没有意见，但我立足于让其
先存在的前提下，再细加评议。这也属于"恐惧心理"的思维定势吗？当然这未必
是最好的思维方式，我更无意要求别人采取这样的思维定势，但我不以此为耻，并
对嘲笑者不以为然，更没有"改邪归正"的悔意。

　　今年是第二次世界大战胜利结束的五十周年。按说法西斯主义的肆虐，已是半
个多世纪前的历史了，当今人类为什么还要纪念战胜法西斯这件事？我认为，也无
妨说是出于记忆中那些关于法西斯罪行的回忆，出于一种怕其卷土重来的群体恐惧，
这更是一种不能加以嘲笑轻蔑的恐惧，在这种"恐惧心理"下所形成的反对法西斯
专制的思维定势，是人类良知的体现。

　　当今世界上仍存在着法西斯势力。还有种种名目下的恐怖活动。有的恐怖主义
分子，自认为是最圣洁最崇高的救世主，他指斥俗世的堕落，蔑视凡人的生存权，
认为过俗世生活的凡人下贱、无耻，并预言了俗世凡人的末日，甚至言之凿凿，那"世
界末日"将在某月某日来临，如到此为止，也还不失为一宗一派的教主神仙，但为
了坐实其"预言"，竟派其教徒到闹市地铁中放毒，滥杀无辜，此种思维定势和行为，

可以命名为"恐怖主义"的吧，难道是你我能予容忍的吗？

人类的良知中，不能没有从历史记忆中提炼出的对危害人类的事物的必要恐惧。

人类的良知，同时坚决拒绝滥杀无辜的恐怖主义活动。

1995 年 5 月 25 日绿叶居

"最后一刀"

记得看过一篇小说，写纳粹肆虐时期，一个狂热的德国人，为了彻底"清洁"纯亚利安种的德国社会，积极配合希特勒推行种族灭绝政策，天天举报藏匿的犹太人，一开始，这事情比较好办，可是到了某一天，他所知道的犹太人都被捕送入集中营了，于是他开始深挖那些血液中有犹太人成分的德国人，先举报有四分之一到八分之一"脏血"的德国人，后来即使是高祖、远祖中有犹太人血缘的，他也开列在每日必呈的名单上，这些人也都因此遭受到不同程度的迫害。这样过了一段时间，他那举报"不洁"的狂热仍在继续高涨，但仅从血缘上举报已难寻觅出对象，于是，他便开始举报那些居然对灭绝犹太人的"崇高壮举"表现出反对、质疑、犹豫、暧昧态度的德国人，这就给举报出的德国人都带来了程度不同的打击和排挤，他也因此而更加自豪。不过没多久他又遇到了举刀无对象的困境，而他岂能因此放弃"彻底清洁"的神圣追求，这样，他就又开始举报那些"虽现在看不出对清除犹太人的神圣事业有所抵触动摇，但毕竟与犹太人交往过多"的德国人，这样他的举报名单又继续"丰满"起来。由于他是如此虔诚地奉行元首的种族灭绝政策，已被报知最高当局，引为楷模，因此凡遭他举报者，也便都被加重处置。可是毕竟到了那样一天，他搜索枯肠，再也想不出一个可举报的新名字来了，面对写举报名单的新纸，他有一种对元首无新功可立的罪愆感……他拿出历次所举报的那些名单，一一检阅，最后，他惊悚地发现，有一个德国人，竟知道那么多犹太人，那么多有"脏血"的人，那么多"叛徒"、"懦夫"，以及"可疑分子"，这个人难道就是"清洁"的吗？！于是，他在那张待用的白纸上，郑重地写下了那应吃最后一刀的德国人的名字，那便是他本人的名字。他并在最后的举报中说明叫那个名字的人是多么地"不清洁"。他将他那最后的举报交上去后，有关机构便及时将他逮捕，送进集中营，最后被"顺理成章"地处决掉了。

这篇小说不仅讽刺了法西斯主义的残暴无度与荒谬绝伦，也启示着我们，凡以极端的标准衡量人间事物，都会遇到"边际问题"，也就是说，你总想"快刀斩乱麻"，"一揽子解决问题"，"毕其功于一役"，"一夜过后焕然一新"，但事物的客观存在状态，往往不会是都那么容易作出判断，你举刀砍时往往会找不准"切口"，或虽砍了又砍，却总不见"干净"，那最后一刀，应砍在何处呢？到头来，很可能是终于砍到自己。

回顾"文革"前和"文革"中的情况，文学界有的人，在极"左"思维和政策偏差的推动下，开头，可能觉得胡风居然提出什么"主观战斗精神"，并且上书最高领导，确实属于"反革命"，砍下去是理所应当；后来又觉得丁玲、陈企霞他们，尽管也批过胡风，但提倡什么"一本书主义"，打成"反党集团"罪有应得，砍掉！再后的"反右斗争"，把大批作家打成了"右派"，是革命深入发展的必需，砍！砍！砍！一路砍到了"文革"前的邵荃麟，他在前面的几个"砍波"中，都是一员健将，但他居然提出"写中间人物"！纯洁的革命文学岂能容他玷污，再把他砍掉！说实话，周扬在上述的"砍、砍、砍"中何尝不"左"，但"文革"一起，姚文元马上砍他一刀，宣判他是"反革命修正主义分子"！"四条汉子"砍掉！"三十年代黑线"砍掉！"国统区文学"砍掉！……极端化的"纯洁"标准一确立，层层推进，无边无际，大砍大杀，在劫难逃，赵树理？斗死他！《红岩》？是"为叛徒树碑立传"！《青春之歌》？"宣扬小资产阶级感情"！……到最后整个文化部、文联、作协统统要彻底封门，并且要犁庭扫院！没被砍掉的作家，所剩无几，没砍毁的作品，几难举例，一直砍到沙漠化状态。

以上说的，是出发点就不对或有偏差的砍杀所派生出的"边际问题"。如果出发点是完全正确，或大体良善的，会不会也派生出问题呢？一样有这个问题。比如说，不是搞"大破",而是搞"大立",并且是出于要繁荣经济的大立,却也采取了极端化的态度,以大轰大嗡的运动式手段操作,形成狂热,酿成狂潮,一刀刀"砍"下去,失却"边际"控制,竞相炒房地产,盲目"吸引外资",甚至什么"游戏规则"也不要,直接从银行里拿钱来营造"成果",这样"无边无际"地推衍下去,就算是为了"发展一方"吧,最后恐怕也是直至"砍伤自己",方能暂时收场。

就个人而言,他信仰坚定,并认为真理在手,对与其认知相悖的人与事极端厌恶,乃至恨不能扫荡,以使"世界清洁",只要他未据此操作,我以为大体上都还不失为一家之言——当然,倘是法西斯式的主张种族灭绝的言论,那也不行,在若干西方国家,发表那样的言论也是违法的;但我们每一个人势必都要与他人,与群体,与人类发生这样那样的关系,比如我们如果主张"人应拥有崇高的理想",那么,我们便会遇到若干没有崇高理想的芸芸众生,对他们怎么办?都不容忍?有限度容忍?怎样确定容忍的边际?不容忍的刀如何往下砍?最后一刀砍在何处?更何况,同是有理想的人,他的理想可能与你取向不同,又怎么办?是容忍,还是认为比"无理想"更可恶?如也需砍杀,那边际又如何确定?这样想来,恐怕不能"唯我独对"地粗暴行事,个人与他人,与群体,即便真是自己对了,他人乃至群体都错了,也应坚持说理,说服,感化,教化并且最好不要把自己看作救世主,而是平等地与他人对话,讨论,商量,协调,或终于形成共识,或各自暂且保留自己认知,然后共同在法律、法规等"游戏规则"中采取行动,那"规则"如尚未建立,便协调建立,如需改进,则协调改进,总之,不要随便动刀斧,要尽可能"非暴力"地解决问题,要极为慎重地处理"边际",轻易不能"一刀切"!

1995 年 5 月 25 日绿叶居

黄M又入眼帘

我家所住的那条街上，盖成了一座名为"京宝花园"的"外销公寓楼"，售价两年前便达一千八百美元一平方米，对这座元宝形造型的大楼，我等"海外人士"（指"商海"以外的工薪族）自然连向往之心亦无——那是别人的"花园"，入住的"别人"或许有倚窗观街景的雅兴，我是连在其阴影里纳凉的心思都没有，路过时，还是匆匆而去的好，省得浪费情绪。

但是这座"京宝花园"的底层，正在抓紧装修，其中很大一部分，据说已被麦当劳快餐店租定，很快地，我们这趟大街，也便会有象征麦当劳快餐店的巨大 M 耸现，我即使并不出门，只要往阳台上一站，那黄 M 也会闯入我的眼帘。

对于我这一代人来说，麦当劳，肯德基，可口可乐，百事可乐，都象征着西方跨国资本，它们现在竟不仅大摇大摆地闯进了我们眼帘，而且渗透于我们的生活，尤其渗透于我们下面一两代的生活，这不能不引出我们很多的思考，甚至是形而上的"推敲"，比如说：如果说这是一种文明，那么，这究竟是西方文明，还是由西方（以上几例均是美国）人创造出来的"人类共享文明"？如果答案是"这是属于西方（美国）的文明"，那么，我们让其涌入，便是遭受他们的"后殖民"，也就是拱手让他们实现"西方文明"的"入侵"。在这样一种认知下，不吃它们喝它们，方是正道；如果在某些情况下"不得已"吃到"巨无霸"汉堡包或肯德基炸鸡，喝到可口可乐或百事可乐，则恐怕一定要骂几句讽几句，方可平衡一下心理。如果答案是：这已经不能算是西方独有的文明，已属于人类共享的文明，则吃起来喝起来时，庶几可以不掩饰津津有味，或至少是心平气和。

近来又有引进西方"十部大片"之举，施瓦辛格主演的那部《真实的谎言》，我到电影院去看，票价居然达于三十元一张。前两天我与一位小伙子谈及这部影片，一再跟他强调，我是基于想"了解跨国资本操纵好莱坞和世界电影生产已经达到什么程度"，才破天荒跑进电影院去的。他问我："好不好看？"我答"好看"。他便对我说："看电影就是为了产生'好看'的快感嘛！我才不像你那样，看这么一部电影也要先搬出一个冠冕堂皇的'动机'来。我认为像这种电影，当然，它是通俗文艺，可这通俗文艺是属于全人类的，人类当中，有美国人拍出它来了，全人类都来共享嘛，我是人类一观众，我及时看到了，很开心！就像中国的京剧，也不是只属于中国人，也是人类共享的，美国人里也有自愿跑到咱们这儿来学京剧的嘛。难道你能说，他是被我们'殖民'啦？中国京剧团去访问美国，就是咱们对他们搞'文化入侵'啦？"他这样的逻辑，当然不能说服我。我告诉他，无论如何，在文明或者说文化互相影响和渗透上，我们是处在"入超"状态，美国有几个青年迷恋中国京剧？可是你看光北京就有多少美国摇滚乐的"发烧友"？

　　谁知那小伙子依然不跟着我紧张与警惕，他轻松地笑道："跨国资本其实也是一种人类共享文明嘛！我们引进了这种资本，不是刺激了本土经济的发展吗？普通老百姓，不是也受益了吗？再说，我们不是也把自己的资本，跨出了国门，有的也跨到了西方吗？前几天我们报纸上不是还有消息，说我们这边的哪个企业，把美国旧金山的什么公司收购了吗？发这消息的意思，不是引以为自豪吗？"我便跟他争："但总起来说，是他们跨过来的多，我们跨过去的少呀！谁多，谁可就在文明或者说文化渗透上占上风啊！不是连法国都有人抵制好莱坞电影吗？"他并不服，还跟我犟："那是另一回事，那是人类中先富的跟还穷的之间的矛盾，大富和小富之间的矛盾，有矛盾当然就得闹呀，不过现在人类大多数还是主张到谈判桌两边去吵，中国要'复关'不就是这样吗？中国不能吃亏，可这并不等于中国认为加入全球资本运作是甘愿被'后殖民'呀！一句话，我认为不仅汉堡包、可口可乐、摇滚乐、《真实的谎言》这样的大投资高科技高特技的娱乐性电影……是人类共享文明，摩天楼、立交桥、小轿车、高速公路、地铁、电脑、光纤通讯等等，更是人类共享文明，面对人类共享文明，我们只有个在共享中别吃了亏的问题，不存在一个'该不该要'的问题！"

　　小伙子的一番议论，令我感到，下一代人中，确已有了很不一样的思维路径。我们这一代人只能跟他们耐心讨论。当然，真要讨论起来，恐怕还要再精微化才行，比如，究竟怎样界定"人类共享文明"的概念？就算是"共享文明"，是否也有高低优劣之分？我们这个民族，是否一定要引进、"分享"？不能"共享"的文明，又应怎么对待？究竟应怎么理解"后殖民"的理论？那是巴勒斯坦血统的美国大学教授赛义德提出来的，我们是否一定要用他的"东方主义"和"后殖民主义"的理论武装自己？我们的理论界，能不能提出自己的知性架构？

但不管我怎么琢磨，我们这条街上的巨大 M 标志，是一定要扑入眼帘的了，我只能直面，并保持一份克服掉焦躁的持续思考。

1995 年 5 月 26 日

中野与麻原

最近有两个日本人引起了我的注意。一位是中野孝次，另一位是麻原彰晃。

中野孝次是位作家。他所著《清贫思想》一书，已在日本连续畅销，台湾已有中译本面世，也大受欢迎。虽然中野本人否认他这本书是针对日本当今经济高速发展下的奢靡世风和精神危机而写的，但大多数读者之所以对这本书感兴趣，确实是因为该书所阐释的清贫理想，仿佛于物欲横流的鲍鱼之肆，忽被一股芝兰芬芳所袭，不能不为之动心。

在中野笔下，清贫并不与贫穷等义。贫穷是温饱无依，并由此派生出一系列的生存困窘。清贫却是在温饱无虞，甚至物质丰腴的环境中，出于实现自己的人生理想，而自动选择的一种雅淡的生活方式。中野这本书主要是从日本传统文化里汲取清贫理想的资源。比如他从十四世纪日本古典作家吉田兼好的《徒然草》里，撷取了这样一些精华："受名利驱使，内心不得平和，一生痛苦不堪，实在愚昧！"吉田认为至高的境界是成为一个"真人"，他说："真人，无智，无德，无功，亦无名。这类真人的事迹，谁能知解？此非隐德守愚，而是他们本来就已超乎贤愚得失之境。"中野在阐释吉田这一思想的时候，也引西方思想家的类似主张，以示人类本有追求清贫生活的共识。他说，吉田的说法与阿西吉的圣法兰西斯的思想方法相通，圣法兰西斯宣扬一种超越世俗的简朴生活，而且最重要的是要充实灵魂，以与上帝相通。这种生活理想在中国恐怕出现得更早，从"日出而作，日入而息，凿井而饮，耕田而食，帝力于我何有哉"的《击壤歌》，到老、庄的著作，到陶渊明的"傲然自足，抱朴含真""俎豆有古法，衣裳无新制""晨兴理荒秽，带月荷锄归""结庐在人境，而无车马喧""采菊东篱下，悠然见南山"……一直伸延在中国的传统文化中，是很重要的一根"脉"。中野是日本人，不引中国典籍为例，亦无足怪。

中野的这本书，写得很平和。他坚持宣谕自己的理想，但并不强加于人，更没有要一举荡灭与他不同的理想的那种霸气与焦躁。他只是以同读者娓娓谈心的方式，向读者建议，希望读者能选择他所推荐的这样一种清贫的生活方式，以使自己的灵魂能在充实中达于美丽恬静的理想境界。

中野的书畅销，并且他本人亦成为一个受到普遍尊敬的作家，都是日本近来文化生活中的良性事例。我建议我们这边出版《清贫思想》的中译本。当然，我们更可以从我们自身的文化传统里，从这一角度，开掘出丰富的精神宝藏。我想到了方志敏，这位无产阶级革命家写过一篇《清贫》，他的文章充满革命浩气，然而又很有人情味儿，他的文章将矛头直刺他的敌人，却并不去伤害俗世的芸芸众生，他的文章令人深深地懂得，真正好的革命者，他之所以甘愿受苦，乃至于牺牲生命，恰恰是为了使俗世的芸芸众生过上一种不但摆脱了剥削压迫，而且是丰衣足食的幸福生活，这是他内心最充实的感受，这种利他利群利俗利世的理想，华光万丈，令人折服。

然后现在我们从新闻里知道了另一个日本人——奥姆真理教的教主麻原彰晃。据说日语里的"奥姆"含有崇高的意思。麻原有自诩崇高的自由，认为自己真理在握，创教团，当教宗，也都无可厚非。他那教也获得过政府批准，办过有关手续。他认为俗世堕落，芸芸众生罪孽深重，因此世界末日即到，俗世俗人必遭天罚，这作为他个人坚持的一种理想，我们也只好由他去。可是他所预言的"世界末日"却并未如期兑现，于是，为了他那"崇高"的、具有似乎无可辩驳的"真理"性的"伟大理想"，他开始将其"理想"强加于俗世，强施于"芸芸众生"，于是发生了举世震惊的东京地铁放毒事件。现在麻原已被拘捕，案件正在审理中。最终会如何宣判，世人瞩目。

俗世当然是不洁的，尤其是在市场经济发展的过程中，会出现不少即使是俗世中的一般人也会认为是不好的事物,包括文化市场中的某些现象。这怎么办？我主张，一、直面俗世；二、调查研究；三、用耐心细致的办法加以解决，其中一个最重要的办法是制定法律法规，另一个办法是展开公开的讨论，以期达成公众共识，形成舆论和道德监督机制，这两个办法应是相辅相成的。我赞成中野孝次的办法，他认为俗世的生活有物欲名利的羁绊，他不是用"炸毁俗世"的态度来说话行事，而是以一种直面俗世的姿态，跟俗人娓娓谈心，以亲和的态度，优美的文字，熏陶读者的心臆，建议读者进入追求清贫生活的理想，并且，更重要的是，他并不认为唯他崇高，唯他掌握真理，唯他有理想。麻原却令我感到恐怖，我以为他搞的是恐怖主义。一个人即便认为他人堕落，怎么可以如此凶残地指派手下的崇拜者，跑到地铁里面施放沙林毒气，滥杀无辜生命呢？这是对人类的犯罪啊！

中野和麻原同时出现在日本，呈现于世界，我愿读中野的书，拒绝麻原的"崇高"与"真理"。

1995 年 5 月 31 日

护林与"烧荒"

十七年前，我参与过那时的文学启蒙活动。那时所面对的，是十年"文革"所造成的文化沙漠。那时有启蒙热情的文化人，等于在灌溉荒漠、植树造林，是频频地做加法。比如"伤痕文学"，我的《班主任》，是企图让我们的文化与外部世界的文明重新勾连融通，如使《牛虻》那样的书能加入到公众的书架上，同时也企图让我们的现时文化与以往的文化恢复接续性，如使《青春之歌》那样的书能摆脱"错误"的阴影；卢新华的《伤痕》则企图把"黑帮子女"及所有带"黑"字的子女，从"政治原罪"中解放出来,使他们重新加入真正意义上的公民行列。稍后的"反思文学",也是在不断地解放"文化生产力";"改革文学"更直截了当地为社会生活频做加法,比如将"文革"中当作"走资派"的"乔厂长"们,作为促进社会生产力发展的宝贝加到了新时代的架构中。这样一路加下去,逐步提高着层面,加重着深度,并从算术级数的增加,扩为几何级数的增加,一直加到了人的尊严、人的价值、人道主义、主体性……最后达到了满溢层度,结果在八十年代中期,一批文学家站出来,表示了他们那"文学就是文学"的态度,他们相当成功地使文学不再与政治、与社会重大问题、与公众关注相勾连,他们提倡纯文学,进行各种大胆的文本实验,搞语言颠覆,每一种新的叙述方式的出现,都使他们爆发出阵阵欢呼,那是文学主潮脱离启蒙的时期,是"新潮"、"先锋"的狂欢节。

到了九十年代中期,似乎启蒙的使命又呼唤着文学。

一般来说,当社会的发展到了一个"坎儿"上时,便会出现一个启蒙的热潮,会有不少文化人热衷于启蒙的呼号与操作,文学必是其中的活跃一角。

七十年代末、八十年代初,当时中国社会的文化面貌,特别是人们的心灵状态,即使你认为比喻成沙漠和刚出苗的园圃未免过分,但其总体的单调、板结,却是无可讳言的。

没想到仅仅十几年,中国社会的发展,出现了举世瞩目的景观。现在中国的社会面貌,特别是文化面貌,不仅不再是沙漠或幼林,而是呈现为混生林般的杂芜,有的局部,甚至已是凶险的热带雨林。据说四川一隅有一处叫黑竹沟的地方,那里的热带雨林神秘莫测,杂树乱生,云雨无常,毒蛇蹿行,奇兽出没,怪溪险谷,瘴气氤氲;在有的文化人眼中,现时的中国文化生态,包括国人的心灵,已"疯长"到类似黑竹沟的程度,因此,如今的启蒙工作,应不再是加法,而是要痛作减法,而且不是作一般的减法,应当来一番大砍大杀!

依我看来,新的文化启蒙,确可提到日程。但怎样启蒙?却显然出现了两种大的互逆走向。

一种,可称为文化冒险主义的盲动。如上所述,在这样的人士看来,中国的文化现实,可以一言以蔽之:堕落。堕落也就是不洁,因此要实行"清洁"、扫除、涤荡。

面对九十年代中期文化的"杂芜"景观,他们呐喊"烧荒",就是主张将"长得乱七八糟"的"野林",一片片,乃至于一次性地加以芟除,烧成干净的垦田。然后一律栽上他们所认准允许的"清洁"作物。

一种正常的健康的文化机制,当然既要作加法又要作减法,有时还要作乘法或除法,甚至需要很复杂的运算与引育。但是,总的来说,应遵循其发展的自然规律。这规律便是以尊重人的思想、言论、信仰、创作自由为基点的多元并存、多元竞争、多元整合。好比热带雨林,大树有大树存在的道理,小树也有小树存在的道理,藤萝、灌木、蕨草、苔藓乃至"泡沫"般生灭的菌类植物,也都有存在的道理,当然林中各种飞禽走兽,也都有其存在的道理,这样丰富多彩的景观,显示着宇宙的生机、生命的尊严。对这种多层次多形态多取向多性格的热带雨林的共生互依的景象,我以为首先要立足喜爱、保护、促进其进一步繁荣。那么,就任其生灭,不能作减法么?上面已说了,该减时要减,比如有的热带雨林中某种虫子过多,专啮食某些树木枝叶,造成大批坏死,那么,如能进行人工干预,就一定要去作减法,或施放药物,或引进那种虫子的天敌,以保持雨林的平衡发展;有时某种大的动物孳生过多,也会造成雨林的灾难,于是适当捕杀,也便成为必作的减法。文化冒险主义者的偏颇失当之处,不在于他们主张作减法,而在于他们认为整个热带雨林太混乱,太杂芜,太古怪,太不规整,太不洁净,因此他们恨不能整体芟除,完全实行"烧荒"。

九十年代中期的中国文化状态,确实变得杂芜了。市场经济使计划经济下带有神圣性的多类文化品种,包括文学,显示出了赤裸裸的商品性,比如连国家电视台,在严肃至极的《新闻联播》后,也播出种种不仅软性,甚至是有点庸俗的商业文告;人民文学出版社这样的王牌级国家出版社,成批推出香港梁凤仪的通俗小说;而作家出版社则仅用几天的时间便印造好了《英儿》这样的书,当然并不是在赶"政治任务",而是为了抢占市场;虽说有关部门一再申明要严格控制,绝不轻易批准新的报纸刊物和出版社成立,但你几乎每一个月总会接到一家新登记注册的报纸、刊物或出版社的约稿;报纸的周末版、月末版越来越走消遣消闲的路子,报纸副刊每天推出"文学泡沫",有的作家竟同时在多家刊物上开设个人专栏;出现了书刊发行的"二渠道",并日渐强大;街上出现个体书摊,从钱钟书、张中行的书一直卖到琼瑶、温瑞安，有的"越线"贩"黄"、贩"黑"（暴力）；作家们因为有了《著作权法》，脸皮增厚心眼变活，公然四处讨要转载的稿费，跟出版者侃价，要债要到了国外，从国外出版商那里要到外币的事居然被报纸当作正面新闻发表……说来更令人长叹息的是，就是那些鼓吹"烧荒"、欲求"清洁"，呐喊着宣判别人"堕落"，弘扬他们那反俗世理想的人，也还是在登满甚至是整版的商业广告，版式设计与操作方式更充满市场气息的"不洁"园地里，发表着他们的文章。

我们确实就生活在这样的文化环境中。而且限于篇幅我们还来不及罗列俗世生活，特别是非政治性的民间社会，尤其是市民社会的种种千姿百态，又尤其是追求物欲和私人生活乐趣的种种心态。我们的人文环境从来没有这样斑驳陆离、诡谲莫测过。

是的，俗世确实不洁，确实存在着堕落现象与丑恶思想。官方依据法律和法规作着减法，有时采取很严厉的突袭式手段——这说明法律和法规很不健全，可钻的空子太多，不得已只好依然用"运动式"。社会各界呼吁、讨论、批评、鞭笞等各种手段形成舆论，促进新的立法与严密已有的"游戏规则"，并构成道德约束和良心张力，以消除明显的害虫，营造良性的生长机制，这也都是维护新的人文群落健康发展的有力因素。

主张"烧荒"者，仅仅作为一种言论，我以为也自有其存在的道理。他们在自己所在的领地里，芟林烧荒，栽种他们的理想品种，更无可厚非。但是，他们似乎急欲将一己的理想强加于人，并引逗出社会性的操作，构成一种侵略性的"烧荒"行为，这就不好了，正是在这种情况下，我们必须指出，这是一种文化冒险主义，具有负面的破坏性。

好比日本的"奥姆真理教"，他们自诩"崇高"（据说日文"奥姆"含崇高之意），自认唯有他们掌握真理，宣称俗世污浊，芸芸众生皆已堕落，只要他们仅是在他们自己的园地里实践他们的理想，或面壁辟谷，或开掘特异功能，也都可悉听尊便；但他们的教主麻原彰晃，竟指使其教徒越出他们自己的圈子，跑到东京地铁去施放沙林毒气，要把俗世的"堕落者""实际解决"，这就成了反社会、反人类的行为了。

当然现在中国还没报道有此种邪教，也还没出现此种大规模、有计划的反社会行为。这是中国的幸事。不过，以此为警戒，防止由极端的思维导致暴力性发作，引出社会的混乱，却也不能算多余。

在这中国的九十年代，我是主张直面俗世的，我也认为俗世的森林中确有不洁污秽之物，我当然会提醒采蘑者，千万不要采食毒菌；我会奉劝入林者带上蛇药；我甚至会阻拦未充分作好探险准备的人士进入黑竹沟那样的地方；如果一处林子里闹虫灾，我会参与喷药……但我的总体态度是护林。这俗世的森林，是从"文革"那几乎成为沙漠的瘠地上好不容易培育出来的，而且，正是这俗世的森林，为高雅的物种提供了屏蔽与滋养。我不主张"烧荒"，尤其不主张大面积乃至全盘性的"烧荒"，我反对文化冒险主义。如果确又处于一轮新的启蒙运动，我主张吁请尊重文化的多元格局，实践文化建设主义，亦即文化护林主义，其精义便是，只芟除公认有害的几元，而尽可能使其余众多的文化元在亲和中健康发展。

1995 年 6 月 2 日绿叶居

哆

哆不仅是一种娇软的语音，也是一种柔媚的情态，对于某些女性的哆，我们可能很不喜欢，甚至于心中生厌；可是，也有喜欢女性哆声哆态的，我们有权力把他们的取向谥为"嗜痂之癖"吗？

女性的哆，都是故意做作吗？或许都是"习惯成自然"？记得六十年代，单位里有位女士——那时候都称女同志，她是上海人，跟上海老乡说起上海话，固然是"哆来兮"，跟我们说起普通话，也让人觉得是"犯哆"，随着那个时代不断地推进"革命化"的进程，她的哆，便越来越成为她的一大问题；有人竟因她的哆，怀疑她是"资产阶级大小姐"出身。其实她是城市贫民家庭的后裔；她工作上很努力，成绩也不错，政治上也很要求进步，可是总难评上先进，更无望入团。后来"文革"风暴骤起，那时单位传抄来的大字报上，有江青批判旧戏曲的"指示"，好像是说像越剧、粤剧、沪剧等等剧种，唱腔统统太嗲了，简直无可救药！江青的一句话，枪毙了好几个剧种，也给我们单位的那位女同志，带来极大的精神压力，她那时最怵在会上念大批判稿，可是每逢那些必须"人人上阵"的班组批判会，她当然无可逃遁，必得在众目睽睽之下、众耳耸耸之前，念她那份大批判稿，批判稿写起来倒并不难，找份报纸拼拼抄抄也就弄好了，对她来说，难的是当众念出那些"怒斥"的字句，情急之中，她也曾"病笃乱投医"，在批判会前找到我。让我"指导"，我就给她出主意，一是尽量删去她从报上抄来的夹嵌在批判稿里的容易引起嗲感的修饰语，如"春风杨柳万千条""大地微微暖气吹""病树前头万木春""听唱新翻杨柳枝"，等等，多加上些"滚他妈的蛋！""打翻在地，再踏上一万只脚！""放屁！！""不许放屁！"之类的"过硬"字眼儿；我跟她强调：一定不要再念出平舌音来，一定要尽量用卷舌音！平舌音是嗲音的根源，跟平舌音划清界限！她遵我嘱，到会上念大批判稿时，嗲味确实大减，却又派生出满嘴诘屈聱牙，甚至不知所云的滑稽效果，比如她怎么也念不好"是可忍孰不可忍"，让人听来成了"叔客人叔不客人"，就连一本正经主持会议的工宣队员也终于忍俊不禁。

弹指间已到九十年代中期，不仅女性在生活中嗲一点不再会成为罪愆，以女性的娇软柔媚为其特点的文艺现象也渐渐多了起来，尤其是在通俗门类的文艺里，比如依我个人的感受，歌星杨钰莹的台风就颇嗲，并构成了她个人的艺术特色，也很赢得了不少歌迷的喜爱。当然，嗲，还有嗲得自然和嗲得做作的区别，嗲与纯情少女风味融一，则如小鸟依人，颇引人怜爱，倘徐娘半老仍嗲态可掬，则令人起栗了，好在现在人们的生活趣味与艺术风格已经良性多元，嗲的生活与艺术取向在众多的元中似处于边缘状态，并无泛滥之虞，所以我们可以不喜欢，却不必厌恶到必欲取缔扫荡的地步。

前些时偶然与当年单位里的那位女士邂逅，我们都已头发花白，她虽打扮入时，却一点也不让我感到有什么嗲味，忆及当年，我们都不胜感慨，她对我说："那时候，是把嗲'扩大化'了，我其实只是口音软了一点罢了，其实哪儿够得上真嗲！现在的姑娘们,有哆的权利了,我倒要劝告她们,就算你哆得挺自然挺招人疼的,哆毕竟是小家气象,想进入高境界的,还是别那么哆的好!"不知读者诸君对她这话,"叔客人叔不客人"?

1995 年 6 月 9 日

超越"泡沫"

"泡沫"一词最近多见起来,例如"泡沫经济"、"泡沫文化"乃至"泡沫文学"等等。一些使用者笔下,"泡沫"的比喻并无贬义,只是描述一种现象,但更多的情况下,"泡沫"意味着短期行为,不坚实,浮于表面,转瞬即逝,使用这一词语体现出贬斥的色彩。

自然界中有两类不同的泡沫。一种是瀑布下坠、湍流急奔、大河转弯、大海咆哮时激生出的泡沫,另一种是腐水发臭孳生出的泡沫。前者虽确属一闪而灭,却恰恰可通过其活泼而持续地出现,令人感受到活水的雄浑气派,是一种生机的显示。后者当然是败朽的象征,令人生厌。人类其实也制造着许多非比喻的泡沫。比如,洗衣洗发洗澡时的泡沫,排放污水时产生的泡沫,前者是必要予以涤除的,却很可爱;后者一时不能净化,则令人痛心疾首。由此得到启示:泡沫也不是都那么可恨。有的泡沫,甚至于还是生气勃勃的象征。人类为了清洁计,也往往要借助于泡沫。

一位搞经济学的朋友告诉我,市场经济的发展过程中,"泡沫"多了当然不好,但一点"泡沫"不起,也就无所谓市场经济了。他举了一个例子,比如说消费者有使用梳子的需求,于是许多投资者纷纷看好梳子市场,于是一时间出现许多梳子公司,有的直接生产梳子,有的从外地甚至外国去买来梳子到当地发售,有的产贸结合,有的甚至是先登记个梳子公司再说,这样就泛起了附着在梳子上的"泡沫经济"。如果任由这种情况持续下去,当然不好。不过一般来说,市场的供需规律会起到杠杆作用，当梳子的供应大大超过消费者需求以后，有的梳子厂可能会自动减产，以提高梳子质量和设计新型梳子来应付市场，有的可能转产，有的公司可能倒闭，有的可能分化，另去组合……当然更可能出现几家兼并了失败者的强大而有信誉的梳子集团……于是，原有"泡沫"消失，当然，可能新的"泡沫"又滋生出来；这在市场经济的竞争机制里，大体属于正常的现象，政府于中进行宏观调控，不让"泡沫"横飞，引导投资和生产、货贸与供应大体均衡扎实地发展，当然非常重要，但希望一点"泡沫"也没有，则除非退回绝对的计划经济，退回到以物资匮乏为前提的供给制。

由此我联想到所谓"泡沫文化"和"泡沫文学"。有些有"洁癖"的人是一点也容不得市场经济条件下的这类文化现象的：报纸副刊上的专栏文章，尤其是写些个花草虫鱼、花猫小狗、饮酒喝茶，或仅仅是说一点"人与人之间要多一点理解和爱"的"小道理"的文章，还有越来越多的周末版、月末版，以及供人消遣消闲的刊物，还有卡拉 OK，京剧票友聚集清唱，绿地舞会和扭秧歌，电视上的综艺节目、游戏性竞猜等等。"泡沫文化"包括"泡沫文学"当然不能任其无限制地发展、膨胀，文化出版主管部门应对其实行必要的引导、疏通、调控、管理，特别是依法芟除其中所冒出的海淫海盗的腐臭之沫，但是首先还是应当欢迎文化市场的出现，宽容在大大展拓了的文化空间中奔流的民间文化之河的那些无害的泡沫。整个社会应给予真正代表一个民族在一个时代中的文化品格的大创作，提供尽可能好的社会环境，文化界包括作家中的有志者也应当把创作大河奔流般的代表作，视为自己的最高目标，但一个有江海胸怀的发展中社会，是不但不必排斥一切泡沫，而且还可以视活泼的泡沫为自身活力的旁证；有的文化人，有的作家，他实在写不来伟大的作品，只能制造些"泡泡糖"，只要于社会无害，有什么不能容忍的呢？更何况，文化人包括作家，他正襟危坐，自以为是在创造伟大的作品，所弄出来的成果，也许不但未必伟大，甚至于也无非是个"超级泡沫"，一样转瞬即逝，而自己并不先验地自设伟大，只是以真性情抒写出的作品，如鲁迅在编辑一再约稿下，为报纸副刊所断续写出，并不经意地打住了的《阿 Q 正传》，竟成了世界名著，便是一个最耀眼的例子，当年与《阿 Q 正传》同时登在那"开心话"副刊上的文章，几乎都是泡沫啊！金庸并不以痛恨别的作家"堕落"为前提，而是为了给读者提供消遣消闲的文字为目的，并且以首先在"报屁股"上连载的很"泡沫"的形式，所积累出的那些武侠小说，现在不是连最严肃的学者，也给予了大师和经典名著的评价吗？还可以举出一个一生专写"补白"的郑逸梅，他那些"泡沫"，有的竟也获得了某种可以久存的文化价值。

大多数泡沫自生自灭，本不必专门加以论述。但现在有某些存在着焦躁情绪的人，他们不仅急切地要求文化人和作家拿出大作品，而且不能容忍任何泡沫，尤其不能容忍市场经济中的文化市场的存在，这本来也还不失为一种有参考价值的意见，但他们当中有的人似乎已狂热到恨不得文化人特别是作家们都来参与甚至领导一场反现实的"文化小革命"的地步，这就不能不引起我们的注意了，讨论所谓"泡沫文化"和"泡沫文学"，也就成为了一个话题。

泡沫不都那么可怕，有的更是社会充满生机的象征。当然，到头来我们要超越泡沫。那超越的途径，便是顺历史潮流而动。

1995 年 6 月 28 日

备用伞

我路过一处地方，那里景象颇为奇特：不是市场，却聚众成丛；口舌虽多，却又不闻喧哗。细看，几乎全是五十岁上下的男女，他们有的聚集在树荫下，有的占据不到有限的树荫，便爽性兀立在日照之中。有的，互相低语着；有的，只是发呆；更多的，脖颈都朝着大体一致的方向凝望……

很快憬悟，那是一所中学的大门外，里面正在进行高考，答卷的考生们正在教室中经历他们人生中难忘的一幕，而大门外，悬跳着一颗颗被焦灼的企望充塞得滚烫的心。

　　我的人生，已经迤逦地趱行过这个阶段，既早已经受过考场中的风雨，也已经淡薄了六年前送子赴考的激动。面对着这熟悉的场面，我有一种疏离感。何必呢？望着那些痴痴企盼的眼光，我甚至觉得颇为可笑。

　　蓦地，我注意到一位母亲，她打着一把伞。当时万里无云，她以伞遮阳，本不足怪，但她另一只手中，却又握着一把没打开的折叠伞，这个细节，引起我的兴趣——那显然是一把备用伞，当她的儿子或女儿出考场时，她会亲切地将那伞递过去，有雨挡雨，无雨遮阳；倘若彼时既无雨又无烈日，天气变得凉爽，她一定会依然心甘情愿地将两把折叠起来的伞都拿在自己手中。

　　我已经走过那处地方了，那些痴心的父母，那些执著企盼的目光，特别是那位母亲手中的备用伞，仍久久地，如油画般，嵌在我的心上。

　　算起来，这些个等候在考场外的父母，大约多是"老三届"。"老三届"这个特殊的概念，今后的文章里用到时，恐怕必得加注才成了。

　　我当过中学教师，并在中学里度过了"文革"全程，我当然永远不会模糊"老三届"的概念，但有的人就不行，比如有一回我跟一位搞土木工程的人说起"老三届"，他以很懂行的口气呼应说："知道知道，就是'文革'里上中学的娃娃们嘛！那时候上课光背语录，搞大批判，没学到什么文化知识嘛！"他的理解似是而非。

　　当然，人们可以举出很不算少的例子，来证明即使是"老三届"那样的因狂暴的政治运动而猝然中断学业的个体生命，仍可以通过自身的努力奋斗与及时把握机遇而在社会上取得成功，成功者的个例可以从留洋博士一直举到企业家、作家、艺术家。不过，倘若我们实事求是，那也不能不承认，作为一个社会群体，"老三届"的绝大多数，在经历过怪诞的"斗、批、改"和"连锅端"地上山下乡，以及意外而"好事多磨"地回城谋职之后，基本上沉淀在城市的工厂与服务行业之中。在他们嗣后的人生岁月里，最铭心刻骨的刺激是：他们没有像样的学历，而且他们也确实不可能再经历青春期的学生生活。于是，当他们结婚成家，生儿育女之后，很自然地，他们便会有一种群体性的心理趋向：希望通过痴情地培育子女，让他们受尽可能多、尽可能好、尽可能长的教育，来补偿自我的价值与尊严。

　　想到这些，我不再觉得我在今年考场外见到的景象有丝毫的可笑之处。那些执著地企盼自己的儿女有受高等教育的机会的眼光，那一颗颗充溢着热切的文凭渴求的跳动得未免失常的父母心，令我感慨万千，不胜唏嘘。

是的，我可以说：一个人有无文化，不能单看他的学历、他的文凭……我可以举出高尔基为例，他是个失学的流浪少年，然而他最后成为了一个著作等身的大作家……

是的，我甚至可以说，就广义的文化与文化人而言，那定义其实非常地具有弹性。比如流传至今的《荷马史诗》，那不但属于文化，而且是经典文化，但荷马却是个只会吟唱而并不会写作的人，甚至根本就是个"文盲"，可你能说荷马的创作比其他的文化人逊色吗？还有我们中国才去世几十年的瞎子阿炳，他不仅没有学历和文凭，更不能识谱与记谱，可就光凭他传下的一首《二泉映月》，全世界哪个人敢说他不是杰出的音乐家？……

是的，我还可以说，许多宝贵的知识，在学校中很难学到，甚至简直无法学到，那是必得在生活实践中方能学到的；古今中外，学历浅、文凭软的人，在实践中超过学历高、文凭硬的人，例子很多……

我可以说的这些话，都是真心话，我自己不但相信，而且也受过这些信念的馈赠。可是我不拟向"老三届"说。他们当中，有的早已不仅说出了类似的话，而且以自己超越学历与文凭的业绩，昭示了世人。但他们当中，更多的，是如今天我所看到的，作为新一代的父母，他们固执地将自己那份对学历与文凭的向往，诗化地企盼着，能落实在子女的生命历程中！

于是我所看到的那一位母亲，她拿着两把伞，一把自己打着，另一把为从她身体中分离出的那个年轻的生命预备着，便如一尊神圣的雕塑，具有了一种巨大的象征意义。

对接受正规教育的向往，对经典与先进文化的尊重，对下一代应该获得确切的文明徽记的企盼，对进入广义的文化人范畴的神圣感……无论如何，是宝贵的情愫。这种情愫，应在我们民族的血脉中绵延！

1995 年 7 月 11 日绿叶居

好事多魔

写成了，一篇体现我"红学"探佚心得的小说《贾元春之死》，在前面我将一段引语作为题记，里面出现了"好事多魔"的字样，一位阅读我打印稿的朋友好心地对我说："该是'好事多磨'吧？"说着便要代我勾正，我忙对他说："不，不要改，就是这么个写法！"我这段引语出自庚辰本《石头记》第一回（在通行的"程乙本"以及"程甲本"中是没有的），是一僧一道说的："……那红尘中却有些乐事，但不能永远依持；况又有'美中不足，好事多魔'八字紧相连属，瞬息间则又乐极悲生，人非物换，究竟是到头一梦……"我以为这几句话是诠释《石头记》即《红楼梦》创作意蕴的重要点睛之语，放在关于贾元春的命运表现上，尤其贴切深刻。

"好事多磨"是一个常用的成语。其意是说大凡好事，总不能一蹴而就，总难免要经历很多的磨难，因此必得通过艰韧顽强的努力，方可达于佳境。曹雪芹在这里显然不是要表达这样一种并不新鲜的意思。他活用成语，把"好事多磨"改为"好事多魔"，于是他所强调的，便已不是达到好境界那过程中的艰辛，而是好事已然呈现后，在佳境中所潜伏着的诸多危机，是为"魔"。这构成了一种很新颖的语意。

曹雪芹虽然大体上完成了《红楼梦》这部伟著，但可惜八十回后散失无传，现在市场上所印行的百二十回本，后四十回应是高鹗、程伟元等补续然后排印流通的，最明显的证据之一，便是关于贾元春之死的描写，与第五回里"太虚幻境"的册页诗画和《恨无常》曲所示完全对不上号。据《恨无常》曲，贾元春应是死在离家乡"路远山高"的地方，而且"眼睁睁，把万事全抛。荡悠悠，把芳魂消耗。"是死得很突然、很凄惨的。哪儿会像现在通行的后四十回当中说的那样，是因为圣眷隆重，身体劳乏，很太平地于凤藻宫中痰壅而逝呢！

《红楼梦》所写的金陵十二钗，表面上看起来，贾元春是最幸运的，全书开篇时，她便已入宫侍皇，后来她正式出场，回家归省，在鲜花着锦、烈火烹油般的富贵已极的佳境中，她就已发出了称皇宫是个"不得见人的地方"，以及对虽齑盐布帛，却能聚天伦之乐的田舍之家的羡慕等不协调的声音。在好事成就后，她的内心竟存有如此厚重的悲苦与戒惕,这既是她的明智,也是她的宿命。但据我考证,贾元春终于还是卷入了皇族间的权力斗争,她并没有清醒到底,是她向皇帝举报出了秦可卿的真实身份(并非养生堂弃婴而是皇族血统,其父兄为"当今圣上"的政敌),这既造成了秦氏的悲剧,也使得她终于惨死于争夺权力的"虎兕之争"中。我以为曹雪芹这样写,便是要体现其"好事多魔"的哲思,奉劝人们不要"身后有余忘缩手,眼前无路想回头"。

这里且不讨论对《红楼梦》全书及其贾元春这个角色究竟应如何破译与诠释。我只是想说,即使跳出《红楼梦》,"好事多魔"这个命题亦可给予我们当代人许多的启示。好事是福,但"福兮祸所倚",已成就的好事里潜伏着"魔",既有"外魔",如他人的妒忌或捧场,谣诼流言或扯为大旗,魑魅蛊惑或谒诚膜拜等等,更有"内魔",那就是功成名就后的忘乎所以、自我陶醉、自我膨胀、自我崇拜、自我失范、自我失衡、自我拔升、自我浑沌……直至自我爆炸。

正因为好事多磨,好事来得不易,不仅是精力和才智的消耗,更是时间与年龄的无情推移,因此,好事一旦终于出现,自身置于以前所向往的佳境之中时,便特别容易使"多磨"转化为"多魔",上述的"心魔",会接踵而至,再与"外魔"相激相荡,乃至于相融相汇,则好事必尽,而即使祸事不至,亦堕于庸鄙无聊之中,想到这里,我们即使真已处于好事、佳境之中,能不遍体清凉?

1995 年 8 月 6 日

鮀城的启示

当我写下这个题目中的头一个字时,一旁的家人惊疑地问我:"有这么个字吗?"我案头的《现代汉语词典》,也查不出这个字,后来查《辞海》,才查到。我是到汕头后才认识这个字的。

　　我原来脑海中只有一个模模糊糊的"潮汕"概念。我在广州早有若干朋友，据他们告诉我，虽同在一省，一般的广州人是听不懂潮汕话的，风俗习惯也有明显的区别。比如说，广州的粤菜就同那边的潮州菜大有异趣。广州人虽然爱饮茶，但一般情况下并不喝潮汕的那种"功夫茶"，而在过去，潮汕人也并不时兴广州式的那种吃各色小点心代饭的"饮茶"。粤剧与潮剧更是两个有着明显区别的剧种。总之至少在我的那些广州朋友看来，潮汕实在是一个很独特的地方。

　　直到今年九月下旬，我应邀到汕头参加一个五家特区文学刊物的研讨会，这才将一向朦胧的概念，渐次清晰了起来。

　　汕头又名鮀城。问了好多位汕头人，鮀是什么？从偏旁可推知是一种水里的生物。有的告诉我是小鲨鱼，有的却说是鳄鱼，那差别可不小。想来都有可能，这样一处江流入海的地方，鲨鱼和鳄鱼都会有的。可是在我询问的过程中，我感到大多数的汕头人都既非常热爱他们的家乡，可是又相当地没有争名夺誉的劲头。一位在汕头交上的朋友笑对我说："我们这里是省边国角。我们自己知道离中心很远。我们对于代表我们的符号一般不那么热衷于探究和宣扬。比如汕头这个'汕'字，怎么讲？词典上几乎无解，我们也无所谓。反正，这个字又有山又有水，这就挺好。离我们一段距离，还有个地方叫汕尾，这一头一尾有什么呼应关系？我说不清，恐怕大多数汕头人也搞不明白。这没什么要紧，关键是我们满意自己的一方水土。边缘就边缘，我们在边缘发展，一样可以开放出灿烂的文明花朵。"

　　新朋友称汕头是边缘角地，当然有很浓烈的谦虚意味。其实汕头是近百年来最早开埠的海港之一，因为离台湾高雄颇近，战略地位自不待言。而近百年来由此飘洋过海到南洋及欧美开辟新生活的华侨，则人数众多，并且其中很有事业发达的成功人士，声名显赫。自改革开放以来，特别是九十年代以来，汕头辟为特区，经济发展迅猛，乡贤李嘉诚捐资创建的汕头大学一鸣惊人，而早已芳馨远弥的潮州菜，仅就北京一地而言，已大有越鲁、川、粤菜而居首位的架势，仅此数端，谁敢将汕头觑作边角小城？

　　但能自甘边缘，不拿大，不孤高，毕竟是一种雅人的心境。在鮀城数日，虽是走马观花，我却发现了不少鮀城人的可爱可敬之处。比如说，潮汕话虽然极难懂，但在鮀城，无论干部、文化人，还是商店的售货员，乃至街巷的一般居民，能说，并且愿意说普通话的，极多。这是我在广州感受不到的。恕我直言，我感觉广州人一般不大情愿说普通话，究其心理，大概是他们有一种"中心感"，因为香港是说广州话的，而香港的商业文化，起码到目前为止，在内地，包括北京，那还是一种强势文化，因此广州人喜欢说就商业文化上而言显得挺有派头的本地话（香港话），却不大喜欢说普通话。在这一点上，我诚恳地希望广州人向鮀城人学习。其实潮汕话的源头来自古时的中原，有着许多原是非常"中心"的因素，潮汕人并不据此自傲，他们都很愿谦和地用普通话与来自北京的客人交谈。

我还发现汕头人不怎么热衷于喝酒。大家一起吃饭，不闹酒。我接触到的领导干部和文化人大多只喝茶或软饮料，这并不是表示简朴更非作态。他们说在家里也很少喝酒，白酒喝得少，黄酒不流行，倒是近年来时兴喝一点洋酒，但即使喝，无论正式宴请还是家中便酌，都少见死劝硬灌。广州人喝酒一般也不算厉害，但到北方某些省份，我最怕主人的劝酒，由劝而逼，由逼而斗，由斗到闹，由闹到拼，那真是"以我为中心"，你不顺从那"中心"简直就混不过去，你如坚持抵制，"中心"会认为你是看不起他，末后会生你的气。因此在北方有的省份一遇盛情宴请我便惶恐不安，简直是如临苦刑，战战兢兢。在汕头却完全没有了这种苦楚。想来这也是因为汕头人并不以为自己既是主人便可"己所欲，施于人"。他们大约也基于一种潜意识里的"我本边缘"的情怀，故不仅不强施于客人什么，还总是很认真地为客人考虑，怎样才能更随意，更符合客人原有的习惯。

当然到处都有各种性格的人，汕头亦不例外。不过我访问鮀城十来天，感觉到那里人们的性格平均而言，是恬淡平和、怡然自得的居多。这是一种"边缘人"的性格？这性格并未妨碍汕头人在市场经济中的竞争力与开拓性，也许，恰恰是这样一种性格，才使得汕头人在进取中更脚踏实地，在创新中能少焦虑而多智谋。

在鮀城学会了制"功夫茶"。其中"关公巡城"、"韩信点兵"两个环节最为有趣。回到北京我表演给家人看，并请他们喝我漉出的功夫茶。他们刚喝时都不免说苦，我便请他们细细体味嗣后的内腭壁回甘。鮀城给我的启示亦是如此，越回味，越芳醇。

1995 年 10 月 20 日

黑 血

　　用电脑写好一篇文章，打印时发现两行以后一片空白，原来是喷墨打印机里的墨盒没墨了，于是立刻上街去买；附近哪里有，必须去"中关村电子一条街"——打了个北京时下生意最好的"面的"（小面包型的出租车），风驰电掣地到了那里，不想跑了好多家，竟都无货，急出一身汗，心中惶惶然；文章打不出，如何投稿？

　　……在中关村的肯德基炸鸡店分号，生意兴隆，弥漫着热橄榄油的气味；我买了一客炸鸡，到二楼找了个角落里的座位，没味口，闷闷不乐……墨盒，是打印机的心脏，没墨了，好比心脏里没血了……啊，血是黑的……是的是的，我的文章，用我鲜红的心血写成，但它的呈现，却是黑色的字符……作家的血，从某种意义上来说，便是浓稠的黑血啊！为什么世界上的书，几乎都用黑油墨印字呢？读者的眼睛，喜欢黑血！那浓稠的黑血，会通过读者的眼睛，进入他们的心脏，使他们的血更红吗？……

　　细想起来，作家和读者，都有点古怪——在这视听文化无孔不入的当代世界，他们那温热的红血，还愿用黑色的字符，来提炼与加浓……

　　在炸鸡店的角落里，默默自问：就非得这么写下去么？如果为了挣钱，写绝不是一条宽路；如果仅为稻粱谋，那完全用不着写这么多，墨盒里没墨了，可以很从容地加以补充，何必慌慌张张地往中关村跑……是一种什么驱动力，把我弹射到了这里？……

　　从炸鸡店出来，继续找墨盒；又问了几家，还是没有；忽然看见许多人在排队，一字长蛇阵……在这许多日用商品滞销的年头里，他们在抢购什么？难道是墨盒？……啊，原来他们是在排队买"一日五游"的旅游车票——虽然北京目前有很多拉客去"一日五游"的大巴中巴小巴，但骗人宰人的不少，这一处可是最有信誉的；细看，排队的多是外地人，他们现在不是为了腊肠火腿点心罐头排队，他们在寻求一种精神上的满足；我忽然感到自己应该加入他们的行列——不是为了去万里长城和十三陵等五个风景点去观光，而是为了汲取一种托升自己的力量……

是的，北京如今拉客"一日五游"的车子很多，也还有很多外地人饥不择食或盲目轻信地上了"贼车"，深受其害，以至有的人发誓：如果没有自己熟人的车，再也不能去那些地方了……但终于人们还是聚集到一处有信誉的地方，宁愿排长队，去获取那向往的快乐！这一事实给了我启示，给了我鼓舞，给了我慰安……

我想就像有信誉的"一日五游"会引出一字长蛇阵一样，有信誉的黑血也一定能继续得到数量不小的读者的青睐……

虽是初春，可这天中午很热；我没有打退堂鼓，我继续寻找墨盒，久不这样急促步行的我气喘吁吁，出了一身热汗，但我觉得自己这个生命实体饱满而勃动，犹如高高的白杨树上的那些鼓胀的苞芽……

这个世界确实并不需要多少输出黑血的作家，当然更不会到处发售我所需求的那种喷墨打字机的墨盒，作家充其量能达到小康而不可能暴富，墨盒能喷出黑血却并不能泻出黄金，但正如这世界既有无数天鹅无数麻雀也有为数不多的"荆棘鸟"一样，把自己身体深深扎进尖刺，在淌血中婉转鸣啼的"鸟人"，他们的存在亦属天意——他们的黑血，将把天鹅的华贵与麻雀的平凡都映照出另一种意义……

我终于找到了墨盒，我的打印机又有了心脏；在这静夜里，我又吐出了丝丝缕缕的黑血；我为那些排队买"一日五游"票的纯朴同胞祝福，即使到头来他们的旅游仍有若干不愉快的遭遇，我仍为他们祝福，因为是他们照亮了我的卖文生涯——使我在黑色中获得了更多温热的红血……

1993 年 4 月 1 日

北京绿叶居

十首足矣

报载香港一家文化机构不久前举办了一项"最受欢迎唐诗选举",结果投票者从成千上万首唐诗中票数相当集中地选出十首来。

列在榜首的是孟郊的《游子吟》:"慈母手中线,游子身上衣,临行密密缝,意恐迟迟归,谁言寸草心,报得三春晖!"

我想不用解说,大家都懂得这是一首歌颂母爱的诗。但这首语言质朴的诗歌为什么在历经了千年的传诵后,至今仍具有最强烈的感染力?要理解这一奥秘,我们就必须体会到,人生在世,广义而言,无人不在羁旅之中,旅途中人固然着眼于前程,特别是实利,却不能不有所眷念,不能不保留一段热肠一片温情,不能见利而忘义,不能丧失良知人道,因而那"慈母"所构成的意象便超越了狭义的生母,而象征着孕育抚养调教指引了我们个体生命的所有外在因素,使我的对个体与他人与群体的和谐,产生出一种向往,引发出切实的努力。

最近在报纸上看到了一些令人难堪令人恶心乃至令人发指的报道,例如子女虐待生母生父致死,以及后母虐待前妻生下的可爱的男孩其生父竟无动于衷终致殴毙,还有一位想发横财的运动队教练,在工作不负责任被解聘后,将幼小的学员绑票,妄图索取巨额赎金——最令人毛骨悚然的是这位丧尽天良的绑票者连究竟什么是"绑票"和"人质"的概念也弄不清,他是先将那男孩弄死再递送出索取巨款的通知书的,他居然不知道先"撕票"后索款是决计不可能得逞并且违反自古以来绑票者的起码常识的!哀哉!也许是我这人分析事物的角度太古怪,我总觉得,倘若这些人读过一点唐诗,不用多读,哪怕只读过这回香港人选出的十首,哪怕只体味出其不足一半的诗意,引发出哪怕些微的感动与审美愉悦,那么他们也许仍是糟糕的人物,却总不至于那么样地没有人性和那么样地颠顶!

香港人这回选出的十首唐诗都是最常见于各类选本和最易读懂字面意思的短诗,除《游子吟》外,其余九首依次是:

杜牧的《清明》:"清明时节雨纷纷,路上行人欲断魂,借问酒家何处有?牧童遥指杏花村。"这首诗为什么荣列亚军？难道仅仅是因为如画如乐、明丽清新？我以为其中也蕴含着一种温馨的人性，在"行人"与"牧童"的亲和之中，体现出一种对人生乐趣的健康追求。能进入这个诗境的人，他忍心将那牧童绑票以谋求一己的纵欲么？

第三首是李白的《静夜思》："床前明月光，疑是地上霜，举头望明月，低头思故乡。"乡土之恋，是一种最基本的人情，乡土往往决定了自己的人种属性，民族血缘，家庭谱系，乡恋之情会使我们意识到个体血脉与他人与群体的承续关系，"父老乡亲"构成了一个固定的语汇，很难想象对李白这首千古绝唱的怀乡诗有所感悟的人，会自己居华屋食佳肴而将老父老母驱入猪圈掷以残羹！

第四首是王之涣的《登鹳雀楼》："白日依山尽，黄河入海流，欲穷千里目，更上一层楼！"人生的境界，原应如此宏廓。第五首是李商隐的《乐游原》："向晚意不适，驱车登古原，夕阳无限好，只是近黄昏！"在体味到人生有层楼可上的同时，又深知人生的有限，以一种彻悟的心态维系一种进退的度数，吃透了这两首诗精髓的人，又有哪位会短视到谋取近利而不顾廉耻、妄想永葆荣华而贪得无厌呢？

第六首是孟浩然的《春晓》："春眠不觉晓，处处闻啼鸟，夜来风雨声，花落知多少！"第七首是白居易的《赋得古原草送别》："离离原上草，一岁一枯荣，野火烧不尽，春风吹又生，远芳侵古道，晴翠接荒城，又送王孙去，萋萋满别情。"第八首是李绅的《悯农》："锄禾日当午，汗滴禾下土；谁知盘中餐，粒粒皆辛苦！"我想一个多少能从这些诗句中感受到对落花这种最低级的生物的怜惜、对野草这种最卑微事物枯荣的关切以及对最普通的劳动者汗珠的珍惜的美好情愫的人，他是决计不可能对活泼泼的儿童的生命粗暴戕害的！

最后两首是李白的《朝发白帝城》："朝辞白帝彩云间，千里江陵一日还，两岸猿声啼不住，轻舟已过万重山！"贺知章的《回乡偶书》："少小离家老大回，乡音未改鬓毛衰，儿童相见不相识，笑问客从何处来？"一是把我们引到大自然的奇瑰怀抱中，一是将我们导入人世间最朴素的人情中，反复咏诵这样一些明白如话而又美不胜收的诗句，我们灵魂上纵有厚尘积垢，总也能涤出一角真善美来吧？

我想许多读者当会讶怪我何以如此常见的唐诗也要首首俱录，但这十首唐诗实

在是常诵常新，即使过录一遍，灵魂也总有一种难言的欣悦！倘有的读者连这十
首唐诗也不能逐一背诵或简直有的还是头一回读到，那么我恳求他们一定要把这
十首唐诗背诵下来，从一定意义上说，这十首唐诗凝聚着我们中华民族文化传统
中最值得珍惜和承袭的精华，并且也体现着我们中华民族对美的追求所达到的一
种全人类必须仰望的高度。工作太忙吗？事情太多吗？赚钱必须抓紧吗？唱卡拉
OK 搓麻"抓黑叉"跳迪斯科练气功求算命遛鸟养鱼喂猫饲狗再没有闲空吗？当
然！谁能强求谁呢？人们各自安排着属于自己的生活，但我仍要近乎痴憨地吁请
人们在纷忙的生活中读一点唐诗背一点唐诗品一点唐诗悟一点唐诗——不必太多，
以上十首足矣！

鼻文明

　　鲁迅先生 1924 年写出《论照相之类》一文，其中说到当时人们照相"多是全身，
旁边一张大茶几……几下一个痰盂，以表明这人的气管枝中有许多痰，总须陆续吐
出"。能"吐痰入盂"，已属文明行为。其实以盂承接，痰中的细菌病毒还是会蒸发扩散，
并非真正的卫生良策。要杜绝中国人中延续至今的随地吐痰现象，除了提高环保和
公德意识，提供方便安全的痰的处理手段，也是很重要的。

　　学会文明地处理自己的痰，可称为气管文明。痰的亲戚是涕。涕从鼻出，这回
打算专门探讨一下鼻文明。

　　中国人似乎痰涕产量偏高。这是否跟生态环境欠佳有关，这里不展开讨论。要
重点讨论的是，当一个人忽然觉得气管发痒或鼻中告急，他应该如何文明处置？随
地吐痰人们议论得已经很多，现在侧重说说鼻涕的处理。我之撰写此文，说实在的，
乃是刚从王府井购物归来，而约一小时前东安市场门口的一幕，触动了我心，回到

书桌前，实难平静——一位衣着体面、手拎饱满购物袋的男子，迎面而来，忽然驻步，用空着那只手的食指，按住一只鼻孔，微一偏头，呼的一声，另一只鼻孔里喷出"莲花"，说时迟，那时快，只见他食指灵巧位移，头又朝另一边微偏，这回是被"解放"的鼻孔猛喷"花瓣"，然后，他用那手抹抹鼻孔下面，又很麻利地将手指上的残涕就近抹在路灯柱上，事毕，意态悠然地继续行路。

如果这一幕是多年来罕见，倒也罢了。遗憾的是牵出一连串近期的不愉快回忆，类似这样的处理鼻涕的陋行，我所见到的，男女老少皆有，场合么，私人家里倒没有，但凡公共场所，街道、广场、绿地、公园、商场、车站……全遇到过，有一次一位"的哥"在等绿灯时，也摇开窗户如此这般。最古怪的是在公寓楼的电梯口外和楼梯上，也时常见到刚喷射出不久的痰涕。

昨天晚上看北京电视台迎奥运的节目，主题是如何杜绝随意横穿马路的陋习。这当然很有必要，但也颇觉赧颜——在世界上不少地方，按交通规则从斑马线过马路，实在已经是男女老少皆成习惯的行为方式，不会专门再拿到电视节目里郑重讨论。其实这类的问题，即使不从迎奥运的角度去考虑，也是值得重视的。那么，我提出关于鼻文明的话题，想来也不至于被讥为"太小儿科"。

有了鼻涕怎么处置？擤出来是不可免的。怎么擤？首先，一定要使用随身所带的手帕或纸巾，把涕液擤在其中而勿使其外泄，擤彻底后，再以手帕洁净部分或另取纸巾将鼻子揩净。擤完鼻涕的手帕要妥善装回衣裤兜，回家后要洗烫干净；用完的纸巾则一定要准确地丢进垃圾桶内。如果在自己擤鼻涕时身旁两米内有他人，则应尽量扭身或扭头回避，并注意声响尽量不要太大；倘是在社交活动现场，还应该在清理完鼻子后，对近在身边的人士道一声"对不起"。

以上这段文字，千万别视为"废话"。之所以还有不少国人随地吐痰擤鼻涕，就是不能认识到兹事体大，总觉得"管天管地管不了拉屎放屁"，当然更不应该去管吐痰擤鼻涕。有些人之所以身有陋习不愿改正，那是因为没有耻感。什么是文明？从某种意义上说，知耻即文明。知道随地大小便可耻，所以不那样做，是具有了如厕文明；知道随地吐痰可耻，则是具有了气管文明；知道随地擤鼻涕可耻，则是具有了鼻文明。有了必要的耻感，文明行为自然身随心动。

鼻文明也不光是杜绝乱擤鼻涕这一个方面。打喷嚏尽管有时候很难预料而且也较难及时掏出手帕纸巾掩住口鼻，但如果近旁有别的人，哪怕是亲人，也应该立刻将喷嚏的方向调整到背离旁人，并及时用手掌掩住口鼻，事后也道一声"对不起"。

鼻文明也要从娃娃抓起。挖鼻屎是一些孩子的坏习惯，如不及时加以纠正，会发展为一种不自觉的癖好，非但是不雅之相，更有碍健康。

胎儿在母腹中发育，五官中最早呈现的，是鼻，"鼻祖"一词来源于此。生命的感官既然肇始于鼻，我们养成文明习惯，也无妨从鼻文明做起。

牙文明

一位售楼小姐被辞退了。事情是这样的：那个黄金地段的公寓楼盘售价奇贵，来了个财大气粗的买主，据说是个外省的矿主，他也并不仔细地看沙盘模型与户型图，一张口就定了三套大单元，他投诉售楼小姐为他填单时眼神表情不对，有歧视他的味道，坚决要经理亲自接待，并提出他一次性付现金购房的前提是，马上开除那位售楼小姐。那位售楼小姐其实并没有歧视人家的意思，不仅绝不歧视，心里还非常羡慕，飘过脑际的思绪之一，就是怎么人家那么有钱，而自己究竟要奋斗到哪一天，才能在城郊买套小户型呢？但她承认，在接待过程里，她确实有嫌厌那买主的杂念，眼神表情泄露出了她内心的秘密，也是她该着倒霉。她为什么对那豪爽的财主忍不住反胃呢？说来倒也简单，就是那人的牙齿很脏。她当时飘过脑际的思绪之二，就是：您既然那么有钱，为什么不把自己的牙齿弄干净呢？

这里不探究类似大财主的财富是否干净，就算都是净财吧，怎么就不能富而思牙净呢？那位售楼小姐回忆，那天那位财主开来的是一辆名车，穿的一身名牌服装，可奇怪的就是放任自己的牙齿，脏得令她按捺不住惊诧与嫌厌。

那售楼小姐的遭遇，揭示出一个普遍性的问题，就是我们这个民族里有相当一部分人士，缺乏牙文明意识，因此当然也就不以脏牙为耻、为愧、为患、为害。如果是因为贫困没条件刷牙，或者因为某种特殊的病变无可奈何，倒也罢了，但往往是，主观上物质没困难，客观上条件全具备，就是自己没有求牙净的想法。

鲁迅先生1925年曾撰《从胡须说到牙齿》一文，他对中医理论中齿属肾、"牙损"原因是"阴亏"等说法很不以为然，他在牙文明方面是主张全盘西化的，而牙文明的第一要义就是搞好牙齿卫生。现在一些中国人既未承继"齿属肾"一类的民族理念，又未接受西方牙文明的基本精神，只对"食不厌精、脍不厌细"的八字传统乐此不疲，尽管西服革履却衔一只牙签在街上边剔牙边啐肉末，八十多年后再读鲁迅文章，真不禁感慨系之。

每天至少要刷两次牙齿，刷牙不要横向拉动，而应该采取用牙刷上下翻动清洗的科学方式；牙刷要及时更新，牙膏最好倒换使用不同品牌；要更正"牙痛不是病"的糊涂观念，牙病要及时医治，每个人最好要有自己固定的牙科医生；缺牙要及时补上，假牙要每天清洗；饭后剔牙要尽量以手掌遮蔽，不要随意啐吐从牙缝中剔出的残渣；剔牙应用洁净的牙签或牙线，不要用特意留长的小指的指甲伸进嘴里去掏剔，尤其不要用火柴棍代替牙签；在公共场所露齿应示人以洁……这些牙文明的意识，应该逐步深入经济高速发展的中国内地所有人士的心中。

附带说一下，就是我们这个民族的许多成员，喜欢嗑瓜籽，而且多半用门牙的一处地方来磕，因此许多人的门牙上都有一个凹缺。对于普通人来说，这当然不算什么太大的问题，但是，我们这边有相当一些演艺界的人士，也有嗑瓜籽的习惯，门牙上也出现了凹缺。对比于其他一些地区、一些民族的演艺人员，就算得是一种输文明、逊风骚的欠缺，特别是在银幕和荧屏上出现大特写时，所露门齿，嗑瓜籽形成的凹槽一目了然，令细心的观众败兴。我们常说应当像爱惜眼珠一样爱惜自己的声誉，其实无妨再加上这些问题，当然也有为迎奥运献计献策的意思，但又不尽然。国家面子固然要紧，让我们自己进入人类普适性的文明通则，过健康而有尊严的生活，才是最重要的。

不过，齿洁在诸多与面子相关的事体中，确实更加要紧。那位以炒售楼小姐魷鱼为前提的购房财主应该知道,就像一处地方的厕所的洁净程度是该处是否文明的有效标志一样,一个人的牙齿的洁净程度也就是此人是否文明的有效标志!

包房综合症

中国餐馆多设包房,原来港、澳、台比较多,如今内地包房尤多。包房餐聚,大圆桌,桌上大转盘,也是中华饮食文化的重要元素,值得有人去做一番东西方比较的学问。

西方一些很高档的餐馆,也未必设包房,我们从一些影视剧里可以看到那边很高雅的餐馆内部的景象,非常富有的顾客,也不过是选厅堂里一处车厢座,或一张前后左右都有其他食客的餐桌,坐下来,接过食谱酒单点餐。当然,如果聚餐的人士比较多,有的餐馆也备有包房,但数量一般不多,而且,其包房都一定要有窗,或更有阳台,是否通透明亮,以及是否能看见风景,是他们那边比对食物本身更重视的包房要素。但中国,尤其内地,豪华包房竟大都无窗,全靠空调机吹风换气,门一关,就成了十足的闷罐。缺氧,是中国内地包房的一大弊病,也是造成常在包房中消磨者身体损伤的首要因素。

明明闷罐式的包房里空气质量已经欠佳,但包房餐聚者里总有几人持续地吞云吐雾,不吸烟者的被动吸入量,甚至还会超过善于吐烟的烟客。包房伤肺。从包房出来的食客,往往连头发根、衣裳缝里全渍进了浓酽的焦油气息,而酒醉饭饱后又懒得洗澡,回到住处上床倒头便睡,生存状态看去富贵实际寒碜。

中国内地包房里的餐聚,最多的是两种,一种是公费消费,另一种是官员为客、商人埋单,前者用的是老百姓纳税的钱,后者会把费用计入成本到头来转嫁给终端消费者,总之,从未进过包房餮一句:应当像维护门齿一样维护自己的品格。

有的人可能又要嫌我小题大做,谈论过鼻文明,又絮叨起牙文明,是否还要陆续涉及到舌文明、耳文明、眼文明、指甲文明、脚板文明？……不一一论及了。举一可以反三。盼读者细思。议论这的老百姓，实际上是林林总总的餐馆包间中此类宴飨费用的间接供给者。正因如此，包房餐饮之奢靡浪费，多半是暴殄天物的景象。虽说中国内地的经济改革确实让国民普遍受益，以"朱门酒肉臭，路有冻死骨"来概括社会现象已不适用，但如果说"包房一餐费，平民半年薪"，那一点也不过分。包房伤肠胃，一些官员因此多患有糖尿病、痛风症，体态也因腹部脂肪堆积过多而臃肿，在主题为亲民，或展示带头植树一类的电视新闻镜头里，或与被慰勉的群众体型对比度过大而不雅，或虽也颇为认真却呈勉为其难之状。此类包房消费昭显制度缺陷，有碍社会公平。

因为终日包房宴饮，一些官员商人名流清客饫甘餍肥到百味不奇的地步，鲍翅燕窝生猛海鲜山珍异蔬早已吃腻，翻阅菜谱，总觉并无可食之物，餐馆于是投其所好，会口报谱外特备，诸如飞龙、蟒蛇、河豚等等，或为珍稀动物，或为禁售品种，于是这才略现霁颜，漱喉待嚼。包房危及环境保护，加速着珍稀物种的灭绝。

门一关，包房里一片喧哗，也是内地餐馆包房之常态。喉咙不仅用来吞咽，也用来发出高分贝音响。荤笑话是必有之下酒菜。逐个奉献黄段子，乐人悦己，已成时尚。时政笑话也是常备谈资，拿领导人开涮，本不稀奇，世界上不少地方皆然，何况在酒菜之间，但内地一些官员在会议上之正襟危坐、毕恭毕敬，与其在餐馆包间中之毫无立场、放肆佻达，对比度那样大，也堪称是社会转型期中的一大特色。包房伤耳，且滋养着病态的双重人格。

包房饮名酒，本来也平常，但内地包房里多有中国白酒与西洋威士忌等混饮的，还往往要再添鲜榨汁、苹果醋、优酸乳等软饮，吃海鲜偏点红葡萄酒，嚼羊腿又去喝白葡萄酒，更一阵阵地变换花样，或可乐兑 XO，或雪碧冲伏特加，既无饮食文化根据，更不顾忌其掺和到胃里会产生何种有害的化学变化，只管你敬我迎，或拼饮无度，或互设骗局。包房里貌似情深谊长，实际多为尔虞我诈。包房伤害正常人际，败坏淳朴民风。

仅仅是包房用餐，餐后回住处醉卧喷鼾，还算得是忠厚淳朴之辈，如今包房暴食暴饮之后，多半还要去洗浴中心，而且许多餐饮包房根本就和洗浴、按摩、KTV、夜总会、棋牌室等连通一体，傍晚进去，第二天午前方出来，期间声色之娱，更超肠胃之享。平民百姓多不清楚那些不同包房里的具体情形，但若说有人从那种包房里出来就被通知"双规"了，则丝毫不以为怪。包房生腐败，包房滋贪官。

包房综合征，号脉容易下药难。但是，我们一定先要有遏制它的认知与决心！

手机症候群

中国内地经济的起飞，也体现在手机的流行上，无需去引用那些统计数字，只要置身在内地的街头、车站等公共场所，目睹耳闻一番，就会感觉到手机普及率之高，在世界上绝对名列前茅。你会看到，不仅年轻人几乎是人手一机，老年人使用者也不少，就连有的民工，衣裳虽然不整，也在那里用手机跟什么人通话。这现象当然首先要赞一声好。

但内地手机使用者中，大喉咙的似乎过多。龙生九种，种种有别，人之嗓音的宽窄高低，更不可能划一，用手机通话，声调方式人各有别，本来不必评说。但经受得多了，就会发现，一些大声通话的人士，并非是客观环境不容其低声，也不是自身生理上有缺陷无法轻语，更不是手机质量与电讯网络的功能欠缺，而只是出于其心理需求，呈现出的是一种炫耀景观。中国内地人刚富裕不久，大多染了些暴发户的心理病毒，多有生怕别人不知道自己"发了"的露财欲望，在公众场合打手机，所言如涉及名利、地位、享受等值得自傲的内容，则其对话的声调与其说是在与接听者交流，莫若是在向周围那些"不想听也得听"的俗众宣传，一些人自我隐私保护意识淡薄，而夸张渲染自我乐趣的欲望浓酽，手机成了其虚荣心的载体。

手机实际是其使用者文明习惯的检测器。在明示必须关闭手机的场合，总有一些人硬是不遵守规定。中国内地一般民众出境游渐成潮流，这当然也是好事一桩，但在飞机里，总有那么几位中国旅客在飞机已经关舱准备起飞的时候，还偏在那里跟亲友熟人用手机通话，乘务员来近身制止，还觉得人家管得太严；尤其是在飞机抵达目的地，还在跑道上滑行，尚未停稳时，总有一些中国旅客离座起身去取行李，又总有几位忍不住打起手机来；揆其心理，一是没有科学知识，绝不相信电讯信号干扰会影响飞机安全、飞机未彻底停妥前还可能有险；二是缺乏对他人的尊重，一脸"我用我手机出了事我认头跟别人有啥关系"的颟顸表情。在演出场合，有的人士对限制手机的规定更是置若罔闻，交响乐的乐章之间，或话剧舞台上正演绎生离死别的紧要关头，会忽然响起哪位手机谐谑的彩铃声，有时更形成此起彼伏之势，台上吃惊，台下败兴，一粒"耗子屎"，弄坏一锅好粥。看来在普及手机的同时，加强对文明使用手机的宣传，也是当务之急。

中国内地有很大数量的手机，是公费付款。公务员以及公司人士，公费配备手机，或全额报销或给予固定话费，都可理解，而且有时用"公机"跟亲属通一下"私语"，只要不过分，也可视为一种连带性的福利，无可责备。但是，有的公务员，以及国企人士，用起自己不用花一分钱的手机来，那股子汪洋恣肆、毫不算计的劲头，实在是叹为观止。在某西方国家，我与一位国企人士同在一辆旅游大巴上，我是自费旅游，他的旅游票是否自购且不论，一路上几个小时，他用手机的全球通功能，一直在与他国内上初中的儿子通电话，他竟在电话里一道一道地帮儿子解几何题，其间有插入的笑语，有很长的供儿子那边"再想一想"的停顿，我内心里忍无可忍，到头来也还是忍了，没有给他提出意见，我想那绝不可能是他自费通话，一定全由公司埋单，如果那公司是他自己家的，他怕是舍不得那样地使用手机的！中国内地最严重的"手机病"，其实是这一种啊！

"单滚"还是"双滚"?

十多年前,北京人的"逛"主要落实在公园上;七八年前,"逛"的乐趣又添上了"庙会";如今,则又时兴上了"逛购物中心"。举凡燕莎、赛特、华威、蓝岛、城乡、贵友、长安、复兴、北辰、隆福……虽说不一定都叫"购物中心",可大多数北京人提起往这些处所,都习惯说"去购物中心",这些地方的高档商品比较多,有的甚至只偏重于售卖中高档或纯高档的商品,人们不一定都有很高的购买力,去那里也不一定都有定向的购买意图,往往去了也不一定购出什么东西来,但仅止是进去细细地逛一逛,也还是挺有乐子的,因为那些场所都有"高于生活"的"艺术性",置身其间,恍若到了国外,至少是暂时到了香港,买不起瞧得起,可以一边嗑牙花子埋怨某些名牌精品、极品"贵得没个道理",一边却也心中沾沾自喜——赶明儿那些出过国闻过洋荤的主儿,甭老跟咱们说嘴,世界上最发达最时髦的商业文化,它那花花绿绿、稀奇古怪的面目,咱北京人往这些个购物中心一逛,也就基本上"门儿清"!还有一些北京人,外地来了初次进京的亲友,除了陪着去故宫、长城等名胜古迹,把带他们逛新起的购物中心也当作了一个重要的节目;一起在里面转悠时,外地亲友越发喟叹,北京人便越面有德色,很为自己让人开了眼而自豪。

原来在北京排第一位的北京百货大楼,还有前门外的大栅栏商业街,虽也在不断改进店堂面貌,却已远不是北京人的骄傲,在其中"逛"的乐趣更等而下之。一位中年妇女,星期天要去"逛购物中心",她把百货大楼断然排除在外,问她为什么,她说:"那楼里没滚梯!"她又排除了几个新的购物中心,再问为什么,她说:"那儿只有单滚,没有双滚!"我开头没明白,听她一解释,原来"单滚"指的是那里面虽设有滚梯,却只开向上的"单行线",凡往下的,都停开,那显然是经营者想省电,或者是因为中国人苦惯了,所以觉得"下楼还不自己走走!"结果,她选了一处"双滚"——即电梯上下行都开动——的地方逛去了。别看她并非定向购物,去那种地方逛,一般即使不打算买东西的主儿,他或她(更多是"他俩"和"瞧这一家子")钱包里总揣着几张大票子,在里头逛累了,在休息角或快餐厅喝点吃点那是必然的,而且，大多数情况下，他们钱包里的"游资"，也就在那"逛"当中，不知不觉地至少是部分投入了购物中心的收款台里。

有电梯而仍实行"单滚制"的购物场所，实在应想得开点，你省的那点电，兴许还不如所失去的"游资"多，需知北京如今的许多消费者讲究"哪儿舒服哪儿逛去"，他们很可能还没动身前往就先问：那儿是"单滚"还是"双滚"？

"读青"与"观冷"

有人在阅读文学作品上给自己限定为：不读"时文"，不读"生文"，不读"青文"，也就是说对时下流行的、署名生疏的、青年人的作品，都不读。他们愿在经典的、熟悉的、老辣的手笔中去获得有把握的享受。这种阅读习惯并不坏。甚至于，应说是一种颇为高雅的阅读习惯。

我呢，也许是因为当过教师，当过编辑，现在又还热衷于写新作品，所以，在阅读上，便不但不拒绝"时文"、"生文"、"青文"，而且，有时候还会生出很高的兴致来。的确，时髦的东西往往徒有其名、徒有其表，不坚实，不耐久，甚至难免假冒伪劣，"时文"也不例外，有的当时读着还算有味，有的不等卒读便大感败兴，有时掷下后不禁痛感"瞎耽误工夫"，但是，以我个人的阅读经验而论，阅读"时文"，特别是其中偶尔遇到的生疏署名的、青年作者的作品，往往会有意外的收获；我们常说"时代的脉搏"，"读青"就常能使我们鲜活地感受到这个脉搏，更准确地说，也许那还不是能代表整个时代的脉搏，或并非主脉搏，有的甚至是病脉，却都是有益于我们感受、认知我们所身处的大人文环境的。就从文学的发展来说，经典文本固然是永可激励我们的参天大树，不过我们不能总从回望中去获得启示，我们既然身处当代文学的森林之中，那么，即便林中尚无巍峨巨树，或虽有而无多，我们也无妨赏一赏新苗青芽，并从相互的鼓励呵护中，去促使我们这个时代的文学群落的一天天蓊郁滋润。

因为有很多报刊编辑将他们的刊物报纸寄赠给我，所以我读"时文"、"生文"、"青文"的机会格外多。比如说，最近我就连读了邱华栋的两篇小说。邱华栋才二十多岁，虽已发表过不少作品，也出了不止一本书，却似乎还没有引起批评家们的注意，在读者中似乎也还没有名气；当然，因为他替所先后供职的刊物与报纸副刊跟我约稿，我们认识，稿件上有来往，因此他于我算不上"生人"，可是读他的作品，于我来说确实是"读青"，因为按市俗的逻辑，我虽给他所工作的报纸副刊撰稿，可是我读不读他写的东西，读了说不说好话，都不会进入我与他们报纸的功利性考虑之中。然而我在毫无功利意识的松弛状态中读了他的作品，比如发表在《北京文学》今年第十期上的那篇《眼睛的盛宴》，却觉得颇为有趣，并且有话可说——而且首先是好话。我以为，从他的小说里，可以窥见某些九十年代大都会青年的生存状态与内心的挣扎，他们在物欲的狂潮中沉沦，却又在良知的浮力中上蹿，这倒也不算多么新颖深刻的内涵，难得的是他的文本中充满了真实而细腻的拼贴式细节与当代青年俚语的杂碎，这对大体上是关起门来过日子的中、老年人来说，读一读是实在不无裨益的。当然，同许多"青文"一样，这篇小说也显示出，其文本依托，或说叙述策略的因袭，过于露骨，我是一边读便感到有种"似曾相识"的感觉——是的，让我马上便想到了美国那位塞林格，更具体地来说，是中国已故翻译家施咸荣所译的《麦田守卫者》的译文风格；既然有自己真实浓稠的生命体验，那何必借用那个叙述策略到那种摹拟的地步呢？这也许便是不成熟吧？我想，哪一天邱华栋在坚持从自己真实的生命体验出发的前提下，从多方借鉴中创造出属于他自己的叙述策略，那他就更可能"成事儿"了。在这样的"读青"过程中，因为有对小说叙述策略的思考，不消说，那就对我自己写小说，也带来了推动力。

再说"观冷"。以看电视为例，多数的人，是"观热"，或习惯于守候在"黄金时间"，或热衷于观看众口相传、宣传火爆的节目，我呢，因为每日作息时间与大多数人相忤，我看电视的"黄金时间"，往往竟是晚上二十三点至零点左右，这正是我写作中"打歇"的空档，这时播放的热门节目不多，有的电视剧，偶然遭遇，既未听别人提起过，其它传媒亦对之鼓吹乏力，我本着自己的审美情趣，有时却颇有小径惊艳之喜。比如前些天在深夜中看了一部电视连续剧《一路黄昏》，没看到最开头，却一下子被抓住了，后来几天一路跟这剧"黄昏"下去，依我私心评价，相当不错。这部戏的总架构，立足于人性探索，涉及情欲、性欲、占有欲与同情心、蒙昧与良知、个体生存与群体依存的双重困境，虽然毛病不少，例如落点的游移（又想摆脱社会剧的陈套，又不禁时落窠臼），节奏的失谐（有时太拖，有时又"毋乃太匆匆"），细节的失真，氛围渲染的薄弱，等等，但因为提供了好几个新颖的荧屏形象，并有相当多的精彩片段，所以，我认为其审美价值，可能超过了不少的热门连续剧。难得的是演员们的表演都很到位，不仅岳红和孙飞虎这样的大牌明星塑造出了具有鲜明个性的形象，别的演员，包括一些配角，也都把人物扮演得面目清晰可信。我特别想提出赵小锐的表演。这个演员，我在《一个和八个》等电影中看到过，恕我直言，以往他似乎只是个"大只"道具——所谓"大只"，是香港人对史泰龙、施莱辛格等类型演员的俗称——而在这部戏里，他很细腻准确地塑造出了一个在特殊境域中，徒有强壮的肉体，其感情却被强暴的男人的悲剧，这一角色与《骆驼祥子》中的"祥子"很容易混淆，并且不容易演出深度，可是我以为赵小锐却把他所饰演的"傻哥"与"祥子"严格地区别了开来，他演得很有层次，也多少具有一些深度——揭橥出个体生存中，强迫性的爱有时比恨更具压迫性，而所谓阴柔与阳刚，是多么地容易错位：灵与肉的错位，两性间的错位，为避免这种错位人们需要付出多么大的代价！我不知道有没有更多的导演注意到这位至今仍不大知名的演员身上所存在的表演潜力。不是有"如今是丑星走红的时代"一说吗？他也够"丑"的，也许，这正是他能以跃入红星行列的"本钱"，不过，得抓紧时机，因为一切都在变动之中，一个时期的审美时尚更是如此。

我的"读青"与"观冷"，自然纯属个人的习惯，上面所举的例子，恐怕更是个人在当代文化海洋中管窥蠡测生出的偏爱与奇想，不过，我期盼遇到同好者，并且，我以为，报刊上登登我们这种对热点扫描不到的创作之即兴式漫评，对繁荣当代文学艺术创作，也许倒是一种"良性的填充物"。

1994 年 10 月 17 日

"快餐" "小吃" 两瓣蹄

西式快餐馆大摇大摆地进入了北京城，并浸润着北京人特别是青少年的日常生活，于是有不少人发出了惊叹和呼吁："中国是世界上烹调术最发达的国家，为什么非引进那么多的洋快餐呢？为什么不大力发展中式快餐呢？"

"快餐"是工业化社会的产物，而且其大本营是历史最短、本身烹调术最不发达的美国，不仅"汉堡包"并非德国汉堡港的传统食品，必胜客的比萨饼既非意大利字号也离真正的意大利风味有了相当的距离，举凡肯德基炸鸡、麦当劳汉堡包、必胜客比萨饼都是美国人搞出来的东西，这些快餐食品虽然遭到世界上许多人（包括不少美国人）的诟病，却已几乎传播到了世界上绝大多数国家和地区。

上述快餐，它们的首要特点，并不是"快"，因为如北京随处可见的烤白薯、摊煎饼，都并不慢，却还不能引出"快餐感"来。快餐的首要特点是工业化生产方式，以及随之配套的工业化服务方式——半自助式托盘运送、电脑收款机、化工合成材料的桌椅……特别是从标识到外观都一个模式的连锁店，它是按固定的设计、配伍与不能太复杂的品种组合，从流水线上生产出来的"一体化"食品，其内在品质是以足够的算计得很精确的营养和热量为标准的。在"后工业社会"中，因为世界市场趋于一体，所以商品也趋于国际制式和衡量标准的划一，因此在公众消费品的流行中，历史感、民俗感、地域感、手工感都开始消弭，具有以上几个特点的商品反成了少数有品位的高消费者的享受。

常有人主张，把北京丰富多彩的小吃化为肯德基、麦当劳式的"京味快餐"，也有若干这类的实践，但获得大成功的例子，却非常之少。一是虽也用了西式快餐的店堂或售卖方式，生意却总不如肯德基、麦当劳那样充满了"慕名客"和"回头客"，顾客吃它们，也只不过是"打打遭遇战"而已，很少有人产生吃"文化"的特殊快感；一是如西四"小吃街"那样的卖法，也可能确实"快"，当然更比美式快餐花样多而可口，但顾客去吃，还是缺乏进肯德基、麦当劳那样的心理。究其底里，就是因为北京小吃（也包括其它地方的中国小吃），基本上是手工业制品，与其配套的也是手工业式的销售和享用手段,中式小吃不但不以"一体化"为其标志,而且,恰恰相反,同一品类,也是以越与众不同越算特色,在吃中式小吃时顾客们总免不了在桌面上掉些汤汁屑粒,一般服务上也不能作到随时擦抹桌面清除碗碟,这些细节,都说明"快餐"和"小吃"实在是"牛蹄子两瓣子"。

当然,也不是不可以开创和推广中式的快餐,但那思路不应是简单地把小吃横移,现在北京有"美国加州牛肉面"和"中国荣华鸡",就都是把突破点放在了以"工业化"手段制作"定式"食品的坐标系上,前者还是美籍华人的发明,后者才是中国大陆的新创造,不过又是上海人的成绩,北京人在开创京式快餐上,那真是"尚未成功,还需努力"!

"廊桥"尺寸好畅销

最近常有人问我同一个问题:"你看过《廊桥遗梦》了吗?"我总是老老实实地回答:"未能免俗,看过了;而且,是从街上书摊买的,花了五六元,薄薄一本,里面大量错字,显然是个盗印本;不过,这种畅销书,翻翻而已,我也不打算再买正版了……"又有人总接着问:"你觉得怎么样?"我就总是说:"要想制作畅销书,这本书倒是个挺好的样板。"

是的,这本书写的是婚外恋,如果你把婚外恋肯定、歌颂到无所顾忌的地步,那么,你会同主流社会的道德心理产生疏离,你的书可能会在比较新潮的社会群体中流行,却会为有主流道德感的人士所鄙夷,你的书覆盖不到这部分人,那也就不能算十分畅销。但《廊桥》这本书虽写了婚外恋,却,一、把故事背景放在远离主流社会的边缘地带;二、男女主人公的婚外情欲只实际存在了四天;三、这是最主要的,男女主人公虽然爱得死去活来并上了床,却克制住了一起私奔的冲动,女主人公更维护了原有的家庭，将贤妻良母的面目一直保持到夫死己亡。量出这样的分寸，自然可以令各种各样的读者都可以心平气和地读这本书。

此外，这本书写了性。如果放肆地写性，也不一定就非常畅销，也是容易令主流社会排拒。但这本书写性却更是量准了尺寸：对于肚脐眼以上，如女方乳房、男方腹肌，以及嘴唇互啃，还有大腿跟以下，如女方的小腿、脚脖子的性感，都撒开了写，大大满足了最多数读者的阅读心理；对于肚脐眼与大腿跟之间的部位，却讳莫如深，这就使此书虽艳情却毫不下流，因此从最俗的读者到雅的读者，都可接受。这样的写法不畅销，哪样写畅销？

再，此书译成中文，才八万字，非常适合繁忙的当代人的阅读心理量，而且，写这本书的美国人罗伯特·詹姆斯·沃勒生怕就这么个字数，当代读者仍可能不耐烦，他便将这本来不长的故事，再拆零写出，你就是懒得全读，只读其中一章，也能获得一些乐趣，这也是此书得以畅销的一大因素。加以，作者本是个摄影记者，他将故事发生地点坐得实实的，明明是虚构，读来却仿佛全盘记实，又在书前用了"为天下远游客"的"献辞"，这就又跟旅游业挂上了钩，再不畅销，"是无天理"！

当然，此书译本在中国畅销，那又是因为，这是本美国的畅销书，在中国大多数人心目当中，美国文化是最值得注意的，想必比如说孟加拉、喀麦隆那样的国家也有著名作家著名小说畅销书，可是如果有人翻译介绍，这边的出版社有多高的出版热情？又有多少读者愿意花钱买来读？即使印出来上了市，有可能卖到几十万册么？

我把以上看法讲给几位提问者听后，他们又问我："你既然对如何制作畅销书这么样地门儿清，那么，你是不是也打算制作出几本来呢？"我的回答是："至少到目前为止，畅销仍不是我写作的首要动力，甚至于，我写时只由着自己兴致，写完了能出版就很高兴，当然，如果竟然畅销，我会喜出望外。"

1995 年 8 月 17 日绿叶居

把握出入"追光"的主动权

人是社会动物，无可逭逃于社会交往，因此不得不经常置身于他人的目光之下。但他人的目光一般不至于"聚焦"于你，更不至于如舞台上的"追光"般，强烈地投射在你的身上，并随着你的移动而移动。一般来说，在人际中完全不引人注目，乃至于他人对近在身旁的你竟视而不见，会挫伤你的自尊心，产生出自卑艾怨的心理；但若在人际中过分招惹他人注目，乃至于他人对你的一举一动都"追光"般搜索逼盯，那也同样会挫伤你的自尊，使你烦躁难耐。因此，把握好进出他人"追光"的主动权，便成为人际交往中很重要的一个课题了。

一位女士加盟于一家公司，她算是有些自知之明的人，懂得该公司雇员中藏龙卧虎，自己虽经总裁亲自考核录用，也确信颇有不仅胜任，并且得以超常发挥，一展才能的实力，所以到职以后，在与同仁相处时尽量谦和谨慎，低调进取，长远打算。可是一天她在如厕时，坐在关闭的恭位上，却分明听到另外三位暂到同一洗手间中整妆小憩的同仁，议论起她来，虽非恶意，却颇刻薄，令她既尴尬又迷惘。事后她反思：同期被公司录用的不止我一人，我应是最愿躲避"追光"的，怎么到头来，他人的目光还是"聚焦"于我，并有点穷追不舍的味道？

她所听到的背后议论她的闲言碎语，其中有一个"主题"，便是关于她几乎每天戴在颈上的项链。该公司像她那个年龄段的女士鲜有不戴项链的，而且质地样式可谓百花齐放，这本是不该成为一个热门话题的。但她那项链确实太特别了一点——是用银铜铁锡四种异形珠串联而成的。那是她祖母遗传给她的，为何其中没有金？不凑足"五行"？其中隐含着家族的私密，是不应也不必告知他人的。她本以为谨言慎行便可逃离他人的"追光"，哪晓得一串项链却使她成为了若干同仁背后议论、猜测，并且当面也时不时生出多余话语，意在旁敲侧击，以求一解的"追光中角色"。倘若这些同仁仅止是关注她那串项链倒也罢了，但引入"追光"的虽是项链，一旦成为了"追光中的角色"，那你可是纤毫毕露，你的所有优点和弱点、缺点，便无可避免地都要凸现出来，以至达到"触目惊心"的地步。这样就终于导致了某一天总裁约她谈话，总裁丝毫没有提及她的私人项链，可是提醒她凡事不要过于自信，毕竟现代化的企业讲究的是同仁间的协作。

这位女士决定设法退出她不需要的"追光"。她的办法不是从此再不戴那项链，而是一改过去的拘谨与矜持，与同仁们不仅在工作上紧密配合，在休息时也尽可能与她们欢谈嬉笑；她当然不向他人讲明那项链中包含的隐私，但若有同仁问起，她便坦然地将项链取下来让其欣赏，有时还用之在该人衣服上比试，讨论其色彩情调是否谐调。这样项链和她本人便都渐失神秘感，"追光"圈也便渐渐离开了她。当有一天她将那祖传项链珍藏，换戴了另外的项链上班时，竟几乎没有任何人在意。她心中暗喜。

不想要的"追光"，是摆脱掉了。但人在事业精进中，有时也还需要"追光"。你的成绩，你的才智，你的创见，倘对社会有益，总被忽视，也不是个事儿；"只问耕耘，不问收获"，是指你在奋进的过程里要尽量摆脱急功近利的取巧心理，应当多下苦工夫，殚精竭虑，宵衣旰食，不惜流汗掉肉，乃至于呕心沥血；不是说在收获季节到来时，你真的舍弃那些丰收的果实，把它们视为敝履粪土——那就不仅矫情，简直是有病了！

还讲那位女士的故事。他们公司上马了一个新的大项目，她所在的那个部门承担着新管理方案的开发，同仁们提出了若干个方案，她也设计了一个。在总裁主持的可行性研究会议上，各方案设计者各显其能，各展其优，但很长时间，都形不成"聚焦"，更无从构成"追光"。她先不动声色，静听他人方案，轮到她展示自己方案时，她拿出的不是一摞文件，而是一盘录相带；原来，她事先精心地将其方案制作成了生动活泼的感性图解；这样，"嗯啦"一下，她便成了"聚焦点"，录像放完，有掌声，亦有质疑声，"追光"罩身；这正是她想要的"追光"……

我们每个人的具体处境当然各不相同，但我们既在人际之中，便既应善于退出不必要的"追光"，也应善于进入必要的"追光"，也就是要把握出入"追光"的主动权。

痴 迷

萧军、骆宾基、端木蕻良这三位与萧红在不同时期有着亲密关系的作家相继辞世了。从八〇年到八六年，我有幸能和上述三位前辈作家"一个锅里吃饭"（同属北京市文联的专业作家），我发现尽管他们三人之间存在着这样那样的分歧，但一提及萧红，那推崇与钟情的程度，都高得不能再高。我生也晚，对萧红，以及与她同时代活跃于文坛的"东北作家群"，知之甚少，读作品也不多。但对萧红的研究，对三四十年代"东北作家群"的研究，不仅在国内是现代文学研究中的一门"显学"，在海外也有若干学者为之呕心沥血，著述甚精。美国的葛浩文（Howard Goldblatt），便是一位这样的学者。最近我又重读他九年前赠我的《萧红评传》（北方文艺出版社出版）与《弄斧集》（台湾学英文化公司印行），感慨良多。

葛浩文是西洋人中，不仅能读中国书，说中国话，而且能用中文写作的佼佼者之一。这里所说的写作，不是一般地写写信函便笺，或在课堂上写写文通字顺的"作文"，而是写出够发表水平的"文章"——也不仅是学术论文，还包括比如说散文这样的创作；在基本上全是直接用中文写成的《弄斧集》中，便有一篇《"黑"莲花的故事》，是写人的散文，结构上近似短篇小说，相当有感染力。

从七十年代初开始，葛浩文便开始以萧红的生平创作为其研究的课题，并以此写成论文，获印地安那大学东亚语文系博士学位。此作后经增订，于 1976 年以《萧红》为书名出英文版，1979 年在香港、1980 年在台北、1985 年在哈尔滨出了中文版，书名均作《萧红评传》。他 1977 年在旧金山赠我哈版《萧红评传》，我未归国时便读了，临同他告别时，我笑对他说："看来你也爱上萧红了！"他竟并不否认，满脸显示着愉快。

萧红 1911 年生于黑龙江省呼兰镇，1942 年逝于香港，在世仅三十年多一点。她的文学创作，如从 1933 年与萧军遇合自费出版合集《跋涉》开始，也就十年的样子，遗下的文字总数不能算多，但她的《呼兰河传》等篇章足为传世之作，其名将稳定地跻身于中国乃至世界文坛巨匠之林，对此看来争议不会太大。

这回重读葛浩文的这两本书，我有了新的心得。原来，我觉得葛浩文对他的研究对象,是"走火入魔",融入了太多的主观情感,学术见地上,是否会因缺乏必要的冷静而偏离客观、公正?但再细读他的著述,我感到他无论在史料的耙剔、疑点的探究、评析的尺度上,都堪称不殚精微、实是求是,笼罩全书的,主要是严谨的学理氛围。但他这一学术课题的研究成果,读来确实又有独特之处,那便是因全身心投入,所融入的一派痴迷。

在《弄斧集》中,有 1880 年葛浩文在广州银河公墓萧红墓前的一张照片。萧红逝后骨灰原葬香港浅水湾,1957 年才迁葬于广州。这张照片上,葛浩文的身姿表情很不一般,他在当年所写的《访萧红故里、墓地始末》一文中,前详后略。写到谒墓,他说:"我在墓前站了差不多一二十分钟,没说什么话(当时也想起萧红在 1937 年头次站在鲁迅墓前的情况)。最后拍了几张相,轻轻地行了几礼,就离开了银河公墓,渐渐地恢复了神智。"这是多么真挚、深切的痴迷!但又是智者的痴迷:尽在不言中,魂魄充电,境界提升。

葛浩文撰写《萧红评传》,"有好几个月的时间,萧红的一生不断回绕在我脑海中。写到这位悲剧人物的后期时,我发现自己越来越不安,萧红所受的痛苦在我的感觉上也越来越真实,我写到她从一家医院转到香港临时红十字会医院,我只需写下最后一行,便可加上简短的附录和我的结论。但是我写不下去——那一刻,我已在不知不觉中抛开了过去我所接受的以客观、理智态度从事学术研究的训练,不知怎么的,我竟然觉得如果我不写这最后一行,萧红就可以不死。"这说明立传者与传主之间,已融合为了一种如痴如幻的关系。这是一种美好的关系,动人的关系。但毕竟感情不能取代学术,必须痴极而返,钻得进去也跳得出来,于是,"我放下笔,走出办公室,以散步来平复激动的心情,一小时后,我回到办公室,很快写下那'不幸'的一行:1942 年 1 月 22 日十一点,萧红终以喉瘤炎、肺病及虚弱等症逝世……"如今我再三咀嚼葛浩文在《萧红评传》中文版序里所写下的这段自白,有所领悟:无论作学问还是搞创作,痴迷都是一种好境界——当然,得以钻得进又跳得出为前提。于是又联想到十几年前在日本所见到的日本女作家泽地久枝,她为写中国抗日志士杨靖宇的传记,数次到中国东北实地考察访问,最后她坦言对杨由敬而崇而爱,也真痴迷得可以。这类例子,细想古今中外还有许多,老托尔斯泰之写《复活》,陈寅恪先生之研究柳如是，都有与笔下主人翁"神融"的表现。

当然，这种痴迷式的研究创作方式，只是多元的著述方式中的一种，而且，恐怕会被一些人视为"古典"方式。不管怎么说，作正经事而痴迷，至少是一种可贵的敬业精神；而为真善美的事物痴迷，则总会使灵魂获得升华。

1996 年 11 月 1 日绿叶居

大红大绿

大红大绿一度几乎成为了"俗不可耐"的同义语。特别是在服饰上，城里人总认为穿得大红大绿是"土里土气"。的确，即使是现在已然富裕很多的农村，村姑村妇们往往还是乐于穿红着绿，以增强生活的色彩，并凸现出自我的"花朵化"。现在跟农村姑娘们大谈"黑白灰三色是最雅的颜色"，显然为时尚早。

在自然界里，大红大绿本是最艳丽的色彩。"千里莺啼绿映红"，"万绿丛中一点红"，自古以来，在诗人们笔下，红绿相配得宜，往往是最佳的胜景。但人类进入工业化社会以后，特别是超级大都会越来越多以后，在妇女服饰的流变中，似乎形成了一种越来越超自然的审美观，那就是，认为直接使用自然的原色，特别是正红与正绿，应特别慎重；而最好是使用中间过渡色，比如即使用红色，也少用大红而选用浅红、桔红、紫红、玫瑰红、火鹤红……使用绿色则取嫩绿、荷绿、墨绿、橄榄绿、鹦鹉绿……另外就是特别钟情于黑、白、灰三色，因为现代化大都会中，身外的色彩已然十分丰富，甚至达到花团锦簇、光怪陆离的地步，所以便不求自己成为一朵游动的花，而希望自己更多地显示为一个具有理性的人——所谓"白领丽人"，尤其如此，她们讲究自尊、品味、雅致、情调、韵味，很怕别人视自己的穿着打扮为轻佻、庸俗、粗鄙、浅薄、乏味。

有一个现象不知大家细想过没有:到目前为止,进入家庭的彩电、音响等电器,一般都是黑色,虽然外部形态不断地改进,其色彩却基本上固守深黑;也有产家曾把彩电的外壳制成深红色或其它艳丽的色彩,但销售上总是大大不如深黑色那么受欢迎,为保险起见,现在已经很少有产家把非黑色外壳的彩电拿来上市了。这是为什么?这里就有一个"都市审美心理"问题,都市人对艳丽的色泽已不以为奇,尤其是彩电本身,它的荧屏就是一个发射鲜艳十三彩的器物,因此,都市人反而产生出一种超自然的审美需求,彩电外壳的深黑模式,满足着都市人"享有高科技工业化人造物"的心理需求,估计这种模式还将持续相当一段时间。都市人在服饰色彩上的追求,虽不可与彩电完全等同,但其中确实隐含着某些共同的心理潜因。

当然,任何事情都不是绝对的。大红和大绿,在都市人的服饰选择中,也仍然属于可选范畴。一般来说,除非刻意"民俗"一下,才将大红与大绿相配外,城市妇女在服饰上对大红的使用,多半是:或者一红到底,从帽子到衣裳到鞋子以及挎包全是艳红;或者采取"永恒的主题——红与黑"。的确,艳红与深黑的配合,是俗妇很少想得到,而雅女士经久不衰的一种选择。至于大绿的使用,雅致化的手段很少采用"全盘绿化",其要诀也是第一与黑色相配,第二与鹅黄或灰色相配。

说到底,服饰的选择,最终要听命于你自己的个性需求。倘若你个人偏认为花红柳绿的服饰最适合于你,那就无妨兴致勃勃地穿戴上,"妹妹,你大胆地往前走哇!"

二十年后又是一条好汉?

人类终于走到了这一步:利用生物工程的克隆技术,复制出了"多利羊"。

英国的"多利羊"一出,许多国家的科学家也相继公布了自己在克隆技术方面的成果,比如美国称克隆出了猴,中国的大陆与台湾分别称克隆出了兔、羊、牛、猪,最惊心动魄的是比利时有人称"无意中"克隆出了一个男婴！当然,仔细看这些消息,我弄明白,"多利羊"以外的这些克隆物,虽也属无性繁殖,但毕竟是先要有一个精子与卵子结合,然后再想办法用人工技术使这一个受精卵变成两个或两个以上,那派生出来的复制品,虽与原始的受精卵有着同样的基因,不仅外貌一模一样,气质性格等等方面,也都相同,但这些复制品,毕竟既同父也同母,等于是同一父母生出的双胞或多胞胎,因此他们或她们在辈分上,还不至产生出严重的伦常问题。但"多利羊"就不一样了,这只羊的产生与任何雄性羊的精子都没有关系,它是从一只母羊的乳腺细胞生发出来的,当然,那克隆的过程中,还要借助于一个抽空了细胞质只剩细胞壁的卵子,并需借另一母羊的子宫发育,不过,它的实质,是那提供乳腺细胞的母羊的复制品,它不是那只母羊卵子受孕的产物,因此不能说是其女儿,但它落生后又还需从小长大,因此在年龄上与其"原版"又有差距,按年龄算它似乎不叫那"原版""妈咪"也得呼"阿姨",但它实际上与"原版"是一个"辈分",却也不能说是姊妹……"多利羊"的出现,带来了一个严重的伦常问题。

还不仅仅是伦常问题。以往我们说双胞胎或多胞胎长得像,其实那是以肉眼为标准;仔细鉴别,他们的差别是一定存在的,首先指纹肯定不一样。人类的有性繁殖,哪怕是体外受精、试管婴儿,其最大的特点,便是在遗传的同时,必有变异,因此在此刻以前的世界上,最起码每一人的指纹是绝对独特的,这也是为什么人类不但可以把自己的指纹作为个人的密码或签约的凭据,而且人类中的执法机构可以根据法医与指纹鉴定专家的鉴定,来作为法律上裁决的强硬依据。当然,绝不仅仅是指纹,每一个人之所以是他或她自己而不是别的人,都是因为他必有与人不同之处,哪怕是双胞胎甚至连体人,都一定是独特的,这种独一无二的特质,是人的尊严所在,也是人权观点的最原始的出发点。然而一旦人可以克隆,人之所以具有尊严,所以有独一无二的生存权与发展权,以及人类社会发展到今天,全部文明积累的意义,便都受到严重的挑战,乃至会因此而溃毁。

现在若干人士,特别是有的科学家站出来说,"多利羊"虽然诞生了,但是要克隆出人来,那可不是一件简单的事,离真的出现克隆人,还远着呢！何必惊惶！但是从我看到的资料来看,只要有充分的经费,提供必要的条件,实现对人的克隆实在是指日可待的事。当然,现在美国、德国、日本等国的政府或政要都已明确表态,不支持对克隆人的研究,不允许用政府的资金来搞这方面的研究。但当前的世界,气粗的往往并不是政府与政要,而是财团与财主,如果有的财团与财主暗中出钱支持克隆人的研究,你政府与政要又其奈他何!有人说,这事要立法,用法律手段禁止克隆人。可是哪一个国家的法律能完全干净地消除违法行为呢?贩卖毒品,全球各国法律无不禁止,并严惩不贷,彻底禁止住了吗?克隆人这件事,也难说世界上每一个国家的政府或政要都反对,要是有个别政权,它从它的看法和需要出发,给予克隆人的研究,乃至于批量克隆人的企业化生产,以支持、鼓励,你怎么办?难道你去"干涉内政"?更何况即使你搞了个国际公约,也可能有的国不签署,或表面签署,暗中还是克隆人。一些发达国家有钱,在他本国搞克隆人不行,他可以拿钱买路,到不发达的国家去克隆人;有的不发达国家法制很不健全,纵使立了法不许克隆人,但你怎能把贪婪的官员统统管束住,他就很可能收了高额贿赂,暗中让外面的人进到他的地面上搞克隆人的勾当。实在不是我这人生性悲观。我觉得克隆人的事情要不了多久,一定会发生的。

当然,现在对克隆技术说好话的人不少。这是科学技术的重大进步嘛!尤其搞生物工程的科学家们,当中有不少人很为他们的英国同行骄傲。有的把克隆技术与核子技术相提并论。我以为克隆技术是不能与核子技术相提并论的。核子技术产生出了原子弹、氢弹、中子弹等等可以毁灭人类的核武器,但那些武器对人类的威胁,只是消灭人的肉体,使个体生命死于"非命";而克隆人的技术一旦出现,会从根本上扭曲人之所以叫做人的道理,使人类产生大紊乱,这比从肉体上消灭人类更恐怖,尤其对具体的个体生命而言,是对其尊严的亵渎,是远比"惨死"更悲哀的事。

"科学技术的每一次进步,对人类而言都是一柄双刃剑。"这是在"多利羊"诞生后出现频率最高的一句话。克隆技术对人类的好处我能懂。比如可以不必再像以往那样费时费力地搞优良牲畜的培植,可以拿已然被证明是优良的牲畜,飞快地加以大量克隆便了。还可以用来挽救濒临灭绝的珍稀动物。另外可以利用这一技术研制若干新药,治愈若干现在被视为是难治或近乎绝症的疾病,等等。可是,也有些人举出的"克隆技术有益于人类"的例子,令我惶惑,比如说为了使某人一旦某个脏器出了毛病时，得以迅速获得一个绝对不会产生排异性的好脏器，加以移植，便可以"有备无患"地先克隆出一个"他"或"她"来，细心养大，加以豢养；那么，我要问，克隆出的人有没有基本人权？他们享不享有属于他们自己的人生？怎么一旦你要换脏器，就要"他"或"她"来作奉献？你把"他"或"她"的脏器切走了，"他"或"她"岂不就得死去？凭什么你可以决定"他"或"她"的生死？倘若你用以切取脏器的克隆人还并不是从你自己的体细胞克隆出来的，那么，所派生出的道义问题便更加严重！

即使克隆技术真是把"双刃刀"，那么，它那有利于人类的刃，对比于它那有害于人类的刃，也是并不对称的。概言之，仅仅是克隆技术可以导致克隆人这一面的刃，便是把足以毁灭人类的"自杀刀"！

也有的人尽量从好的、善的、美的一面来想像克隆人的技术会给人类带来什么好处。比如有的人因车祸或类似的突发灾难而死，那么，他的亲人就有可能在有关技术人员帮助下，及时从他或她身上取出体细胞来，对他或她进行复制，这样，他或她便可以获得重生。在克隆技术出现前便不幸因病致残的人，也可以通过克隆自己获得一个新我。除了个人行为，社会性行为中也有可能出现这样的情况：因为大家都热爱某个人，那么，为了不让大家失去所热爱者，便可以从他身上取出可以用来克隆的体细胞，在超低温条件下加以保存，不但可以在他病危、逝世时取出将他复制，甚至也可以在他仍健在时便加以复制；为保险计，也可以复制出很多个，并且可以"分期分批"复制，比如说，当所复制出的 A 五岁时，便复制出 B 来，形成一个"梯队"，这就连生长的环境都差别不大了，用以接班，更是恰宜。秦皇汉武的长生不老向往，在今天是完全可以实现的！我记得长沙马王堆所出土的那具女尸，因为是吃甜瓜噎死的，防腐手段又高超，所以刚出土时有的肌肉组织不仅未烂完，还颇柔软；倘若能取出一个尚具活性的细胞来，那说不定便能复制出一个她来！即使她已不能复制，那么，今后的出土古尸，说不定就有哪一个会被复制出来；不是我们的科学家，已经用古墓中的千年古莲子，种出了活鲜鲜的荷花了吗？我看复制出的"今人"与"古人"并存于世的局面，早晚会出现。不过，这种事情究竟是不是好事，似乎已经难说了。但我实在是能想出许多好事来的。比如我们可以为社会复制优秀、模范人物。当然，已有不少人强调，即使克隆出了人，这被复制出来的家伙，因为他总比已成年的人小，需要从小长大，而他的社会环境、生活道路，特别是所受的教育、影响，不可能与其"来源"完全相同，因此也就很可能成为社会品质很不相同的人。但毕竟克隆人与其"原型"是遗传基因百分之百相同的，性格气质是相同的，而在一个相对安定的社会里，我们使其处于大体相同的环境，受大体相同的教育，走大体相同的生活道路，并最后从事一样的职业，都是不难做到的，因而其社会性品质接近于其"原型"的可能性，显然要比基因相异的保险系数大，因之这种克隆方式一定会出现。更何况，随着克隆技术的进一步发展，也许到某一天，所克隆出的那个人，无需再从小长大，而是"原型"多大克隆出来便多大，又或者在克隆的过程中，不但克隆出其全部生理特性，也将其思想感情分解为生物化学的因素，一并克隆出来，那会是人类的福音吗？是不是那时候只要将全国最优秀的一个售货员不断地加以克隆，将其分派到每一家商店，我们每一个顾客便真的成了"上帝"呢？那时候我们有的人会不会反而产生出"怪想法"来：宁愿能遇上一个服务态度不那么太好而另有个性的售货员呢？想到这里，我意识到自己的知识无法驾驭关于克隆人的生物性与社会性将会如何交融这一类的问题，所以我且退回到克隆人只能复制出其"原型"的生物特质，并且必须与"原型"有一个时间差，从小长大，这样的一个思维起跑线上，但我还是要说，起码，我们可以复制优秀的运动员，这样，在比赛场上，终有一天，我们的运动员不仅个个体能杰出，而且相互之间会几乎没有差距。

已有科学家站出来昭示我们：克隆人，只是克隆出其生物性，不可能克隆出其社会性。他们的意思，是告诉社会上的一般人：别以为把你自己克隆了，你就有一个社会性也与你一样的存在了！似乎这样一来，人们克隆自己的兴趣便会索然了。有一位科学家还现身说法，大意是，把我克隆了，又怎么样？我经历过抗日战争、解放战争……"大跃进"……"文革"、粉碎"四人帮"……"他"没法再经历，"他还是我吗？"像他这样，觉得克隆出的"我"如果不能重复他的社会经历，便"不是我"，因而兴趣不大的人士，我不知道究竟有多少，但我所接触的俗人，却尚无一例。我所接触的俗人，乃至未必能称之为俗人的人，他们克隆自己的兴趣极大，而且那兴趣恰恰在他们可以使自己不再重复他们已经经历过的那些社会事件与具体细节，他们渴望另起炉灶，过社会环境与人生步履全然不同的新生活！他们热烈地拥抱那一个"新我"！谁还想经历"大跃进"、"上山下乡"什么的！人家就是想不断地"从小长大"，并且每一回都换着法子走另外的生活道路！比如克隆出的"我Ａ"去当商人，克隆出的"我Ｂ"去当演员，等等。因为想克隆自己的人颇多，因之肯定会形成一个市场。有买方便会出现卖方。现在世界上已经有人在打听到哪儿去找谁花多少钱便可以克隆出一个"我"来。即使现在任何地方都还不能克隆人，那也有人打算先把自己身上可以用来克隆的体细胞取出一些来，先加以保存，这样也一定会有人先来做这"保存可供克隆的体细胞"的生意，因为使用这样的低温技术已非多么困难，确实可以发一笔大财；法律不允，私下里做也很方便。

这世界上的人各式各样，千奇百怪的想法都有，因此在克隆人的问题上，会出现不知道多少匪夷所思的主意。比如，同性恋者和不婚人士都可以用体细胞产生出他们的"孩子"。自恋者还可以用自己的体细胞产生出自己的"配偶"——我从一份资料上看到，男人身上也有雌性体细胞，女人身上亦可找出雄性体细胞；因此一个十八岁的男子或女子，用自己身上的异性体细胞克隆出异性"我"，然后将其调养到十八岁，与其婚配，并非不可想象。这类想法都还远非惊心动魄。恶人的想法如付诸实现，那可真不得了！比如一个杀人犯，他先把自己的体细胞委托给别人，然后他从容地杀人，你抓住他判他死刑，他高喊："二十年后又是一条好汉！"你把他毙了，那受他委托的人将他克隆出来，过二十年，可不"又是一条好汉"！更何况，他可以在蓄意杀人前，便大大提前地克隆出不止一个"好汉"来！有的掌握克隆技术的人，他可以恶作剧，专门克隆疯子和畸形人，将其"放生"到社会上去。你自己并不想克隆，可是你的仇家会偷走你的体细胞（这并不困难），克隆出一个你来，然后百般凌辱取乐，你能心平气和吗？这还说的都是个人行为，倘是团伙活动搞"克隆犯罪"，甚至民族之间、国家之间，利用克隆技术搞起了"克隆战"，那就简直不要再去加以想象了！

我这些关于克隆的联想太危言耸听了吗？其实滥用克隆技术的危害性我远没有说尽哩！克隆技术进一步发展，不仅可以克隆人，还能将人与其它生物拼合起来，克隆出比如说狮身人面、羊头人身、人身马体、牛头马面等等活蹦乱跳的怪物来，这会使你觉得有趣吗？中国《山海经》《封神榜》里的种种妖魔，古希腊罗马神话里的斯芬克思之类的神怪，到时候都会成为现实在存在，这世界可让人怎么说？人类真的可能只把克隆技术限制在挽救濒临灭绝的珍贵动物，比如说克隆大熊猫、抹香鲸……上面吗？如果从挖掘出的恐龙蛋里找到了活细胞，因此克隆出了恐龙来，是福音还是祸事？倘若所克隆的不仅是食草的恐龙，还有食肉的恐龙，你会怎么想？更何况把两种以上的今古生物拼合在一起克隆，特别是与人克隆，那这世界成何光景？我现在可并不是在构思"科幻作品"，我是实实在在地感到忧虑！

我这是杞人忧天吗？其实，我以上所写出的，基本上都还是些形而下的忧思，如果从哲学与宗教的角度来作形而上的思考，那会更加焦虑！

有人谆谆告诫我说：不要作科学技术发展的促退派、绊脚石！他们举出历史上的许多例子，向我说明，到头来，支持科学技术发展的人是历史的功臣，而阻挠科学技术发展的人是历史的罪人，而在科学技术的新发展面前惊惶失措的人，事后全成笑柄。可是现在我不想谋求一个促进派或功臣的美名，更不怕"事后"成为笑柄。以前我可以说是一个对科学技术抱着无前提尊崇的人，现在我的思想发生了变化。我现在意识到，并不是任何科学技术的进展都意味着人类文明的进化。像生物工程发展到逼近了对人的复制，这样的科学技术便快要从促进人类文明，异化为毁灭人类文明。我凭着我的良知，以我作为一个别人无法取代的高级生物的尊严，大声地说出我的看法：我反对生物工程技术再从"多利羊"朝前发展，特别是，我坚决反对在克隆人方面的研究试验！有关这样的研究，就如同有关"人吃人"（即所谓"必要时，人通过吃同类的肉可否延续其生命"）的研究一样，应当禁绝！STOP！STOP！！STOP！！！

我铭心刻骨地意识到，在这个世界上，"我算得老几"！像我这么一个"东西"，是阻挡不住生物工程技术推进到克隆人的地步的。我明知软弱无力，微若芥豆，却仍要"螳臂挡车"。当然，我在想，也许像我这样的"螳螂"，世界上还有一些，甚至于会越来越多，而克隆技术恶性发展的"车轮"，也未必就能顺利地滚滚向前。不过，说实在的，也许我的反对，首先是基于"自私"——我对克隆人的恐惧，首先不是因为怕他人被克隆后乱了这个世界，而是怕我自己被强行或在不自知的情况下被克隆。

1997 年 3 月 17 日绿叶居中

随时准备吓一跳

平心而论，我不算是个动辄惊惊咋咋的人。但最近报上的某些报导，使我连续地吓了几跳。

首先是关于张海迪缴纳个人所得税十七万元的报导。此报导辗转刊登于我所见的十来种报纸上，形成关于张海迪的又一"热点"。十七万可不是一个小数目。税金如许多，所得该有多少？张海迪这些年以残疾之身，飞扬健美的精神，笔耕不辍，著述颇丰，所得的稿费（或版税）或许不菲，再加上有时得到些非免税的政府外奖金，经济收入比一般工薪族可能稍高，但高得到那样吓人的地步吗？这个报导，当然意在表彰张海迪作为名人，自觉完税的优秀品质，但所开列的税金数目，实在令人瞠目；而且，依我想来，国家有关的法律、法规，在税金收纳上，应对残疾人有减免的优惠，税收部门这样地收取张海迪的个人所得税，是否妥当，亦颇令人疑惑。

在我快把这件事忘掉的时候，忽然又从 1997 年 11 月 22 日《羊城晚报》上看到了一条消息：《海迪宽容作更正，从未纳税十七万》，内中云，是济南地税局的"一位通讯员小朱"写了一篇稿件，"误将海迪自 90 年代初至今缴纳的稿费、版税以及非政府奖励的所得税，共 2.7 万元写成了 17 万"。2.7 万一误而为 17 万，差了六倍多，而且打头的阿拉伯数字 2 和 1 实在也是很难搞错的，恐怕还不是误点了一个小数点，那舛错的形成，怕是为了"宣传效果"，在张海迪的纳税数目上，觉得标出的数字越大，越有"震撼力"，所以便信笔一挥，"多多益善"了。殊不知这样一来，弊病多多。"海迪宽容作更正"，"宽容"二字意味深长。

在撰写新闻报导稿时，"语不惊人死不休"，追求"轰动效应"，切盼连续转载，以至不顾基本事实，这样的例子，现在真是不少。前些天，具体地说是 1997 年 10 月 24 日，翻到《解放日报》第十版，见到一条《毛新宇到玉环调研》的"本报玉环讯"，被吸引住了；但当我读到下述报导时，着实地被吓了一大跳："18 日，毛新宇一行来到革命先烈潘心元烈士墓前志哀。潘心元烈士曾救过毛泽东，1927 年 7 月，毛泽东在湖南浏阳指挥工农义勇队时被捕，潘心元冒着生命危险救了毛泽东。"

毛泽东同志 1927 年 7 月被捕过？这可是我前所未知的事，我想许许多多的人大概也从不曾知道。这可是天大的"重要发现"！可是，此报导语焉不详，令我惊讶之余，也大疑存焉。这事非同小可，所以很多天过去，我亦挂心未忘。1997 年 11 月 16 日的《文汇报》，在第七版上有篇文章《他和毛主席有生死之交——潘心元烈士生平点滴》，令我眼睛一亮，赶忙细读。据这篇文章所述，"这是 1927 年 7 月的一天。毛泽东同志在安源安排好秋收起义的一切工作后，就在潘心元陪同下，登上向铜鼓进发的路程了。……来到了白色恐怖十分严重的浏阳张坊境内，他们刚转过一个山冲，到七溪坳地方，突然前面来了十几个'团防局'的团丁……其中一个小头目……从鼻孔里挤出一句话来：'干什么的？唔！'潘心元知道毛泽东同志不会讲浏阳土话，就主动迎上去答起腔来：'老总，我们是去万载买夏布的商人……'"然后，潘心元便故意往山坡上丢银元和金戒指，趁那些团丁拣拾银元戒指，"潘心元立即暗示毛泽东同志赶快钻进路旁的密林脱身逃走"，最后是毛泽东同志安全抵达了铜鼓，潘心元被团丁们带走了。依这样的叙述，敌人根本没能碰到毛泽东身上一根毫毛，甚至直到后来也不知道他就是毛泽东，并且，那时秋收起义还未实现，毛泽东同志也还未进入指挥工农义勇队的状态，怎么能将这段经历概括为"毛泽东同志在湖南浏阳指挥工农义勇队时被捕"呢？11 月 16 日《文汇报》文章作者署名周佳宁、林云明、王克宏，10 月 24 日《解放日报》消息提供者署名周佳宁、林云明。显然，消息和文章系同一来源，只是文章表达上还算具体精确，而消息在行文时实在是太不严肃慎重了！推其心理，大概是为了强调本地先烈潘心元的了不起，便把他机智地牵制敌人使毛泽东走脱的一段经历，先概括为"毛泽东同志……被捕"，以耸听于四方。其实，以当时情况而论，说"险些被捕"，也足以突出潘心元烈士的了不起了，何"急不择词"到如此背离事实的地步！

存实事求是之心，去哗众取宠之意，是我们对新闻报导和纪实性文字的期盼，然而，在这个一时还不可能消除浮躁心态的初级阶段，作为读者，我们只能随时准备吓一跳。好在我们吓一跳之余，尚可存疑，而作风严谨的报刊，在一旦得知真相后，亦会及时纠误。

1997 年 11 月 23 日绿叶居

牛渴自然觅水喝

"牛不喝水强按头么？"

——当有人问到为什么现在进电影院的人越来越少的时候，一位电影界人士悻悻地这样说。

也有一种解释，是说如今人们可选择的娱乐方式实在太多，因此，随着新的消遣消闲方式的增加，电影院的萎缩是一种并不值得大惊小怪的事情。

可是，比如在美国，电影以外的娱乐方式远比我们这里繁多，可是美国的电影院仍具有把"牛"拉进去"喝水"的魅力。我就在纽约好几家电影院看过电影，虽不满座，但无论是几百个座位的大放映厅，还是几十个座位的小厅，也都还能上六七成座，老少几辈观众，一边吃着爆米花一边看电影，大都显得津津有味。

当然，美国是美国，我们是我们，不能一概而论。就目前的中国电影而言，虽然一律都面临着市场经济，大体而言，却可一分为三：第一种，是主要冲着国际电影节的奖项而拍的，其中绝大多数还是外资或合资的产品，拍出来尽管也极欲在国内公开放映，但由于这样那样的原因，未能在境内放映，也没什么大不了的，如果果然在国际影节上获了奖，那么参与拍摄者名利双收，投资者亦可在中国境外获利，只是中国一般观众，只能从传媒的报导中"望梅止渴"，未免向隅气短。第二种，是国家资本投资的"主旋律"片，其票房回收，仍有公款组织观看的保证，并且有的这种片子，突破了公式化概念化的套路，艺术上制作上都颇精心，观众口碑不错。第三种，则是既无望到国际上去"蟾宫折桂"，又非"主旋律"中的音符，应是完全要依赖市场经济而存活的。

这里专门说说第三种影片。这种影片，由于既得不到跨国资本的青睐，又得不到国家资本的厚爱，因此大都是低成本制作。在已经日见减少的电影院中，有大量的外国片、港台片在放映，像美国好莱坞不惜工本，并且动用高科技的大制作，我们怎么拼得过？而港台的武打片、搞笑片、言情片，因有多年的实践经验，越拍越熟，越拍越辣，我们又怎么赛得过？

关键是要有一批电影界人士，在市场经济的多元格局中，明智地选定自己站位，研究中国电影市场所面对的观众群体的审美趣味，根据自身的条件，稳扎稳打地拍出应市的影片，把"渴牛"引进有水可喝的电影院中。

就我看到的某些"第三种影片"而论，一言以蔽之：不伦不类。你本来是在拍一部立意浅显的片子，那就把故事叙述得清爽些，把节奏处理得明快些吧，却偏要故作深刻状，模仿国际影节获奖大片的片断，东施效颦，令人齿冷。你明知汽车追逐、楼区枪战一类场面拼不过欧美港片，那就应当另辟蹊径，或至少点到为止、见好就收，却拙劣模仿，频频露怯，即使是最能将就的观众，也会生出"上当只一回"的念头，你再拍哪儿还会有人看？电影院与其冒险放映你这种烂片子，真不如改成家具城卖沙发组合柜！还有的想言情，却情不到位而格调低下；想展示民俗，却既不尊重民族又陷于恶俗；想贴近改革，却胡编乱造大大离谱；想调侃，却缺乏幽默而粗鄙肉麻；想古装雅趣，却弄成戏衣乱穿、场面儿戏；想武打火爆，却并无精彩拳脚，徒有血肉模糊的暴力显示……

依我看，低成本而又不承载过多过重教育意义的国产商业娱乐片，拍得清新爽目，具有健康无害的消遣消闲功能，是存在广泛的卖方市场的。

你看台湾那个画漫画的蔡志忠，他那些"说古"的漫画小册子，在我们大陆销得多么好！据说其购买者多是中学生，尤其高中女生；我就不信鲜艳十三彩的电影，以其声光色电的优势，不能赛过印在纸上的不能动的线画！我们的电影界人士，为什么不能瞄准这同一市场，拍出令中学生消费群喜爱的电影来？当然，切莫模仿琼瑶的电影！其实，从我们大陆中学生的兴趣领域里（不仅是他们自身的生活），是可以挖掘出丰富多彩的电影题材的，只是我们还不大会挖就是了！

还有许许多多在城市里打工的民工，低成本、低票价的娱乐片，只要瞄准了他们的胃口，是一定能把他们引进电影院的！这是一个不小的消费群体。

更不消说中国大陆还有无数舍得消费的"小皇帝"，把他们引进电影院的同时，必也就引进了他们的父母或祖辈。中国的儿童片居然萎缩是有悖天理的！问题出在我们拍电影的人身上，为什么不在这一大块的市场开发上下功夫？

能跻身国际影坛成为大腕的中国影人毕竟不可能很多，随着中国大陆市场经济的推进，国家资本的计划性投拍片在国产影片中所占比例亦会越来越小，因此，中国民族电影的民间化趋势想必会越来越明显。这其实是大多数中国电影界人士的最佳历史机遇。谁说中国人一定不看民间化的中国电影？随着中国也实行了一周双休日，连续勤劳了五天的中国"牛"在渴求健康娱乐时，低成本、小题材、轻寓意、精制作的民族电影，是肯定有希望成为首选的"解渴饮料"的！

1995 年 7 月 24 日绿叶居

苏雪林痛诋曹雪芹

台湾作家苏雪林生于 1899 年，很快便要过百岁诞辰了，而且有望进入二十一世纪，成为一生跨越三个世纪的人瑞。她是一位受人尊重的学者、作家。她曾撰写过一本《试看红楼梦的真面目》，1967 年三月台北文星书店初版，那一年她已六十八岁，所写当然都是她的成熟之见。

苏雪林对《红楼梦》一书，是怎么的看法呢？依她所见，现在所流行的一百二十回本，高鹗所续的后四十回不错，"高鹗不愧姓高，他的才华，真是高而又高，红楼梦的荣誉应该完全归给他才是。近代许多红学家狂捧曹雪芹，而乱骂高鹗，实令我痛感不平！"为什么呢？"因为作者曹雪芹实在不通，故此他毫无驾驭文字的力量"，"原本红楼梦文字之恶劣，出人意想之外，真所谓闻所未闻，见所未见，不但说不上一个'好'字，而且还说不上一个'通'字。全书遣辞造句，拖泥带水，粘皮带骨，很少有几句话说得干净利落的。而且有时意义暧昧……有时文理蹇涩，无论怎样连贯不下去，有时作者自以为说话漂亮，谁知竟是一篇令人作呕的'恶札'，有时作者从汉赋文选里寻扯一些生词僻句，自矜淹博，但徒事堆垛，毫无灵气，也是一些令人皱眉的'滥调'与'浮词'。"又说，"高鹗虽将原本红楼梦……点铁成金，化腐朽而为神奇,但他对于原本整个的结构,则未加改动,这并不是高鹗没有力量改,实由于整个结构太糟,一加改动便牵动全局,无法收拾,只有听其自然算了。"不知以前未读过苏文的读者,读到我所引用的这些"论点"时,作何感想;我自己刚刚读到苏奶奶的"高论"时,不仅震惊,而且伤心!我是最喜爱《红楼梦》,最崇拜曹雪芹的;我与许多人一样,是不予高鹗续书高评价的,我以为高鹗是"点金成铁",乃至于"佛头着粪"。可是,就有苏雪林这样的批评家,她竟将我们视为民族瑰宝的《红楼梦》说成是一部"不通"的"恶劣"之作!竟将我们视为中国作家榜样的曹雪芹,贬为一个糟糕透顶的写手!

我们能不能容忍苏雪林这样的批评文字?

把她算作"一家之言"么?可是,她批评的锋芒,实在是达到了"人格污辱"的地步,请看下面这些骇人听闻的"见解":"天下事无奇不有,竟有一个不学无术的没落纨绔,写了一部散漫松懈,毫无结构,并且尚未完稿的小说,居然脍炙人口,传诵一时……""我以为红楼梦好似聊斋志异上的'画皮',外表是个千娇百媚的佳人,揭起那层皮子一看,却是个蓝脸獠牙的恶鬼。不,说恶鬼还抬高了它,应该说只是一个全身溃烂,脓血交流,见之令人格格作呕的癞病患者!"

曹雪芹的后代,如果站出来起诉苏雪林,那是一定会有许多人支持的。其实以她"恶攻"的"猖狂"程度,如有人张罗"公诉",给她定个"诽谤民族瑰宝罪",恐怕也会有很多很多的人"拍手称快"的吧。至于在报刊上对她这样的"谬论"加以"正义的围攻","敦促"她"认错",并向"曹雪芹在天之灵及其后代"还有"广大读者""道歉",那似乎就更是合理、必要的了!

但是细想起来,苏老太太不过是大学里的一位教书匠,她的言论并不会妨碍曹雪芹和《红楼梦》进入文学史,也不会妨碍各种《红楼梦》版本的出版发行,当然也不可能妨碍"红学"与"曹学"研究的正常进展,更不会妨碍"广大读者"阅读《红楼梦》的兴致与热爱曹雪芹的情怀。她不过是毫无顾忌地发表了一通纯属她个人的有关见解。这实在是她应享有的批评权。我们可以不以为然,甚至于反感,可是应该懂得,即使是"早有定论"的"经典名著",以及早已"盖棺论定"的"世界名人",都依然需要经受一次次的"再评论"、"再检验",包括承受恣肆的否定与"一万个不服"

的冲击。这种"批评现象"实在并不一定是坏事。

我万万不能同意苏雪林老前辈对曹雪芹的诋毁。但是我终于能心平气和地面对她的这本《试看红楼梦的真面目》。苏奶奶无需向任何人道歉。我祝她健康地逾越三个世纪。

摩登小家庭

"摩登"是个外来词,是英文 MODERN 的译音,《现代汉语词典》解释为时髦之意,其实人们使用这个词汇评论事物时,除了指认其时髦,往往也还含有现代、新潮、超前乃至浪漫等意思在里面。

现在都市青年夫妇中,已经出现了"摩登一族",他们的摩登小家庭,已然与中国传统的家庭有了很大的不同。

比如说,夫妇身体都很健康,生育能力绝无问题,可是,他们却不想生孩子,而且,不是暂且不生,是根本不打算生。这种不要孩子的家庭,被称为"丁克家庭"。中国传统家庭的第一要义,便是司传宗接代之职,在旧社会里,阔人家的丈夫如一个大茶壶,周围一圈茶杯似的妻妾,也未必都是色欲旺盛所致,往往还是为了增加子嗣香烟不至断绝的"保险系数"。新中国法律规定一夫一妻,而且近二十年来大力推行节育以控制人口增长,可是在农村,不少夫妇还是不到儿子出世,绝不停止超生,以至出现了逃避罚款的"超生游击队"。妻妾成群是必须杜绝的丑恶现象,重男轻女是必须扭转的错误倾向,可是,男婚女嫁,组建家庭,却能生偏不生,不去形成 1+1=3 的格局,而是满足于永久的"二人世界",这是否又跑到了另一个极端?为此,我曾与"丁克家庭"之一的阿康、小虹夫妇恳谈过,阿康说:"我们这种家庭的出现,说明社会已从各方面进入了多元并存的格局。我们并不是要反叛什么,我们以为大多数家庭生儿育女是很好的事情；我们也并不认为自己的这种生活方式比那些家庭好；二者之间没有可比性，根本不需要比较。简言之，我们只是由衷地觉得，我们所选择的这种家庭结构，就我们这两个个体生命而言，是最合适的。"小虹更进一步解释说："有的夫妇只是暂时不生孩子，或者是因为事业未成，或者是因为一旦生了孩子有些实际问题难以解决；我们却不然，我们事业成就了也不生，生活富裕了也不生，这是我们共同的愿望。至于别人会怎么看待我们，甚至于对我们胡猜乱想，那从来不在我们的考虑之中。稍微要费点精神的是，争取我们双方老人的理解与谅解。现在他们还都不能理解，可是基本上谅解了，一来我们的兄妹给他们生了后代，二来他们都看得清清楚楚：我们的爱情是那么甜蜜，小家庭是那么温馨。"

对"丁克家庭"的惯常猜测，是夫妇间只把对方当朋友，而没有正常的性生活。这种猜测往往是最没有道理的。明瑞和琳琳是另一对摩登小家庭的成员，他们与阿康、小虹还不一样，他们告诉我，他们的"丁克"状态是有拟议中的终止期的。他们住了一个两居室的单元，各有各的房间，这很令我惊讶。明瑞和我是忘年交，有一回告诉我，他和妻子之所以不每日同床，是因为他们只在双方都产生强烈的性欲时，才过夫妻生活。当只是一方有兴趣，而另一方无兴趣时，他们达成共识：绝不能强迫，也不必敷衍。可是，当他们都有了兴趣时，或他到她屋，或她到她屋，或从这屋再到那屋，他们会层层推进、渐入佳境、共掀高潮、久久享受，作爱的质量非常之高！

形形色色的摩登小家庭，已悄然出现在中国，首先是大城市中，他们的某些做派，除了上述又如财产花销实行 AA 制分割清账、结了婚每年还要郑重其事地过"情人节"、能生孩子不生却又抱养孤儿、天天见面言谈甚欢竟还要写信倾诉……真可谓惊世骇俗、匪夷所思！不过，细想想，只要他们是在法律范畴内摩登，又并不影响妨碍他人，属于有道德的浪漫一派，我们为什么还要对其指手划脚、无端侧目呢？让我们为他们祝福！

究竟读的谁

最近从报上,读到这样的消息:一位刚出版了巨著的青年作家,宣布将暂停写作;他现在要做的事情之一,是进修外语,目的是今后可以不必依赖译本,直接阅读外国文学作品。对此,我十分感佩。

一个写作者,他之所以能写,一是他有自己的生活经历,有独特的生命体验;二是他有阅读他人写作的文化训练,有可能是很个性化的阅读心得。当然,我这话,你要"叫真儿",可以逼问我:世界上头一个写作者,他写作前阅读了谁的东西?我自然答不出来。而且,"世界上头一个写作者"是谁?我也不知道。是仓颉?仓颉造字,那是大家都知道的,可是他好像没留下用自己造的字写成的文章。我现在的发言,只针对当前的情况,我以为我的论点,放在这一具体的时空和语境里,是站得住脚的。写作者本身,是个有情感有认知的生命实体,他必须有"生活",这当然是第一位的;但写作必须使用一定的符码系统,一般是使用自己本民族的母语,那掌握母语的书写规则及体味母语文化内在魅力的学习手段,主要是阅读。阅读对于写作者来说,好比进食。每个人有不同的饮食习惯,换句话说,每个人的营养源,或者更精确地说——主要的营养源,容有不同。

当下的中国大陆写作者,阅读的取向,往往差别很大。其中有些人,从他们自己写的文章和接受记者采访的表述,可以知道,他们主要是阅读外国作家的作品,经常被提到的外国作家有乔依斯、卡夫卡、福克纳、博尔赫斯、马尔克斯、昆德拉等等。他们主要是吃"西餐",从中获得营养,以滋润自己的写作。这不仅无可厚非,就是"薄非"也不应该,这是挺好的现象。

但当今四十多岁到六十多岁的中国大陆作家里,多半不是由于自身"少壮不努力",而是由于历史的客观因素,不通外语,不能直接阅读外国文学原本的居大多数,因此,这些人所吃的"西餐",其实是中国翻译家的译本。由于汉语和西方语言的符码系统区别极大,所以那转换的成果,其实还并不能简单地用"西餐中做"来作比拟。

拿我自己来做例子。我是个喜欢读外国文学作品的人。我年轻的时候,不仅如饥似渴地读西方古典名著，就是并不古典，也非多么著名的外国文学作品，只要有翻译过来的，只要到手，我都通读。我年轻的时候，最容易接触到的是苏联的文学作品，那时连苏联三、四流的作品，我们这边也翻译出版，像我这样的"文学青年"，也就照读不误。比如那时苏联写商业部门生活的《店门大开》，写海运学校生活的《明天要到海洋去》，等等，我都读过。非古典名著的翻译作品里，有时也会遇到挺不错的，比如我看到过一本法国一位叫西蒙尼·戴娜写的，以西班牙内战为题材的长篇小说《太阳门》，至今印象还很深。那时候"冷战"和计划经济前提下的翻译出版，自然有其现在看来很大的局限性，比如那时候你很难读到西方现代派的文学译作，但那时却也因为没有跨国资本的文化霸权的浸染和利润至上的驱动力，又由于"国际统战"的需要，系统地翻译出版了若干比如说印度、斯里兰卡（那时叫锡兰）、印度尼西亚、土耳其、智利、阿尔及利亚、蒙古人民共和国……的文学作品，我也都读过一些。一言以蔽之：我曾是个不仅嗜食"西餐"，而且也爱尝比如说印度手抓饭等外国食品的人。

"文革"对我阅读外国文学作品，造成了好多年的被迫性中断，但肯定并不是长达十年，因为，在1973年以后，就有所谓"供批判参考"的一些译本陆续流布，特别是那时候以"批修"名义翻译出版的苏联当代文学作品，如《白比姆黑耳朵》《滨河街公寓》《白轮船》《方尖碑》《癌病室》《普里卡隆诺夫经理的故事》等等，我都千方百计地找来读过，当时的出版目的，是要我这样的读者读完好积极投入"批修"斗争，但我却没产生出什么斗志，只是觉得非常有趣，比如那本现在回头一想其实是主题先行的"经理故事"，它那西方文学中早就有过的"时空错乱"的叙述方式，当时竟令我以为是绝对的创新之举，读完赞叹不已。

"文革"终结后，重新出版了一批"文革"前的西方古典名著译本，比如汝龙翻译的契诃夫小说集，是竖排本，一共27册，我买全后立即通读，胜似老友重逢，堪称破镜重圆。我该算是个读过外国文学作品的人了吧？

但世道的发展，很快令我落伍。世面上出现了另外的契诃夫译本，我买来读，怎么也觉得那不是契诃夫，请教通人，指点我说，汝龙是从英文翻译的，现在我看的这本是从俄语直译的；汝龙的优势，是中文修养高些；新译本的优势，是直译而非转译；究竟契诃夫的文字什么味道，我最好还是亲读其原文，细加品味！

自以为自己读过不少的外国文学作品，闹了半天，严格而言，我只是读了不老少中国翻译家的文字而已！也不光是一个契诃夫，我读惯了傅雷翻译巴尔扎克的文字，现在翻译界百花怒放，也在出另外的巴尔扎克译本，我拿来读，直犯嘀咕：这是巴尔扎克么？也是那位通人，微笑着告诉我：那当然也是巴尔扎克，只是，那不是傅雷罢了。《尤里西斯》的两种译本，我都买了，两方译者的工力都是足可信赖的，但翻开只比较几个页码，我就意识到，我所读的，其实都不是真正的乔依斯，我读的，是两方译者写下的特殊中文。

究竟读的谁？提出这个问题，并不是要否定自己的阅读史，更不是要否定翻译的功能，恰恰相反，我要衷心地感谢翻译家们，感谢他们的"西餐中做"，给我了丰富的营养。但我以后再不敢轻言对外国文学如何熟悉，哪位外国作家给予了自己怎样的影响什么的，如果非要我回答这方面的问题，我宁愿这样说：朱生豪译莎士比亚的文字，董秋斯译狄更斯的文字，傅雷译巴尔扎克的文字，汝龙译契诃夫的文字，草婴译托尔斯泰的文字，叶君健译安徒生的文字，施咸荣译塞林格的文字……曾给了我很强烈的影响，是我从事写作的重要营养源。

攻读外语，使自己获得直接阅读外国文学作品的能力，于我而言，已是来生之梦。但我祝福像文首提到的那一茬新锐作家，其大多数都能尽快享受到"直读"的快乐。

拒绝站票

国家大剧院还没有正式投入使用，就传出来将出售站票的消息。也就是说，今后这个地方，富人坐着看演出，穷人站着看演出。乍听上去，对穷人还真照顾。还没听说过世界上哪个国家的顶级演出场所，把出售站票作为一种常规安排的。如果站票是一种常规票，那么，剧院里就很可能出现坐席未满而持站票入场者进场的局面，那么，按道理他们是不能坐到空座上的，但如果其中有的去坐空座位，工作人员要不要制止？如果只要座位没满就可以持站票入座，那么必将形成一些人投机取巧的局面，会形成混乱。就算所有买下站票的人士都自觉站立，剧院里很可能经常会有一些买站票的人站在空座位旁边看演出，那真可以说是创造出了世界剧场一大奇观，我们国家斥巨资建造外观独特的"水蒸蛋"大剧院，难道是要靠这种场内的"特色"来"惊艳"世界吗？

　　我不由得想起了一部老掉牙的电影片子里的一个细节。那是一部上世纪五十年代末的苏联电影，片名叫《海之歌》，导演是杜甫仁科。那是一部散文诗样式的电影。内容是从各种角度来反映苏联开凿一处人造海的过程。杜甫仁科自己写的剧本。他在这部多视角的群戏里，敏锐地提出了当时苏联社会的官僚主义、特权腐败、道德危机、代间断裂等等问题。其中他表现一个集体农庄要修造俱乐部，但是原来的设计完全不是以人为本，于是他通过一个角色大声呼唤：要为那些劳作在第一线的人着想，要建造能让普通农民享受文化的舒适空间，我特别记得其中的一句台词：要让农庄里那些被田野劳作累弯了脊背的人们，坐到红丝绒座椅上观看演出！这部电影在我的青年时代，对我产生过不可磨灭的影响。现在许多苏联老电影都出了光盘，但我一直没寻觅到《海之歌》，它当年在中国是配音后公映过的，拷贝应该还在，切盼能制作为光盘上市。杜甫仁科是乌克兰人，他和爱森斯坦、普多夫金三个人，是世界电影艺术发展史上公认的大师，即使在那时的体制下拍片，他们也总是体现出人类共有的良知，并且在电影的表现力上坚持不懈地进行探索、开拓。苏联已经解体，《海之歌》早成绝响，但其中那诚挚地切盼能让基层劳动者坐到红丝绒坐席上观看演出的情怀，我以为还是具有坚实的合理性，不因时间流逝、政局变迁而丧失令我心动的魅力。

　　社会主义社会，特别是其初级阶段，人们收入之间有差别，在基本都获得温饱的前提下，有些人相对富有，有些人相对贫窭，这是可以理解的。但是这种差别不能体现于人格尊严。在国家大剧院里，坐着看演出还是站着看演出，这是个严重的涉及公民尊严的问题。在特殊情况下，比如演出团体或具有魅力的艺术家大受欢迎而又无法延长演出日期，坐席售罄后，应一些观众强烈要求，适当加售一些站票，还勉强说得通，购买站票出于自愿当然也就甘于屈尊站立，但如果是大剧院公然发售常规性站票，那就是对穷人，或者说低收入者尊严的一种伤害。

提出对低收入者发售低价站票这个明消息，可以让我们意会到两层暗信息，那就是：一、即使最低档的坐票，票价也会是低收入者难以承受的；二、急于收回建造成本，因此又不想放弃从低收入者那里敛钱。这真令人败兴。我认为无论是怎样的一种观众，都应该获得在国家大剧院里坐着看演出的尊严。"水蒸蛋"已经蒸熟，它耗资巨大，维修管理费用不菲，但国家税收、财政收入既然那么丰厚，就不应该把它当做一个迅速收回成本并且大钵满赚的工具，它应该具有全民共享的国家福利的性质，政府应该给予它补贴，它的常规票一律为坐票，票价按部位可以有差别，但底线是一定要让低收入者也买得起。

"水蒸蛋"的设计，里面的演出空间处于地下二十几米，在发生紧急情况需要疏散时，它的通道比一般剧院长很多，不那么便捷，因此，站票不但会构成不和谐的场内怪象，更会引发出安全隐患。即使是坐票销售一空有痴迷者自愿站着观看，"水蒸蛋"也是不宜出售站票的。拒绝站票！让纳税人在国家大剧院里一律坐下来享受和谐文化！

市民的大小

"小市民"曾是一种恶谥，被人鼻子里哼出一声，嗤笑道："整个儿一个小市民！"那真是人格大跌价。小市民虽然"小"，毕竟是市民，即城市这种生存空间的产物，而现代城市，是随着商品经济的发展，随着市场的繁荣，而壮大起来的，所以这个概念，在中国，上个世纪以前，因为基本上是个农业国家，似乎是没有的，即使我们能从什么文献里查到这三个字联成的语汇，那肯定也不曾流行过。我第一次注意到这个字眼，是因为苏俄的文豪高尔基，他有个剧本，就被翻译为《小市民》，而且在中国舞台上演出过；后来又读了不少翻译过来的契诃夫小说，发现他笔下也经常刻画小市民，我的领悟是：这种在城市里勉有温饱的人群，他们固然有不少令人同情之处，但却有可致命的缺点，那就是精神境界庸俗。有人把高尔基和契诃夫的许多作品的主题概括为"反庸俗"，与我的阅读心得，是相契合的。

本世纪下半叶，在"以阶级斗争为纲"的时代氛围里，被批评为有"小市民气息"，主要是指政治觉悟低下，斤斤计较工资待遇什么的，不过，随着阶级斗争的弦越绷越紧，被扩大指认为牛鬼蛇神的也就越来越多，到"文革"时，打击对象被概括为"地富反坏右，叛特走资臭"九种，"走资派"是打击的重点，而"臭知识分子"排在第九，"臭老九"之说，即由此出。那时，似不再以"小市民"为意，因为到后来，简直连城市本身，也大体上被否定掉了，不仅"知识青年"要一律上山下乡，机关干部要大批地发配"五·七干校"，就是胡同杂院的老居民，也提倡在"我们也有两只手，不在城里吃闲饭"的口号下离城去乡，大学尤其是农科大学设在城里被认为是错误的，就连那时的公园里，后来也扫荡了观赏性花卉，一律种上了蔬菜乃至稻麦……市民遑论大小俗雅妍媸高下，一概有了原罪，需要在举国农村化的过程里，接受脱胎换骨的改造。

改革开放以来，一步步发展到今天，市场经济越搞越活，城市大膨胀，市民群体熙熙攘攘，具体观察，则千姿百态；农村呢，富裕的地区的生活状况，已与城市相差无几，就居住条件而言，平均水平可能还超过了城里人；而且农民离土，大量涌进城市，其中一部分渐渐地融合到原有的市民群体里，可望终于成为新的市民。在这种情况下，"小市民"之说，又多了起来。

讥指别人为"小市民"的，当然自视为"大市民"。"大市民"，或许可以分为三种：一种是精神上既富有的，比如学历既高、品位又雅的知识分子；一种是物质上富有的，比如能频繁出入高档俱乐部的暴发户；第三种则是精神与物质均富有的人士。当然，你可能要指出，上述第二种人物，恐怕算不得什么"大市民"，这我们且不讨论。但"小市民"之所以被蔑为"小"，一是他们的生存空间比较小，比如说他们一般都住得较为狭促，没见过什么大场面，没上过什么大台盘，没领略过什么高级享受；二是他们的心灵空间比较小，对俗文化比较热衷，对雅文化比较麻木，没有什么严格意义上的社会理想，当然更谈不到有什么终极关怀。

西方因为早就实行了市场经济，城市发展的过程又不曾中断，市民阶层早已达到成熟，营造出了五光十色的市民社会，产生了所谓市民的公众共享空间，有关的研究和论争，已相当发达热闹，当然无妨引为参考。但我以为，我们研究评议自己土地上的市民，还是应当多从我们置身其中的实际状况出发。我们的实际状况如何呢？总体而言，城市中的"小市民"，他们在数量上却极为庞大，城市生活的运转，以及城市的发展，主要还得依靠他们的劳作；大公务员们可以充当社会生活的设计师或组织者，高雅的知识分子可以充当城市生活的观察者分析者审美者批判者，财大气粗的商人可以充当城市发展的投资者投机者，但具体到比如说制作报表、收发联络、印制图书、摆摊卖菜、建造楼房、铺敷道路、运送货物、售卖商品、清扫街道、处理垃圾……恐怕还得是众多小公务员、小白领和众多的蓝领，所谓"小市民"也者，多半涵括其中。这样细细一想，"小市民"里似出不了贪官污吏、精神骗子、奸商巨窃，而且，他们多半还是这些社会蠹虫硕鼠首当其冲的受害者。

我并不是为"小市民"的庸俗卑琐辩护。但我以为，既然被指认为"小市民"的群体数量很大，或许还不能一概称之为勤劳，但他们至少是依照生存惯性，每日在为我们的城市发展干着活儿，为"大市民"的生存提供着切实的基础，那么，能不能首先给予他们一份理解和善意？我以为，提升他们的审美趣味，展拓他们的视野，引导他们树立正确的社会理想……当然都是必要的，但尤为重要的，是与他们一起增强法制观念，以形成自觉的契约意识，这样，也许过些时日，所有的市民，无论"大""小"，都终于会在城市这个共同的生存空间里，获得一种亲和力，那就是，个人的理念、追求、趣味、习惯容有高低雅俗之分，但都能以"我是一个尽责守法的公民"而自豪。

水气氤氲

不知当今的"女权主义"者们，如何评价曹雪芹在《红楼梦》里所表达的男女观，他是尊女而贱男的，认为女儿是水做的，清爽尊贵，男人则是泥做的须眉浊物，龌龊不堪；当然，他通过书中主人公所宣谕的"尊女观"，是有附加条件的，就是水做的女儿不能嫁人，更不能变老，嫁了人、变老了，那甚至比泥做的男人更等而下之，好比死鱼的眼睛，令人觉得恶臭难忍。有人问到我，如何看待"女人味儿"？这是一个消遣消闲的话题，似不必故作姿态，非把这问题沉重化、深奥化。简而言之，也许是受曹雪芹影响太深吧，我是服膺他的"女儿观"的，所以我认为女人味儿，应体现为水一般的柔美。

有"红学家"指出，曹雪芹之所以尊女贱男，是因为他有一腔反封建礼教的愤懑，封建礼教倡导男尊女卑的伦理秩序，他偏要打破。那为什么又仅仅把尊女的范畴界定在未嫁的少女之内呢？因为未嫁的少女还未曾被那糟糕的社会环境所污染扭曲，一旦嫁了人，就难免变质，用今天流行的词语来说，就是被异化了。瞧，说是来一篇消遣消闲的游戏文章，又往重大意义上去靠了！好，话归闲篇，我想说的是，女人味儿，就应该是其本色味儿，女人的副性征，就是线条柔和，嗓音也较男性绵软，静若清池，动如涟漪，所谓"水灵"是也。

现在我们这里不是封建社会了，女儿家嫁了人，一般来说，无变成"死鱼眼睛"之虞。但素面朝天的黄花闺女，步入社会后，也有个受社会环境影响的问题。且先不说深层次的影响，光外观而言，现在有些都市女性，可能是受到了西方某些风气的影响，讲究健美；健而美，美而健，本是天大的好事，《红楼梦》里的林妹妹，心灵美没得说，可也太不健康了，以至跟她海誓山盟，不信"金玉姻缘"，坚信"木石姻缘"的贾宝玉，见了薛宝钗那丰满圆润的胳臂，也胡思乱想，希望那胳臂能移给林妹妹，好摸上一摸；可见健美的女人，是人见人爱的。但现在的问题是，有些个西方女性，练健美练到那浑身的肌肉，一疙瘩一疙瘩的，钢浇铁铸般，竟与男性的健美运动员，别无二致！我们可以在许多印刷品中，包括大挂历上，看到那种形象。

不知别人看了感觉如何，我是浑身起鸡皮疙瘩，比看到"死鱼眼睛"，还要恶心。我觉得那样地去消灭作为女人的"水性"，改柔美为"阳刚"，是一种审美意识的错乱。当然，现在中国妇女中练健美练成那般模样的，似还不多见，但想方设法把水的特性"泥化"甚至"水泥化"的倾向，已经出现。比如说，也是受西方影响，现在一些都市妇女讲究"扮酷"，"酷"的劲头，大体而言，是冷漠，是雕塑化，这也是反传统女人味儿，反温柔敦厚，反水一般灵动的柔美风格的。对此，我当然不能也不应加以实际干预，但我要明白无误地说出我的意见：这太矫情，太做作，太没女人味儿，太令人遗憾！

深层次上，现在则有"女强人"一说，似乎女性越强悍，便越值得尊重乃至歌颂。我绝非"大男子主义"的信奉者，也并不认为莎士比亚那"弱者，你的名字是女人"的判断具有永恒的意义。现代妇女，理应享有同男性一样的权利，建功立业，巾帼不让须眉，乃顺理成章之事。但如今影视中的"女强人"，往往塑造得没了女人味，徒有男人腔，让人联想到钢筋水泥，却不能有如临春水的美感。你看曹雪芹笔下的王熙凤，办事多有杀伐，一打男人绑在一起，也未必有她那两下子，可她无论体态身姿，还是言谈嬉笑，女人味儿不减；至于另一能干的才女贾探春，那就更是寓刚于柔，女人味十足了。我以为女性最好还是具有"玉精神，兰气息"的好，"玉精神"其实就是骨子里刚强，但不要发散出一股子炼钢炉的味道，要有兰蕙的气息才好！

当然，无论男女，个体生命之间的差异，有时是很大的。最近有医学家指出，人的性别，其实不止纯男性和纯女性两种，有的人是男性为主兼有女性，有的人则是女性为主兼有男性，还有一种双性人。我这里所议论的女人味儿，是针对纯女性的。纯女性应如春水般柔美，水气氤氲，灵动宜人，这观点，我雷打不变！

心中四季莫紊乱

朋友来电话，先说这两天好冷，又说冷得好，"三九天"嘛，该冷了！我也说冷得对头，这几年，四季紊乱，常常是，该冷不冷，该热不热，该下雪时无雪，不该下雪时，嘿，倒来了场好大的雨夹雪！朋友导入正题，说正写一篇文章，想引用当年雷锋的四句话，对什么要像春天般地温暖？像夏天般地火热？像秋风扫落叶一样？像严冬一样冷酷无情？他说手边无书，自己怎么也想不确切，要我帮他回忆一下，如我书橱里有《雷锋日记》，那就替他查一下。我书橱里似乎有《雷锋日记》，但肯定没放在顺手就能找到取出的位置，我回忆，雷锋大概是这样说的：对待同志要像春天般地温暖，对待工作要像夏天般地火热，对待错误要像秋风扫落叶一样，对待敌人要像严冬一样冷酷无情。为确证一下记忆是否有误，我大声呼唤正在电脑前作网上漫游的儿子，问他那关于四季的比喻该是怎样的。他说，啊，你问这个？我倒听到过这样的顺口溜：对待美人要像春天般温暖，对待金钱要像夏天般火热，对待公共财物像秋风扫落叶一样，对待竞争对手要像严冬般冷酷无情……他话音未落，我已气得大吼一声：岂有此理！朋友在电话那边被我吼声吓了一大跳，我又赶忙跟他致歉……

放下电话，直奔儿子身前，跟他算账。儿子躲闪着我，笑说：这不是我的"四季"！这是社会上一些人针对不正之风，编出的讽刺性顺口溜，其实，体现着一种鞭挞，你怎么一点幽默感没有呢？我叹口气说，现在的这些人啊，离雷锋精神真是太远太远了！儿子不笑了，也叹了口气，告诉我说，在他电脑中那智能 ABC 输入法的中文字库里，雷字和锋字不能构成一个"联想"，但是你打出"贞"字，却会有"贞德"（法国十五世纪初为国屈死的"圣女"）的联想；他并且马上试给我看，果然如此。

后来，和儿子坐到沙发上，茶话一番。我说，不应该把雷锋的"四季"忘掉，更不能"四季"紊乱啊！儿子说，雷锋当年写在笔记本上的这四句话，他记得曾看到过一份资料，说是如同那首"唱支山歌给党听"的诗一样，都并非雷锋原创，而是从报刊上摘抄下来的；但这无关宏旨，大体而言，它们都体现着一个时代的政治伦理和社会道德规范，最后以雷锋精神命名，广为流传，一度影响极大，直到今天，也还有很多值得继承的因素……我打断他的话质问道：什么？难道不该全盘继承么？儿子说，他认为，这样的"四季"，毕竟还是多多少少打上了一些"以阶级斗争为纲"的烙印，因此，是有局限性的，比如，光是对同志——即理念和追求上一致的人——如春天般温暖，现在看来，就不够了，其实，对非同志的先生、小姐，比如，你是无神论者，人家是宗教徒，又比如你没有资产而且永不愿有资产，人家却有资产而且雇了工，只要人家是共和国的守法公民，在交往中，不也最好给予春天般的温暖么？再，对敌人，在战争年代，当然要严冬般冷酷无情，但在今天的情况下，敌我界限固然不能混淆，更不能拿原则作交易，可是也要善于坐到谈判桌边，并应当懂得，在某些具体问题上，可以作出妥协，以达成有利于中华民族乃至全人类总体利益的协议……嗬，他倒头头是道起来了！我跟他说：你这些新潮观点，容当再议！他只望着我微笑，不再吱声。

晚上一个人坐在书房沉思，觉得儿子所说的，其实不错。只是我的思维角度，与他不同。我是想，现在地球的生态环境被人类破坏得很厉害，所以像北京这种本是四季最分明的地方，也变得四季紊乱了，而我们的人文环境怎么样呢？儿子开头用揶揄的口吻道出的那一串顺口溜，听来虽然刺耳，却也真实地反映出，我们所置身的现实生活里，确实存在着"心灵四季"紊乱的现象，并且，你也不能说那只是一小撮人的极个别的偶然的心态与行为，对此，应产生出忧患意识了！如果说，完全照搬雷锋的那四句比喻，未必与如今的社会生活严丝合缝地对榫，那么，我们应当在继承其精华的基础上，创造出新的，具有一定普适性的比喻来才好。

我沉思良久，觉得自己一时无力代别人理清心中的四季，而自己也一时无力针对非常宽泛的社会伦理与道德范畴来以四季作比喻；我只能对自己说：心中四季莫紊乱，首先这样要求自己吧：对下岗职工要像春天般温暖，对参与有益于公众的事情要像夏天般火热，对色情和暴力要像秋风扫落叶一样，对贪官污吏要像严冬般冷酷无情。

三个圆的世纪开端

我们都很幸运，能赶上一个纪年符号中有三个圆的新世纪开端。

难得这么圆满。

过去的那个世纪，留给了我们怎样的记忆？

还没跨过世纪的门槛，就有许多关于一个世纪的结算性行为，以及许多希望能缩住记忆的回顾性制作——文字、图片，乃至影像。

人近花甲，我才憬悟，流逝的时间与变化的空间，其实那每一瞬间和任一角落，都具有不可复制性。

不一定是故意隐瞒、无奈忌讳，但过去的、消失的那些岁月，那些人与事，那些爱恨情仇，那些话语表情，那些细枝末节，在共同经历者的回忆里，不仅会因人而异，就是同一个人，也会因时因境而异。

历史也者，究竟是怎样的一个阿物儿？

历史是胜利者写的？当然，胜利者在尘埃落定后，头等大事里排前几位的一桩工程，便是修史。但失败者也会偷偷地、悄悄地，书写他们心中的历史。只不过，前者流布广泛，奉为教材，后者处境危艰，随时可能被禁绝销毁。胜利者胜利得越稳当，维系胜利的时间越长久，其反复修订的历史便越可观。失败者撰写的历史应允其存在，但失败者的历史叙述往往也很不可靠，大抵难以心平气和，会夹杂着若干诅咒与妄想。胜利者与失败者合作写史，却往往会嫁接出颇为可口，确有营养的果子，如署名溥仪的那部《我的前半生》，窃以为是二十世纪最好的历史类书籍之一。

历史是二百大钱，任你怎么摆都行？

历史是年方二八的大姑娘，爱怎么打扮她就怎么打扮她？

也许吧。

但刚过去的那个世纪，任你怎么摆弄，有些大的关节，总不能绕过。两次世界大战。"一战"引出了俄国的十月革命，革命最激烈的时刻，把已然退出政治舞台的沙皇一家，包括并没有参政的公主、王子统统草率枪杀。"二战"前法西斯主义蔓延，"二战"以彻底摧毁了德、意、日法西斯为终结，世界上开出了硕大的花朵——社会主义阵营；于是有"冷战"，有柏林墙；其实也并不那么一味地冷，"韩战"、"越战"都很热；讵料有中苏从论战到分驰，有中国的文化大革命，有毛去世后邓的经济改革与对外开放；更如梦如幻的是世纪末苏联与东欧各社会主义国家的瓦解，难道那真是真的吗（这不是病句，两个"真"字哪个都不能少）？ 1979 年，我访问过罗马尼亚，那时他们跟西方特别是美国关系很好，布加勒斯特到处大兴土木，盖星级宾馆，以接待接踵而至的西方游客；电影院放映西方电影，街上有许多卖体育彩票的摊档，年轻人翘着屁股跳迪斯科，美术展览馆里净是些抽象派绘画……那时中国还没开放到那个地步，漫步在那个国家，我觉得自己俨然是在一个西方国家了——某些建筑物上有立体字母构成的标语，那是西方不会有的，意思是光荣属于罗马尼亚共产党和齐奥塞斯库——我怎么也预料不到，十多年后，那里会发生巨变，变也罢了，怎么那么血腥——像当年那些革命者枪杀沙皇一家一样，兵变者（算革命的还是反革命的？）竟也极草率地，未经合乎程序的审判，便乱枪打死了齐奥塞思库两口子。这发生在世纪头尾的，两桩在方式上相近的杀死前统治者的事件，不知怎么的总梗在我的心上，如刺难拔。我当然绝不是同情乖戾的沙皇尼古拉，和那对死到临头前的十几个小时里还那么颐指气使的齐氏夫妻，我只是默想，这样令人恨得牙痒的人，以及因为恨得牙痒并认为自己拥有正义的人士，他们之间的暴力互动，那冤冤相报的连环扣，在新的世纪里，还会有吗？

一位朋友从电脑上看到我上面写下的文字，笑对我说，他对新世纪非常乐观，他心上没那么根刺，他以为，告别革命，同时，也告别反革命，是新世纪的一大特点。当然，还会有暴力，比如美国在上个世纪末接二连三的枪击案，还会延续到新世纪里，不是连德国和荷兰那样的地方也有类似的事情发生吗？还有法国的农民，到处砸美国的麦当劳快餐店。这说明，地球上的人类越来越个人化，小群体化，人们只为自己的私仇，或竟只是由着自己的性子，一时冲动下，采取暴力方式宣泄；那种为"公仇"，为大群体的理想，在大理论指导下，以大手笔搞大决战的暴力行为，恐怕要迅即式微了。至于在中国，消极暴力会体现在刑事犯罪上，积极暴力会体现在刑警出击上。人们的思绪，会主要集中在如何致富上。而要致富，就要进入市场。都说是知识最值钱，有"知本家"的新词汇出现。于是纷纷抓知识。自己还来得及的，就扑向文凭；自己来不及了，就给儿孙搞教育投资，驱赶他们去挣文凭……

对朋友的议论，我越听越心不在焉。

他总爱归纳。什么事情，一归纳，就仿佛眼里燃了盏灯，亮堂固然是亮堂了，丰富的色彩，纤毫的奇趣，全消失了。

他说他的，我在胡思乱想。1997 年去日本，1998 年去美国，发现他们那里并不流行光盘，绝大多数人都还在耐心地看录像带，出租录像带的商店随处可见，生意兴隆；我在那边朋友家里，跟他们一起看带子时，甚感他们之落后，想起自己家里以及满楼邻居们谁不是把观赏光盘作为日常消遣，颇有民族自豪感。但现在回想起，他们听到我说起光盘，似无动于衷；而且，说他们"还在耐心地看录像带"，何以用这"耐心"二字？他们有什么耐心不耐心的？也许，是我们太缺少耐心了吧？

另一位朋友来了，她刚看了几行我写的文字就摇头说："啊哟，你能不能给我些轻松的，唯美的，柔性的，温馨的……"

年轻的她说，新世纪开端的三个 000，于她而言，意味着三个突破，达到三个圆满。

一个突破是真爱的获得，情欲与心灵交融双收双丰。她说唐明皇与杨贵妃，柳梦梅与杜丽娘，罗密欧与朱丽叶……那样的真爱在新世纪里会从戏剧里回到人间，成为寻常之事，问题只在于个体生命是否能自觉地去追求。

一个突破是真性情的抒发。既然全球几乎都时兴就业上的双向选择（包括选择后的双向"炒鱿鱼"），那么，她将不懈地跳槽，直到跳入一个最适合自己脾性，同时也最能以发挥自己特长的槽里。她还宣布自己将在条件成熟时，自己凿槽，容自己外，还能以槽会友，聚集同好，共创佳绩。

一个突破是全球性的旅游。她连到非洲腹地和赴南美以及中美洲小国的旅游计划亦已有筹划。

我没有祝福她。我没能给予她轻松、唯美、柔性、温馨一类的文字或者话语。

她也没有让我轻松下来。

我深刻地意识到，一个人，与另一个人，心思会有多么大的差异。

但差异不应该成为交往的篱藩。

相反，恰恰是差异，会构成一道小桥，令溪流两边原本很不相同的生命，乐于越溪交流。

而同龄人，同科出道者，同行，同僚，之间布满了多少有形无形的藩篱啊！有时虽然同在一张圆桌的宴席上，甚至紧挨着，旁人看去似也言谈极欢，其实，心灵之距，如隔高山大河，正所谓貌合神离也者。

于是憬悟，时间流逝与境像变幻，确实迅捷，但几乎不变，呈超稳定状态的，是人性。

人性是怎么回事儿？

知道它的稳定性，却找不到稳定的定义。

在2000年开始的新世纪里，要继续孜孜不倦地探索人性的奥秘。不会到头来的收获只有二，甚至只有三个0吧！

在跨世纪的时候，积我在上个世纪近六十年的心得，已经知道怎样把握窥测人性的角度。对自己，要立足于从人性恶的前提下，观察解剖。对朋友，虽要取人性善的蜜汁，尽情享用，却也宜以性本恶为圭臬，故知朋友难有几个可终身维系，朋而友之时，实在是双方都逾越了性恶，而交汇于后天养成的善境中也。对仇家，无妨相信人性本无善恶的论说，不类推，个案应付，恨到底，死也不原谅。对势力小人，以"近朱者赤，近墨者黑"加以解释吧。对自认伟大者，应知其既然已将他自己划归超人，当然不必以人性论之，他们是没有人性可言只有圣性可究的，但圣性如何去究析？盼通家有教以我！对所谓芸芸众生，尤其是穷苦者，下层人士，卑微者卑贱者，则需多从人性善角度理解。

进入有三个圆的这一年，我彻底承认了自己心灵中有恶。这是我向善的无尽动力。

我有了救赎意识。我无力改变别人，更遑论改变世界。但我有力量进一步改进自己。改进了自己，不也净化了一部分世界，从而对与我同时在这星球上存活的别人有利？

2000 年第一天绿叶居中

善的礼赞

骏良老友龙年起首赠我一件礼物，令我惊喜莫名！那是一盘 VCD，是程派名剧《锁麟囊》！开头我还不信，因为我知道上个世纪五十年代初，要给程砚秋先生拍舞台记录电影，本是要拍这个最具代表性的剧目的，后来有人说这出戏的剧情有"鼓吹阶级调和论"之嫌，就拍了一出《荒山泪》。从那以后直到现在，似乎也没有为任何一位程派演员拍过这出戏。我把骏良赠我的盘放出来细看，啊，原来在 1982 年，有过一次难得的程派名角大荟萃，由程砚秋的几位大弟子赵荣琛、吴吟秋、李世济、李蔷华、新砚秋在不同场次分别扮演主人公薛湘灵，那次有关机构将实况用摄像机录了下来，现在的 VCD 即用那资料翻录而成。

我是一个"程迷"，《锁麟囊》更是百看不厌，这回龙年春节，真是添了眼福了！虽然那 VCD 由录像带翻制，图像不甚理想，但几位名伶的表演十分精彩，放映时幽咽婉转的程腔绕梁不止，入耳真有麻姑搔背之快！

《锁麟囊》的剧情十分有趣：娇生惯养的富家女薛湘灵出嫁时遭逢大雨，到春秋亭避雨时，另一乘破旧花轿也躲了进去，轿中贫女赵守贞哭泣不止，薛湘灵遂将自己随身带的一个装满金银珠宝的锁麟囊慨然相赠；没想到世事沧桑，人生多变，一场大水，使薛湘灵婆家、娘家全都家破人散，她流落到异乡，为糊口只好去当看孩子的保姆；谁知那正是当年因她救济才得致富的赵氏所嫁之家，一场误会解除后，是个大团圆的结局。这出戏里没什么反面人物，有几个抹白鼻梁的小丑，也无非是有些个势利眼罢了，如在薛湘灵出聘时雷雨忽至，就偏解释说，她是"龙女一转"，因此那雷雨也是一种瑞相。

《锁麟囊》这样的戏曲是我们传统文化中的精品。我实在看不出它有什么"鼓吹阶级调和"的意图。那个囊本是薛湘灵母亲陪送给她以求神灵保佑她早生"麒麟儿"的，她却在遇到贫困者时"以有余献不足"，并且不让丫头说出自己姓名，丝毫不期盼回报，这种善良的情怀在中外古今无论哪个时空里，都应被肯定被赞颂。戏里的"势利眼"把薛湘灵说成"龙女一转"固然牵强附会，但即使是在今天，我们社会里"先富起来的"的一群，是不是也该学一学薛女士那种怜贫济困的善良心怀，多下一些解饥渴、脱危难的"及时雨"呢？

骗不尽的财富

和朋友小裘在地铁通道里遇到了一个告地状的少女，她垂头跪在那里，双手展开一张写满大字的纸，身前是一个已经投了一些零票的搪瓷缸子。我想停步看一下那纸上写的是些什么，小裘把我拉开，说不看也知道，无非是她父母哪个得了重病，动手术没钱什么的，最近晚报上有揭露性报导，还配了照片，说的就是这类骗子的事儿，让大家伙别轻易相信这些个"苦主儿"。小裘并说："真给中国人丢脸！路过这儿的外宾不少……人家发达国家可没这景象！"我忙跟他说："你还没出过国，我可是去过一些发达国家的，在日本我没见过这样的人，可是在美国、法国就都看见过，三个月前，在巴黎最繁华的地段之一——圣日耳曼地区，我就看见一个姑娘，穿戴得整整齐齐，跪在两家商店之间的墙根下，手里捧着一个大号的原是盛可口可乐的纸杯，杯上朝外粘着一张大卡片，上面用法文写着"请帮帮我"；我在她十步以外观察了半天，没见一个路过的人给她投钱，可是她却面无表情地，固执地跪在那里，期待着；我特别记得，她的衬衫翻领上还有着一层白纱的网罩……我对小裘说，我当时心里冒出了一个很不该有的猜测，小裘说你是猜她是个骗子？我说不，我觉得她不是骗子，但她没能力用别的办法找钱，我猜她是从东欧流落到巴黎的移民；小裘说这想法有什么不该有呢？我说这说明我心里有种歧视心理，歧视相对比较穷的族群，我不该没有调查研究，就断定那姑娘不是法国人。小裘和我进入了地铁列车，一直没离开这个话题。小裘说怪了，怎么全世界都有这种不争气的主儿？专门拿人们的同情心开涮！

那天回家也坐地铁，是和大何同路。在那地铁通道里，看见那个跪求援助的姑娘居然还在那里，而她的搪瓷缸里的收获看上去很不少，这还不算她肯定已陆续收进腰包的钱钞。大何驻足细看她展开的状诉，我也便凑上去看，文本也未见得有多么新颖，无非是母亲下岗，父亲所在单位不景气没参加大病统筹，而父亲急需动手术以挽救生命，至少得六千元云云。大何看完便拿出钱包，往搪瓷缸里投了十元钱，投完拿眼看我，见我没动静，也就随我往外走。

在人行道上默默同行了一段，大何问我："你不信那是真的？"我说："无从判断。她为什么不去找份工作，靠劳动挣出钱来呢？"大何叹口气说："你能替她找份工，短时间挣出六千元来吗？"我一时无语。大何就对我说："在一个月前我接到一封信，是个告地状的姑娘写给我的，感谢我捐了她十元钱，信里说，她家渡过难关了……"我说："你同情心如此丰富啊，见一个帮一个！"他说："不。那回我掏出钱包，但犹豫了一下，又把钱包装回口袋了。但那时我把一张名片掉在了地下，那姑娘是按那名片上的地址给我来信的，她把给了十块钱的一个人当成我了……"我说："那是个真的苦主。但如今这世界上真假难分，骗人同情的家伙太多！"大何说："同情心是人类特有的骗不尽的财富。我讨厌那些没有耻感的强行牵衣拉袖甚至搂臂抱腿的乞讨者，但自从接到那封信以后，我对那些以礼待人、声明理由的求助者再也不无动于衷了。也许他们里面不乏欺骗者，但这种对同情心必有的固执信念，是不是也反过来证明着，人性里确实有耗散不尽的财富，这世界这人类还是有希望有前途的？"

大何跟我分手后，我一个人坐在街边草坪旁的长椅上，想了很久。

探须伸来

几年前，南方某报娱乐版刊登出一篇文章，题目好象是《我没有冒充刘心武》，随即有好心人给我寄来一本署名刘心武的著作，紧接着就有不止一家报纸的记者打来电话，问我作何反应。我回答记者，一切都很正常。那本刘心武的著作勒口上印着相片，还有简历，是另外一位，年纪比我小很多，当然谈不到什么"冒充"。记者追问，你果然不生气吗？你至少会觉得遗憾吧？这样问令我觉得很奇怪。我说，中国人姓名大都就三两个字，重名重姓自古很多，比如如今就至少有三位叫朱琳的女士会时不时在传媒上出现，一位是北京人民艺术剧院的老艺术家，一位是比前者晚一辈的影视明星，还有一位是高干夫人（本身也是高干）。当代文坛上，有过两个王亚平，两个李准，女作家里例子也不难举出。那报纸娱乐版的文章里说，那位年轻的刘心武称他打小父母就取了那么个名字。其实他就是打小不是那么个名字，发表作品时署这么三个字，也是他的自由。我国法律至今似乎只有发表作品"署名听便"的规定，而没有相反的限制。人的名字被注册为专利，一人使用了，他人再不能用的事情，我还没听说过，也不赞成那样的专利制度。电话采访的记者听得不耐烦，问：依你的意思，现在有人用鲁迅、巴金的署名发表作品也可以啦？我说依我的意见，只要作者介绍里说明是另一人，也并不违法吧，之所以没出现这样的新作者，我想是即使有人拿出那样署名的作品，发表、出版的机构也会劝他改掉，这也并不是依据法律，算是社会的公序良俗吧。但是像刘心武这样的署名，算得什么？无论有人打小就叫这个名字，或原不叫这名字而愿署上这样的符号，只要在作者介绍里说清楚不是写《钟鼓楼》蒙了个茅盾文学奖的那位，发表、出版的机构愿意接受，那就完全构不成什么问题。当然，盗名假造印制上市，意在跟风求个畅销赚个大钱的，另当别论，那是违法行为，但我的书大都不属于畅销书，自己还没遇到过这种情况……记者不等我说完就说："行啦行啦，你真让我意外……你说的这些个，我怎么用啊？"我这才恍然大悟，人家的意思，是希望我生气以至愤怒，最好抗议，至少表示遗憾，从而引发出可持续性争辩的事态，没想到我竟麻木不仁，全无所谓。果然，这些采访后来一个字也没见报。

经过这件事后，我更加懂得，面对市场的报刊为了扩大销量，争取广告，一定要善于抓热点新闻，在文化新闻里，遇到能有逗蛐蛐般掐起来的可连续追踪的资源，记者编辑一定要抓住不放，穷追深挖到底，这也就所谓的"注意力经济"或"眼球经济"，我们实在应该尽快理解并且适应。鉴于此，记者有时进行采访，就仿佛手里摇动着逗蛐蛐的探须，一味地撩拨、挑逗，希望能兜出被采访者的火来，使说法、观点相左的两方最后在其版面上张牙相掐，最好一个回合接一个回合，虽然到头来这类事情大都不了了之，但旧的逗局撂下后，一定会再另觅新的逗局，好把版面的可观性保持下去。我这样打比方，希望有关的记者、编辑不要生气。翻翻金受申的《老北京的生活》、邓云乡的《增补燕京乡土记》等著作，就可以知道逗蛐蛐（即蟋蟀）是民间源远流长的很富情趣的娱乐活动，只要不沦为一种恶赌工具，实在是有益无害。报刊的功能之一是愉悦大众，文化新闻版尤其此任在身，记者、编辑不辞辛苦，有时为采访到一位当事人要费老大工夫和力气，采访后往往还要通宵达旦地赶写编发，真的很不容易，我如果是吃这碗饭的，摆弄探须的积极性一定不甘人后。这个比方里，把文化新闻版特别是娱乐版上被逗的人物比喻成蛐蛐，也实在没有什么恶意。说穿了，文化界的名流，如果成了明星，那性质也就是大众玩偶，歌星、影星、笑星等自不消说，现在有的作家，也被圈入此中，上了娱乐版，成了探须时来逗一逗的蛐蛐，也就是公众玩偶，在作家本人来说，或谓不幸，其实人家是看得起你，把你当成了个"角儿"，应该感到荣幸才是。总而言之，不知别人怎么想的，依我的想法，你既然享有了社会知名度，而又并非不可拿来玩笑的圣贤之辈，那么，付出些被别人逗一逗、惹人乐一乐的代价，也是应该的。

最近又有探须伸来，电话采访的记者问我对"一个人的排行榜"的选本有何看法。记者告诉我，这套从1977年选到2002年的选本"漏选"了不少人，我也是其中之一。记者特意把此前已经采访过几位被"漏选"的人士的反应告诉我，说是有的表示"我在文学史上的地位自有公论，是谁也抹杀不了的"，有的嗤之以鼻说"不予置评"。记者问我是不是也很诧异和生气。看来很希望我同仇敌忾。我心平气和地回答说，人家说清楚了是"一家"之见嘛，他愿意"网"谁"漏"谁应有充分的自由，而且，

"漏选"这个说法本身就不妥,哪个天皇老子规定了必须选谁呢?至于我,那就更不存在什么"漏"不"漏"的问题了,我自己只是爱好写作罢了,有得写,写了能发表,有人读,就非常满足,什么排行榜呀,获奖呀,文学史呀等等,跟我有什么关系?当然,白给我排进去,白给我奖,在什么史呀上白记我一笔,我也不拒绝,但那绝不是我挂心的事。记者说,那么,你是完全无所谓啦?我说对这件事,我不是无所谓,而是感到高兴。我觉得这是文学进一步走向多元化的一个标志。拿选本来说,越多元,越有利于读者的选择,不仅民间可以有多种选本,就是"官选",也可以不止一种。这些比我年轻的一代选家,他们如果选起来还是原来出现过的那类选本的模样,或者仅仅是在不能"漏选"谁的前提下,稍微掺进一点新鲜的,那就实在无趣!说实在的,"一个人的排行榜"的最大乐趣就是要刻意地"漏","漏"字当头,新意才能盎然流溢。我要是跟他们一样年轻,我选起来可能更要狂放哩。说他们年轻,是跟我现在这年纪比,其实以曹雪芹"四十年华付杳冥"、普希金的 38 岁决斗身亡、卡夫卡的 41 岁病故等为坐标,他们其实都也老大不小了,你再不让他们"一个人"玩,非把他们规范到谁谁决不能"漏"的"排排坐,吃果果"般的"群体行为"里,那不压抑死了!……这位记者也是表示我的反应大出其意外,我忙说你别因为我没跟他们掐起来就不给我登啊,回答是会登会登,我说希望登出来给我寄张报纸,也回答会会会。但直到我写这篇文章,刊登那采访的报纸也没给我寄来。显然,我不是只好蛐蛐,探须是白来撩拨了半天。蛐蛐是很了不起的昆虫,我自知还达不到那样的水平。自比为蚯蚓吧,只问耕耘,不问收获,越活越糊涂,却也越来越怡然自得。

2003.4.6 温榆斋

贾雨村的初始反应

《红楼梦》里的贾雨村官授金陵应天府，一下马就有一件人命官司：金陵一霸薛蟠为争买一个被拐卖的丫头，倚财仗势，指示众豪奴把与其争执的冯渊活活打死，嗣后薛蟠没事人一般，只管带了家眷按原定计划进京去了，苦主的仆人告了一年的状，竟无人做主。贾雨村听了这个案情，初始反应是："岂有这样放屁的事？打死人命，就白白的走了再拿不来？"

贾雨村的这个初始反应，包含三个因素，一是良知，也就是一个人的人性里最朴素的善；二是道德感，也就是作为社会人在处事中最基本的是非判断；三是对体制的责任感，作为当时的一个曾被参劾过的官吏，"蒙皇上隆恩起复委用，实是重生再造，正当殚心竭力图报之时"，必以维护"王法"为准则。

薛蟠指使豪奴打死冯渊一案，情节简单，证据确凿，审理起来本来并不困难，如果贾雨村把他的初始反应坚持住，在那基础上了结此案，也算作了件既对得起自己，也对得起社会，并且也对得起皇上和"王法"的事情。但是凡读过《红楼梦》的都知道，贾雨村在当过和尚的门子的提醒下，掌握了"护官符"，知道那薛家与贾家、史家、王家是炙手可热、连结有亲、扶持遮饰皆有照应的四大豪门家族，薛蟠对人命官司根本不放在心上，"并不为这此些些小事值得他一逃走的"，在这种情势下，贾雨村便依门子的设计胡乱判断了此案。贾雨村不但将乍听到案情的初始反应泯灭殆尽，而且，心理上还从怕得罪权贵发展到乐得利用此机会攀附豪门，"断了此案，急忙作书信二封，与贾政并京营节度使王子腾，不过说'令甥之事已完，不必过虑'等语"，后来果然得到贾政等青睐，官运更加亨通。在前八十回里，贾雨村的故事后来都是暗场处理，第四十八回通过平儿的嘴骂他："都是那贾雨村什么风村，半路途中那里来的饿不死的野杂种！认了不到十年，生了多少事出来！"接着平儿道出贾雨村为了帮贾赦霸占石呆子的古扇，害得石呆子家破人亡的事情，想必贾雨村作这件事时，心理上已经完全没有了刚接触薛、冯命案时那样的初始反应。对比之下，贾琏这个也做过一些坏事的人还能说："为这点子小事，弄得人坑家败业，也不算什么能为！"

为此还让父亲贾赦混打一顿，脸上打破了两处。王熙凤的亲信旺儿是惯会帮凤姐作恶的人，但当凤姐命他将尤二姐的前夫张华灭口时，他生出不忍之心，终于没有那样去作。贾琏和旺儿在这些事情上就表现出守住了对恶事排拒的初始念头。

《红楼梦》里的贾雨村是个复杂的人物，曹雪芹对他的描写并不脸谱化，而且，在第二回里，曹雪芹还借他之口，道出了惊世骇俗的"正邪二气赋人"说，对贾宝玉那样的人物作出了独特而深刻的解释。在曹雪芹写就而已佚的八十回后的文字里，根据现存脂砚斋评语，我们可以约略知悉贾雨村在贾家败落过程里落井下石，但自己也终于"因嫌纱帽小，致使枷锁扛"。

据我所知，曹雪芹为贾雨村所设计的"岂有这样放屁的事？"一句道白，现在颇有一些人士在生活中自然引用，以表达对传媒报导或道听途说中的某些案件中的坏人坏事的本能义愤。当然现在的社会已经与曹雪芹笔下的社会不同，各级官员也不好用贾雨村那样的官吏套比，但对坏人坏事的初始反应，相信仍会涌现在许多人士的心头，而且其本能反应里也还是包含良知、道德感和责任感三种因素，只是现在的责任感不是对应皇上和"王法"，而是对应老百姓和现代法制的了。曹雪芹生动地写出了贾雨村在乍闻恶人肆虐时有着强烈的初始反应，启示读者——贪官污吏是一步步变坏的，从心理线索上探寻，则往往在初始阶段还是有良知、道德感和责任感的。这样的初始情怀是值得每一个人珍视并坚守的。今天的那些没有能坚守住对坏人坏事的初始义愤，而竟一步步泯没了良知、道德感与责任感的官员，导致他们沦丧的外部原因和内心因素又究竟都是些什么？这是值得根据种种个案作深入分析的严肃课题。

兔年赞兔

平日想不起兔子的好处来，但兔年到了，少不得多想想兔子的好处。随便一想，兔子值得赞美之处倒真不少。

兔子最得赞美之处是它的逃跑速度。所谓"静如处子，动若脱兔"，是对兵家用兵神妙的赞扬。如今太平盛世，国内不再"以阶级斗争为纲"，文坛自然也不再批这个揪那个，但如欲真的坚守自己的良知，不陷人某些表面热闹实际无聊的围阵，则"静如处子，动若脱兔"的八字箴言，是很可借用的。

逃跑，往往为人所不齿。其实要看从哪里逃跑。比如说，从庸俗中逃跑，从浅薄中逃跑，从虚荣中逃跑，从空谈中逃跑，就不但值得，而且还必须具有从兵戈交加的险境中突围的智勇。

"龟兔赛跑"的故事，把兔子作为"骄傲自满"的典型，而在绝大多数情况下，兔子是被公认为怯懦成性的。其实依我观察，兔子既与骄傲自满沾不上边，也未必就那么怯懦。在一个如此复杂的世界上，兔子把自己的耳朵长得长长的，格外细心地捕捉、分析一切与自己有关的信息，随时准备以最佳的方式来应付降临的变化，其保护自己、发展自己的能力相当地强，比起某些"虎狼屯于阶陛，尚谈因果"的人来，兔子不但绝不怯懦，而且很可以作为镇静应变的榜样。

关于兔子的种种故事和传说中，最得我心的，还是月宫捣药的一景。尽管"阿波罗号"登上月球已近 20 周年了，理智上明知月球上既无琼楼玉宇，也无嫦娥舞袖、吴刚捧酒，但理智层下的感知中，还总觉得自己所望见的月中阴影，确有一组是玉兔在捣灵药。兔子站立起来的形象，大大可爱于蹲伏形象。四肢伏地的动物，大多数都可偶有前肢扬起的姿态，但兔子不加训练，即可完全站立，这一点使它优于许多动物。不管动物学上对此作何解释，我反正喜欢一切能摆脱趴伏姿势的努力与能力。

在诸多的动物中，兔子又是特别与儿童相亲近的。温驯而活泼，所求甚少，所献甚多——从皮毛到精肉，从供医学解剖到制作教学标本。没有兔子的世界将会变得多么乏味，真是难以想象。

兔年并非我之"本命年",所以我之赞兔,绝无私心。实在是兔子有其可爱可赞之处。倘在鼠年,我是绝不会写"鼠年赞鼠"的。附带提个建议:"十二属相"虽是"祖宗成法",是否也可加以调整,比如将"鼠年"改为"猫年"?

1987 年春节

如何看待当被告

在报上读到一篇《寄自被告席上的信》,里面一再强调:"我成为建国以来第一个被编辑送上法庭的作者。"笔者不知该作者是否已查阅过建国以来全国众多省份各级法院的全部诉讼卷宗索引,何以能确认自身为此种民事诉讼案中的"第一个"。本文对其人是否真是如此这般的"第一个"也不作讨论,所想探究的只是:说这样的话出于一种什么样的心理。

显然该人这样说是为了争取社会舆论的同情:一身清白,竟成被告。法庭作何判处姑且勿论,戴上"被告"的"帽子",已蒙羞耻;而己为作者,彼不过一编辑,编辑竟告作者,岂不荒唐?

这位被告作者和原告编辑之间,存在的是关于电影剧本的著作权的纠纷,这当属于民事诉讼而非刑事诉讼的法律范畴,他们谁是谁非,社会舆论在明了真相后当有公论,法庭在经过调查审理后当有裁决,笔者无意介入。笔者所想说的只是:我们应当增强法律意识,习惯于打官司一类的事情,在民事纠纷中,倘若双方争执不下,法庭外的调解又不起作用,则无论哪一方上告法院,使另一方成为"被告",我们都不必惊讶叹息;在民事诉讼中,作为"被告"未必就是羞耻,自己先应树立"人家可以告我"(包括编辑可以告作者)的观念,周围或闻其事的人们也不必一听某某成了"被告"就立即鄙夷或同情。

依我看来，这位作者除上庭辩理，在报刊上发表文章为自己辩护，争取舆论同情，都是行使公民权利，无可非议。但在陈述事实之外，还强调自己是"建国以来第一个被编辑送上法庭的作者"，流露出一种不能忍受别人跟自己"诉诸法律"的情绪，这就不必要了。那位编辑不是采取贴大字报、辱骂殴斗一类的行动，而是郑重其事地告到法院，不管法院最后如何裁决，他这一行动都应当视作文明的表现、正当的行为，他之作为"原告"无所谓光荣，而"作者"作为被告也无所谓羞耻。

我国至今对著作权一类问题，缺乏正式的法律规定。看来尽快制定出有关法律，是迅速变革中的社会的迫切要求。不过这是另外的一个问题了，兹不赘议。

1984 年 11 月 13 日

京华何处卖花声

一位外国朋友问我："中国生产的花瓶是世界上最好的花瓶，而且几乎家家都有花瓶，可是中国人为什么不往花瓶里插鲜花呢？"

我从几个方面向他作了解释，比如过去把"阶级斗争"的弦绷得太紧，养花赏花曾被斥为"资产阶级生活方式"，以及人们生活水平不高，也还没有产生出瓶插鲜花的审美心理，等等。现在想来，这个问题还值得作进一步的探究。

前些时曾有日本花道艺术家来华表演，在赞叹他们插花的技艺时，也不禁感慨万端——日本保留至今并大行其道的花道、茶道、柔道、相扑等等名堂，其实都大抵是中国唐代传过去演化而成的。以插花艺术而言，远的不说，仅一部《红楼梦》里，就有多少有关的具体描写与美学分析，如《芦雪庭争联即景诗》中写以美女耸肩瓶插梅，其枝"只有二尺来高，旁有横一枝，纵横而出，约有二三尺长，其间小枝分枝，或如蟠螭，或如僵蚓，或孤削如笔，或密集如林……"又如《史太君两宴大观园》

中写探春屋里"设着斗大的一个汝窑花囊，插着满满的一囊水晶球的白菊"，而薛宝钗屋中"一色玩器全无，案上只有一个土定瓶，瓶中供着数枝菊花"，等等，其见识与趣味，都达于审美之极致。可见在中国瓶插鲜花的衰落只是近世的事。

其实中国人民爱花，绝不亚于世界上其他任何民族，除"文革"中最阴暗的几年。以北京市民而论，几乎家家都养有盆花。近两三年来更是养花之风日盛，许多人已不满足于养一般的廉价的品种，而向名贵的独特的价昂的品种挺进。

但百分之九十几的家庭，室中点缀的花卉要么是盆栽的，要么便是插于瓶中的假花。恕我直言：北京市上发售的与众多家庭插用的塑料假花，大多颜色倍艳，形态造作，制作也往往比较粗糙。但今天越来越多的北京市民开始萌生了在花瓶中插鲜花的想法，只是苦于眼下还很少有鲜花的供应。崇文门花店虽有发售，究竟品种单调，也太昂贵。西单那边据说可电话或信件订货，想来也终究费事且费钱。何时才能出现较多的花摊、花车，在街头巷尾出售从价廉到价昂的不同品种的瓶插鲜花呢？

晚清《竹枝词》有云："婺尾春开巷陌晴，红腔听过一声声。丰宜门外丰台路，花担平明尽入城。"如今的京华，将在何处首闻一递又一递的卖花声呢？

1984 年 11 月 24 日

歪评凤姐

凤姐之令人诟病，首先是"弄权铁槛寺"。其实凤姐这个首罪，很值得冷静分析。

说是"弄权铁槛寺"，不如说是"弄权馒头庵"，凤姐应住铁槛寺而不爱住铁槛寺，"因遣人来和馒头庵的姑子静虚说了，腾出几间房来预备"，住进了馒头蒸得呱呱叫的馒头庵。事情在凤姐方面，有偶发性。静虚主动求她办的事情是："……有个镇主姓张，是大财主。他的女孩儿小名金哥，那年都往我庙里来进香，不想遇见长安太府的小舅子李少爷。那李少爷一眼看见金哥就爱上了，立刻打发人来求亲……"据这头一段叙述，颇令人联想起《西厢记》中的莺莺和张生，金哥和李少爷倘能结合，很可能比父母包办的婚姻美妙，但，老尼接着说："不想金哥已受了原任长安守备公子的聘定。张家欲待退亲，又怕守备不依，因此说已有了人家了。谁知李少爷一定要娶，张家正在没法，两处为难；不料守备家听见此信，也不问青红皂白，就来吵闹，说：'一个女孩儿你许几家子人家儿？'偏不许退定礼，就打起官司来。女家急了，只得着人上官找门路，赌气偏要退定礼。我想如今长安节度云老爷，和府上相好，怎么求太太和老爷说，写一封书子，求云老爷和那守备说一声，不怕他不依。要是肯行，张家哪怕倾家孝顺，也是情愿的。"据此可知：这是一桩民事讼案，以今天的眼光来看，张金哥与守备公子从未谋面，本是父母包办，其结合之幸福率极低，李少爷毕竟是见过张金哥并对之一见钟情的，又托了媒人来明媒拟正娶，张金哥的父母审情度理，对李少爷的求婚颇为动心，是无足怪的，守备家先上门厮闹继之告到官府，并无令人同情之处。老尼所代为求助于凤姐的，无非是通过"后门""开条子"促成一项本不足惜的婚约的解除。直到二十世纪八十年代的今天，我们社会上有头有脸的人物不也还在"开条子"，而相当于云老爷的官员们，不也还有收"条子"并按"条子"所嘱办事的吗？当然，在这桩事情上，凤姐有索贿受贿的问题，但她那"从来不信什么阴司地狱报应的；凭是什么事，我说要行就行"的宣言，却也无妨看作是一种对封建统治秩序和封建礼教规范的公然蔑视与挑战。曹雪芹当然是谴责凤姐的，在下一回中他交代道："那凤姐却已得了云光的回信，俱已妥协，老尼达知张家，那守备无奈何，忍气吞声受了前聘之物。"如果事情到此结束，倒也算不得什么，但，"谁知爱势贪财的父母，却养了一个知义多情的女儿，闻得退了前夫，另许李门，她便一条汗巾悄悄的寻了自尽。那守备之子谁知也是个情种，闻知金哥自缢，遂投河而死。好怜张李二家没趣，真是'人财两空'。这里凤姐却安享了三千两。王夫人一点消息也不知。自此凤姐胆识愈壮，以后所作所为，诸如此类，不可胜数。"这是所谓"史笔"吧。但我们读《红楼梦》，倒也不必全被曹公牵着鼻子走。从现代法律角度衡量，张金哥和守备公子这两条人命，还不能算作凤姐的"血债"，金哥的自杀，是出于"一女不许二门”的观念过于执置，而守备之子只根据一个消息，便也投河自尽，在我们现代人看来，真叫莫名其妙，他们本是完全可以不死的。凤姐就是有责任，也只是间接而又间接的责任。倘若更冷静地审视，则张金哥和守备之子是满脑袋封建道德的人物，个体的独特价值几无显现，而凤姐却是生气勃勃冲破封建道德约束的敢作敢为者，她并没有杀人的动机，她只不过是蔑视封建婚约的神圣性，看透封建官场表面秩序的虚伪性，坦率地利用“开条子”和“走后门”办了一桩“替他出这口气”的小事而已。作为一个个体，她却具有着超出那个社会群体规定性的相当独特的价值。

本世纪以来的文学评论，越来越热烈地颂扬贾宝玉和林黛玉的反封建言行。其实，贾宝玉、林黛玉对封建主子们直接蔑视和反抗的言行几等于零，对贾母，宝玉和黛玉由衷地爱戴，并将自身幸福的企盼寄托于这位封建老祖宗；对邢夫人他们可能没有任何感情，却也始终尊重；对王夫人他们有时爱怨交加（如宝玉），有时冷眼旁观（如黛玉），但总的来说他们是相处和谐的。王熙凤则不然。对贾母，她奉承讨好，百般蒙骗，结果获得了一种不仅在贾府而且在整个社会上去看也相当令人咋舌的特权。林黛玉一进府就发现，在贾母面前，“这些人个个皆敛声屏气如此，这来者是谁，这样放诞无礼？”所谓“放诞无礼”，就是公然超越封建宗法秩序，达到个性的高度张扬。凤姐个人争取到的这种个性自由，是远远超过只会躲到花园角落里暗泣残红的林黛玉，更远远超过路过父亲书房便战战兢兢的贾宝玉的。对邢夫人，这位封建婆婆，凤姐的蔑视与对抗是很明显的，难得的是，对王夫人这位她的实际靠山（亲姑妈和委托她管家的贾府正经主妇），她也绝无贾宝玉式的敬爱和林黛玉式的温情。第三十六回中写到，凤姐从王夫人屋里“转身出来，刚至廊檐下，只见有几个执事的媳妇子正等他回事呢；见他出来，都笑道：‘奶奶今儿回什么事，说了这半天？可别热着罢。’凤姐把袖子挽了几挽，踮着那角门的门槛子，笑道：‘这里过堂风，倒凉快，吹一吹再走。’又告诉众人道：‘你们说我回了这半日的话！太太把二百年的事都想起来问我，难道我不说罢？’又冷笑道：‘我从今以后，倒要干几件刻薄事了。抱怨给太太听，我也不怕！糊涂油蒙了心、烂了舌头、不得好死的下作娼妇们，别做娘的春梦了明儿一裹脑子扣的日子还有呢……’”我以为，凤姐那“把袖子挽了几挽，踮着那角门的门槛子”的肖像，是整部《红楼梦》中最为出色的人物肖像，要说反封建,这做派本身便是百分之一百的反封建。试问,贾宝玉、林黛玉被那么多人以"反封建"捧上了天,他们又有哪一幅肖像,有王熙凤这个踮门槛子的肖像更活灵活现地体现出了她对封建礼教的挑战精神呢?当然,贾宝玉林黛玉虽然没有对贾母、王夫人公然地不以为然乃至彻底蔑视,他们的许多思想言论确实是饱含反封建因素的,可我们也不能忘记,"舍得一身剐,敢把皇帝拉下马"这句话,却恰恰不是他们也不是晴雯司棋之流喊出来时,而是王熙凤在大庭广众中喊出来的,不管她喊出这句"俗话"的动机究竟如何,如以二十世纪中期的"文革"标准衡量,她犯下的"恶攻罪",是远比宝玉和黛玉严重的。

论《红楼梦》中的人物,实在是应该把王熙凤同贾宝玉、林黛玉一起并列于反封建谱系的。"惑奸谗抄检大观园",常被论者视为封建势力对花朵般烂漫开放的青春生命的一次大摧残,而这次大摧残,王熙凤不仅不是发起者和积极参与者,一开头还率先成为被怀疑被追查的对象,不得不"又急又愧,登时紫胀了面皮,便挨着炕沿双膝跪下",费了老大的劲儿才算洗清了自己,否则,恐怕免不了要被"停职检查"乃至"撤职查办"的。当王夫人听王善保家的谗言,"猛然触动往事,便问凤姐道:'上次我们跟了老太太进园逛去,有一个水蛇腰,削肩膀儿,眉眼又有些象你林妹妹的,正在那里骂小丫头;后来要问是谁,偏又忘了。今日对了槛儿。这丫头想必就是他了?'凤姐道:'若论这些丫头们,共总比起来,都没晴雯长得好。论举止言语,他原轻薄些。方才太太说的倒很象他,我也忘了那日的事,不敢混说。'"凤姐在这种情况下,能够这样回答,算是对晴雯起了力所能及的保护作用了,比起二十世纪八十年代中国某些有一定发言权的人物,对一些被谗言打击的人士所表现出的冷冷清清、漠不关心、麻木不仁乃至"王八一缩脖,死活由你去"的态度,那可是强得远了,或者竟可以说有着质的区别。

凤姐被卷进抄检大观园的行动中,被动之中也有她的主动,当晴雯以"嘡啷"一声掀倒箱子并反唇相讥来对抗时,她"见晴雯说话锋利尖酸,心中甚喜",虽"喝住晴雯",实际上是包庇怡红院众丫头过关;到了黛玉处,她一方面安抚黛玉,一方面公开为紫鹃等解脱;在探春处,王善保家的挨了探春一巴掌,凤姐不消说是心中称快的;到了惜春那里,查出了入画的"脏物",倒是惜春把入画往火坑里推,凤姐表面申斥实际上在宽赦。在迎春那里搜出司棋"犯罪"的"铁证"后，尽管因为司棋偏偏是王善保家的外孙女儿，凤姐不无幸灾乐祸的痛快感，但她"见司棋低头不语，也并无畏惧惭愧之意，倒觉可异。"凡此种种，都说明王熙凤在大观园封建势力与被摧残的弱者的对抗中，不仅没有站在封建势力一边，而且也并不是严守中立，她的同情，是明显倾向于受害者一边的。

我这里不想袭用所谓"二分法"来分析凤姐，实际上，倘把凤姐放到历史潮流的大背景上加以考察，她的若干重大的作为，都无需"二分"便可判定为是一种自觉的个性本位的蔑视既存礼法的性质，起着瓦解封建秩序的效果，至少在客观上有着进步的作用。或问：难道她害死尤二姐，也是进步的吗？她迫害尤二姐的程度和速度，或许过分了一些，但她对理想的一夫一妻家庭结构的追求，她对贾琏偷娶外室的反抗，她对个人在性生活和感情生活中的尊严的维护（这包括她对贾瑞的"毒设相思局"），她的自我价值肯定和对自我命运的主动把握，都带有逸出封建规范的反叛色彩，具有某些资本主义初始阶段早期资产阶级代表人物的那种滴着血的耀眼光芒。凤姐爱钱，敛钱，并且还努力使"钱生钱"，这在商品经济受到沉重压抑的中国，不仅不应视为一种罪恶，而且大可从正面加以探究。凤姐克扣月钱，拖放月例，把钱拿去生钱，放高利贷，究竟是怎么个放法，书中没有明写，但想必是以借贷方式用去作为了商业资本的流动资金，其中有没有可能被借贷者拿去兴办实业呢？我以为是可能的。第十六回中，赵嬷嬷回忆起当年"咱们贾府正在姑苏扬州一带监造海船，修理海塘，只预备接驾一次，把银子花的象淌海水似的！"王熙凤忙接道："我们王府里也预备过一次。那时我爷爷专管各国进贡朝贺的事，凡有外国人来。都是我们家养活。粤、闽、滇、浙所有洋船货物都是我们家的。"这就说明王熙凤是那个时代中国最早接触外部世界的买办家庭的产物，她具有某些资本主义拜金思想、资产阶级个人主义者的做派，是一点也不奇怪的。

曹雪芹借太虚幻境"薄命司"中的册子概括王熙凤一生的命运是："凡鸟偏从末世来，都知爱慕此生才；一从二令三人木，哭向金陵事更哀。"她的生不逢时，其实是一种超前性。"一从二令三人木"这个谜语使无数红学家"尽折腰"，对这个谜底大家始终不能形成共识，依我看来，那种认为王熙凤到头来只得由"第一步贾琏对之言听计从到第二步转而听命于贾琏到第三步终不免被休"的推测，是最没有道理的。"一从二令三人木"，应是同后面"红楼梦十二支曲"的《聪明累》中"机关算尽太聪明，反算了卿卿性命"相对应的。王熙凤的悲剧，并不一定凝聚在"忽喇喇大厦倾"、"家亡人散各奔腾"上，而在她主体所意识到的与客观所不能容纳与提供的尖锐矛盾上，更明快地说，便是个人生存与历史进展之间所形成的不可逾越的差距，所以要"叹人世，终难定"！

　　不管怎么说，如果非要确定《红楼梦》这部书的第一号主角，我以为连宝、黛、钗都得靠边站，王熙凤才实实在在地称得上！

1989 年 3 月

两岸莺声啼不住

　　三年前，我在《收获》杂志开辟了一个"私人照相簿"的专栏，发表了一系列纪实性的散文，其中有一篇《伶人传奇》，讲到海峡两岸三代京剧演员的悲欢离合，里面提及台湾京剧界泰斗郭小庄女士，并附有她与文中主人公的合影；我在文尾表达了一个希望：有朝一日海峡两岸的京剧同行能在一块红氍毹上共献技艺。没曾想近日在电视上果然看到了郭小庄女士与中国京剧院景荣庆先生合演《霸王别姬》的片断，地点是在香港，真令人兴奋不已。

　　其实以我中华的悠悠历史为量度，京剧应算是很新近的一种文化现象。近来举行的"纪念徽班进京二百周年活动"，影响颇大，但也有年轻人颇为吃惊地说："怎么？京剧才不过二百岁？！"二百岁还是打"徽班进京"起算，它的正式成型和繁荣昌盛，是在"同（治）光（绪）时期"，那它的年龄，其实不过一百二十岁左右，目前大陆和台湾都有超过一百二十岁的"人瑞"健在,京剧在他们的童年时代,该是一种很新潮的艺术。

京剧并不古老,然而却引出了"京剧危机"的讨论,固然讨论的过程中否定"危机说"的意见占了上风,但"危机"的提出,确令人有惊心动魄之感。

近四十年来,京剧的大本营,不消说是在大陆,六十年代中期到七十年代末期,大陆京剧的遭际颇为离奇,这里不去剖析。八十年代以后,大陆和台湾的京剧界都面临着争取新一代观众的问题。时下三十来岁的中国年轻一代,对他们影响最大的艺术形式,第一当推电视,第二当推电影,第三当推流行音乐,像话剧和美声唱法这样的表演艺术,与他们的沟通已产生了一定的难,戏曲艺术面对他们产生"危机"之说,似乎也属势在必然。

在我们大陆方面,因为京剧艺术人材济济,流派传人辈出,艺术教育一直保持着相当的水准,所以在争取新一代观众方面,比较具有优势;精萃的传统剧目的整理恢复,新编历史剧目的一再锤炼,成绩都可称斐然。台湾方面京剧艺术的保留和发展困难很多,但一直有如郭小庄女士这样的菊坛俊杰,多年来坚持着发扬这一中华瑰宝的艰辛努力,八十年代以后,由她主持的称为"雅音小集"的京剧会演,在争取台湾年轻一代观众方面获得了显著的成效。

郭小庄女士和参与"雅音小集"演出的一批演员,基本功扎实,艺术修养深厚,在继承京剧艺术优秀传统方面不殚心力,但郭小庄所主持的"雅音小集"的演出,也引出了台湾评论界不尽相同乃至大相径庭的估价。为了适应台湾年轻一代的欣赏需求,"雅音小集"的深出常常牺牲京剧角色左上右下的程式,而以话剧的幕启幕落来划分段落,又往往采用话剧式的实景,比如京剧中原来的登楼、下楼程式优美而灵动,他们则将之变为在真正的阶梯上表演,使一部分评论家大呼"失当";他们又把原来的京剧"场面",扩大为交响乐式的大型国乐乐队,使一部分老戏迷为失却京剧音乐原有的"清韵"而皱眉。郭小庄女士称她是在"不断寻求国剧艺术的突破与创新",在《韩夫人》一剧中,她甚至特请了日本的舞台设计名家来搞舞台装置,结果那日本人在舞台上设计了下垂的七块粗布幔,使一部分激进的评论家大捧为"东西方抽象艺术的大融合",而使得更多的批评家和众多的观众认为是"大败笔"——

因为京剧艺术虽是大写意的抽象表演程式，但一向以雍容华灿的舞台风格面对观众，即使是剧中的乞丐，也粉面红唇，"丐衣"也是色彩鲜明、质地优良的绸料，与那种追求粗拙乃至"肮脏效果"的西方"前卫艺术"实在是难相和谐。郭小庄女士及其同仁在广泛听取各方面意见后也不断调整着他们的演出。继《韩夫人》、《梁山伯与祝英台》、《白蛇传》、《王魁负桂英》等剧目之后，前些时他们又推出了《红绫恨——长平公主》，剧本强调了情节性，主要突出郭小庄所扮演的长平公主一角，没有再取用《韩夫人》那种"西方现代派"式的舞台装置，但仍然采用了灯光、布景、旋转舞台等等非京剧传统中所有的艺术手段，引出的争论，仍是十分激烈的。真盼有一天大陆上的优秀流派传统剧目和成功的新编历史剧目，能与郭小庄他们的"雅音小集"，在海峡两边易地演出，以引出更多的珠玉之见，促进京剧艺术的繁荣与发展。

京剧是中国传统文化发展到烂熟阶段所结晶出的最玲珑剔透的珍宝，对它的维护和促它的发展，只能主要依仗一代又一代新的演艺人员，同时也需要造就一代又一代新的观众。现在可喜的是，不管面对着多少相同或不同的困难，海峡两岸的有志之士，都在努力为京剧这一民族文化的珍宝贡献着自己的力量。李白诗曰："两岸猿声啼不住，轻舟已过万重山。"现在我把海峡两边京剧界同仁的努力形容为"两岸莺声啼不住"，那么，难道年轻一代的中国人仍要像"轻舟"似的，只顾"过万重山"而不喜闻么？不，我不那样看。这次大陆"纪念徽班进京二百周年"的活动，就搞得既隆重，又实在，不仅花团锦簇，也有艺术深度，成为不仅联系海峡两岸，而且牵动了包括海外各地华人心中丝缕的一桩民族文化盛事，因而，面对中华民族年轻的一代，既然"两岸莺声啼不住"，我们就应当坚信，"莫愁前路无知己"！

1990 年 12 月 22 日

浅草才能没马蹄

今年广州的"五·四"气候异常温和，已经 T 恤短裙上阵的广州男女又把茄克衫和牛仔裤穿出来了；在这个新文化运动发展七十二周年的纪念日里，广州中山图书馆正进行着一个规模不算太大的却四十年来空前的"'91'台湾图书展销会"。

记得大约八年前初次见到台湾的出版物，颇觉新鲜。第一印象是印制较为精美，一般所用纸张都比大陆考究，封皮用料更觉堂皇，图版制作也都相当精细，而繁体字竖排的版式很觉眼生。后来见得多了，也读了一些，便渐渐发觉只有少数出版机构的出版物堪称作风严谨，有的书实际上是"表面堂皇，内里掺糠"——书商抓住一个选题，大约是为了抢先面市。"萝卜快了不洗泥"，排校极其马虎，别字、漏字、重字屡见不鲜，译名前后不加统一，甚而时有错行、错页的现象出现。此外盗版的出版物不少，我就看到过一种《查泰莱夫人的情人》，号称"全译本"，用纸印制望去都颇华美，却从头到尾找不到译者署名。台湾开放"党禁"、"报禁"之后，不少书商为迎合社会急欲了解大陆情况的心情，急就出版了不少关于大陆的书籍，整本盗版印行的例子很多。有的出版机构态度比较严肃，做事也比较得体，想方设法同大陆作者取得联系，征得同意后方加以出版发行，并合理地付予稿费或版税；有的或许是想联系一时联系不上；有的可就是"自来自去梁上燕"了，大陆作者见书后去信询问，竟"泥牛入海无消息"，令人遗憾。

以台湾那样一个人文环境，出版机构及出版商的良莠不齐，也无足怪。这回的"'91'台湾图书展销会"，参加的是台湾素有名望、作风严谨的一批出版机构——当然也还有某些很不错的出版机构因这样那样的原因未加入，牵头的是联经出版事业公司的总经理刘国瑞先生。"联经"是台湾民间大报《联合报》社的分支机构，目前以一日三种的速度出版着各种社科类的书籍，其中文学艺术占有相当的比例。刘国瑞先生也是《联合报》社的副社长。这回他率"'91'台湾图书展销会访问团"来大陆，把自己的太太和岳母也带来了，好在书展之余，一睹大陆乡景，饱享亲情之乐。访问团的副团长是华欣文化中心的程国强主任，总干事是华一书局有限公司的总经理邱志贤，团员计 34 位，代表着 25 家出版机构。

这个 "'91' 台湾图书展销会"，得到了中国国际图书贸易总公司的全力支持，北京总公司的总经理，以及广州、上海等地分公司的总经理，都莅临书展，双方即席发表了热情洋溢的讲话，对两岸图书出版事业的进一步交流、切磋、促进，都有乐观的展望。海峡两岸本乃一国，两岸的文化都属源远流长的中华文化的新波新浪，尽管无可讳言地有着难以相通的某些根本性差异，但其可通可融可借鉴可备考之处也甚多。参观这个书展，当然同参观一个外国书展完全异趣。这是我们中国自己的一个书展，尽管触目的都是繁体字，尽都是从左向右翻动书页，大都是竖排，横排大都要从右向左贯读，但一片片的方块汉字总牵动着我们的同胞情怀，我们都是中国人，我们用方块字思维，用方块字写作，用方块字印书，并且我们都从阅读方块字中获得其他文化中人难以透彻体味的快乐！

这回展出的，都是近两年来各出版机构所出的部分新书，今年春节后，在北京曾见到台湾时报文化出版公司的总经理郝明义先生，时报文化出版公司是台湾《中国时报》报系的分支机构，就发行量而言，《中国时报》比《联合报》更胜一筹。那回郝明义先生便告知，他们新出版了马克思的经典著作《资本论》，并召集了由台湾资深学者、教授参加的座谈会，构成台湾出版史上的一桩大事。这回在广州的书展上，我见到了他们印制精美、装帧素雅、而且据信翻译也相当严谨的几大卷《资本论》。这以前的几十年里，台湾当局限制马克思《资本论》等经典著作的出版，实在是台湾出版事业的耻辱之一。郝明义先生说，他们还将陆续推出一些这样的在人类文明史上绝不允许抹煞的以前遭禁的经典著作，这当然是台湾出版界的盛事，也是台湾学术界的幸事。

书展上陈列的各类图书琳琅满目，除联经出版事业公司、时报文化出版公司出的书以规模宏大、气魄雄健、整合有力给人强烈印象外，像远流出版事业公司、汉光文化事业公司、巨流图书公司所出的社科类学术书籍，洪港书店、尔雅出版社出版的当代作家创作，以及幼狮文化公司等印行的精美画册，也都体现出选题严谨、编排精心、力臻完善的敬业精神。从书展中可以看出台湾出版业的一个优势：他们对西方学术著作的翻译相对来说比我们这边面宽且出手快捷，对西方新潮艺术的介

难 以 忏 悔

绍相对来说也比我们这边通达——至少摆脱了"瞎子摸象"式的"瞎追风"；成套工具书的出版气派也比较恢宏，大量套印版图使书籍尽可能图文并茂以方便读者已蔚然成风，但仅就展出的儿童读物而言，我以为大都比不上大陆，大陆的儿童读物特别是低幼读物不但印制上一般绝不劣于台版书，而且选题上，文字上，包括绘画时趣味和水准上，都明显高于台版书。

在书展上偶然与台湾宗青图书公司的总经理蒋致远先生相遇，问他们公司主要出什么书，他说他们致力于一项"笨笨"的工作，就是耐心地出"索引书"——例如把每年度台湾大报大刊上的社论题目编为一册索引，以备今后研究者查用。这当然不可能成为"畅销书"，公司亦发不了大财，但他认为，"总得有人来做这桩事"，而这种"索引书"除台湾各大、中学校、学术机构必订外，海外不少机构也都逐年订购，所以也还有一定赚头。我问他何以将公司命名为"宗青"，有否"崇尚汗青"的意思，以暗合索引的苦心，他说并无此意，因他父亲名宗青，在此命名公司纯为纪念先父，而他父亲并未从事过出版方面的经营。蒋先生大约 30 岁出头。此次书展访问团成员，30 多岁的居多，女性亦颇有数位，个个都精力充沛，绝大多数是头一回脚踏海峡这边，因而兴奋不已。

也许是我在书展上流连的时间还不够长，翻检得不够仔细，总的来说，我并未产生"乱花迷眼"的感觉，这当然更可能是因为台湾出版界这回带来的书还很有限，加以近几年大陆这边出版界尽管遇到了很多新问题但毕竟有长足的发展，我的感受可用"浅草才能没马蹄"来比喻，我体味到一派融和的春意，但离"花动一山春色"的惊喜境界，还远。

什么时候在台湾举办大陆图书展销会呢？不必各省一窝蜂都去，比如，先举办闽、粤、浙、沪、川的五省联展如何？

如今台湾的文化人，包括出版界人士，跨海进入大陆的越来越多，但台湾当局对大陆文化包括出版界人士入台，还限制重重，颇令人不解，亦不快。希望这种情况，尽快得到改变！

1991 年 5 月 11 日

京二两　海半两

十多年前，一位上海人出差到北京，早上去吃早点，那时买早点也收粮票，他想买一两一个的火烧，售货员告诉他没有，火烧从来都是二两一个，他感到很吃惊。同样的，一位北京人出差到上海，发现买点心可以只买半两，而且上海本地有一种半两的粮票在流通，也大为惊愕。

京派和海派的区别，以往总归纳为前者讲究中规中矩，后者喜欢标新立异，其实归纳得还很不完全，窃以为京派的特好面子不愿分斤掰两什么东西什么事都大概过得去就行了，而海派的不照顾面子分斤掰两到半两起算什么东西什么事都要细讲究，则也是显著特点重大区别之一。

京派的礼数，海派的算计，其实各具优势。十多年前那位出差北京的上海人就说，在北京乘公共电、汽车，上车后售票员并不细查新上的乘客有无月票买没买票，而是待到下车的时候才查看一下，服务态度不好的情况以及因乘客逃票而引起纠纷的情况虽然都存在，但总体而言是一种以礼相待的气氛，买不买票主要靠一种无形的道德约束．所以上车后没有紧张感；十多年前出差上海的那位北京人感受就相反了，乘客一登上公共电、汽车，售票员就双眼紧盯，一个也不放过，敦促买票，倒也不是不礼貌，而是"先礼后兵"，这对北京人来说就有点受不了，心理上不免紧张，而且反感。

不知上海人对京派内心里究竟如何臧否，北京人对海派内心里却很有服膺的一面。六十年代初，北京出现了一批上海迁京的服装店、理发店、洗染店、照相馆，那时北京一些市民进入这些店铺，大有当今内地人踏进深圳特区的感觉，出来后的口碑是"贵是贵，好真好"。好在哪里？好就好在精细上，精工细作的文化心理基础，使得苛于算计、半两半两买点心吃的上海人，自然不会粗粗拉拉地剪裁缝制西服和理发烫发染发。

北京人大都认死理儿，不活泛，常自己把自己僵住；上海人呢，却似乎有着超常的应变能力。"文革"当中，北京人营业的西餐馆几乎全部停止，因为西餐大菜无论如何难与"斗私批修"的意识形态前提协调；上海人却自有办法，据一位"文革"当中出差上海的北京人说，"文革"初期为时不算太长的"破四旧"风潮后，南京路上的几家西餐馆就又相继向市民开放了，橱窗里挂着形态秀美的立体字："勤俭建国"，而所陈列的奶油蛋糕模型，顶面上用奶油柱挤出了艳红的字样："斗私批修"。瞧，上海人一下子就把西餐大菜和当时的意识形态前提彻底地统一到一起了，所以，只要掏得出人民币，胸佩毛主席像章也一样可以大嚼英式牛排法式杂碎或番茄葡国鸡，一点也不必自抑食欲。

但近十年来，北京和上海都不再是往昔的状态了，北京人和上海人的心理状态也都有了许多的变化。如今京派已难说是中规中矩，海派标新立异的冲劲也似乎大逊于往昔，而另外的一派，原非大气派，不足与"京"、"海"并论的，即粤派，或称广派，在其后面作祟的其实是港派，却大大地膨胀起来，神气活现起来。北京现在到处是标榜"正宗粤菜，生猛海鲜，粤厨主理"的餐馆，到处是号称"特聘广州美发师"的发屋，上海的大白兔奶糖、老城隍庙奶油五香豆、金鸡饼干等等已都不那么具有诱惑力了，充斥着北京各处食品店的几乎全是从珠江三角洲涌来的克力架、曲奇饼；据说在上海，粤菜、粤货及粤式发廊也如雨后蘑菇般冒出了许许多多。北京人和上海人难道就此心平气和吗？难道不赌口气，同广东人在改革开放的深度、广度、力度和速度上展开一番大竞赛吗？

"京二两"的大气和"海半两"的精细，在新的时代浪潮中应该放出新的光彩！

1991 年 1 月 10 日

景色之外

据说南京是中国"四大火炉"之一,夏天很难熬的。我去南京偏都在初春或深秋,一点闷热的苦楚没有尝到,因此留下的回忆,全是鹅黄淡绿,一派温馨。我最喜金陵秋色,尤其明孝陵、中山陵一线,水彩画般的情调,可怀古,也可品今。我几次去南京,几次在那一带流连忘返,有一日微雨中,我竟生出奇想,要是有一袭帐篷该多好,我就坐在帐篷里,与钟山"相对静无言",冥想它个水落石出,谁来抬我,我也不动!这当然痴得好笑,但也足证南京于我的魅力了。

几次去南京,都是为创作上的事。与我关系最密切的,当推《钟山》编辑部。作为跋涉于文学山径中的一员,有时我很觉惶恐,自信心常有落潮,某些酝酿已久的尝试,虽未必大胆奇突,总也是难获宽宥,而往往在我的低潮期和苦闷期中,便有《钟山》伸来友谊的臂膊,给我宝贵的扶掖!我的短篇《最后一只鸟》、《妈妈反复讲过的故事》,中篇《茶话会》、《无尽的长廊》,便都是《钟山》不吝篇幅,予以揭载的。我的这些作品并未给《钟山》增色添彩,是《钟山》给了我继续跋涉和攀登的勇气!我想:即便今后我在文学创作上真能有所成就吧,那我是决计不会忘记南京的钟山与《钟山》的!

《钟山》编辑部的作风,是如钟山风景般平易近人的,既非高不可攀,更非猥琐庸俗,编辑与作者相处如友,坦诚相待,这当然不是说他们工作中没有缺点,但他们不仅给我,也给许多南京以外的作者,留下了金陵秋叶般明丽纯净的总体印象。以偏处一隅的省级刊物,在时下百舸争流的文学风帆中能跃入前列,闪动着自己独特的帆影,《钟山》的成绩可喜,经验也很值得总结!

记得今春从南京返回北京时,《钟山》的副主编帮我拎着行李,一直把我送入车厢。他是地道的南京人,有一种典型的南北交融的体态面貌和气质。他对我的作品从没说过什么夸赞的话,他也确实未必喜欢我的创作路数,但在默默的握别中,我感受到了他对我的理解和谅解,理解我努力想达到什么,谅解我暂时还达不到什么。

现在我也到一个编辑部搞编辑工作了。想到南京，我便想到《钟山》，想到刘坪、兆淮等等编辑同志，我该从他们那里学到更多的东西！因此，我肯定还要再去南京！

1986 年 7 月 19 日

跨栏随想

《长春晚报》副刊编辑向我约稿，说《我的童年》、《我与长春》、《中年回首》等栏目都欢迎我投稿。我感到一股和煦的暖风扑面而来，心中涌出雪花柳絮般的绵绵思绪，现在趁情感的涟漪正旺，信笔写下，因所写势必与上述栏目都有关联，故称"跨栏随想"。

1950 年我随父母从四川迁居北京。在我们住的那个大院里，孩子们常聚在一起玩"打日本鬼子"的游戏，有一回一个大孩子问我："见过真的日本鬼子吗？"我摇头，因此很受鄙夷："连日本鬼子都没见过！"是没见过。那时日本人没能打进四川。我生于成都，长于重庆，都是"国统区"，既没见过日本鬼子，也没见过八路军，但我父母是有抗日热情的，我的名字，"心"是排行，"武"就是父母用以体现"武力战胜日本"那意愿的符号。

我记事的时候，抗日战争已经胜利，许多流亡在四川的东北青年，开始设法返回他们的故乡。那时就有一位要返回长春的叔叔，临行前抚摸着我的头说："心武乖乖，你长大了去东北玩啊！那边的白山黑水，比起这里的青山谷，另是一番风光哩！"他并且又唱"我的家，在东北松花江上……"据父母说，他那些年里把这支歌唱了无数次；搂抱着我唱歌的青年，把一滴泪水洒到了我的鼻子上，那热乎乎的感觉，至今温习起来还不见衰减。

很多年以后，才知道那把泪水洒到我鼻子上的青年，出川后投奔了解放军，参加了辽沈战役，并且在解放长春以前，就牺牲在又黑又厚的东北沃土之上了，如今那"满山遍野的大豆高粱"，该还吮吸着他和许多烈士的鲜血，年年绣出如画的风光吧？

进入八十年代，都长到 30 多岁了，才终于实现一睹祖国东北风采的意愿。也许不是冬天去的，没遇上大雪，所以一点也没有"白山黑水"的感觉，特别是长春，本不是古城，所以不给人古色与古香，也并不怎么洋气，没有很多奇突与怪异的刺激，但它自有诱人的特色，就是平易中透着秀美，新鲜中溢着灵气。

从东北回到北京，提起长春，亲朋们总问："去第一汽车制造厂了吗？去长春电影制片厂了吧？"也难怪，祖国各地，哪里没有一汽的车跑呢？哪个电影院又少得了放映长影的片子呢？当然也有人问："去溥仪住的那个伪皇宫了吗？""一汽、长影、伪满皇宫"大概是构成长春"知名度"的三只鼎足吧。但对后者，我却总有一种"何其陋"的感慨，且不必用北京的紫禁城作比，就是沈阳的那座故宫，也远比它堂皇宽广啊，溥仪当年对日本人奴颜婢膝，对"皇宫"不惜"降格以求"，那真是他灵魂最漆黑的阶段。

长春给我的另一个深刻印象是不排外。在长春街上、商店里问路、买东西，不管用哪种口音发问，似乎都能得到热心的关照。这大概是因为长春城多年来总是热情地容纳各方才俊才形成长春人博大的胸怀吧！

我进入文坛较晚，但运气很好，1979 年，刚刚恢复中外文学交流，我就参加了一个中国作家代表团，去东欧访问。同行的，就有住在长春的著名作家鄂华。

早在上学的时候，我就读过鄂华的国际题材小说，见到鄂华，聊起来，才知道写那些小说的时候，他并未出国访问过。后来我又去过西方一些国家，我越发惊讶于鄂华何以能那样准确地描绘海外的风光人物，传达出那样一种异域文化的氛围。我很佩服鄂华。他其实也是南方人，并且也是在四川度过了少年时代。但他从五十年代后半期起就定居在长春。长春的沃土雨露是否给予了他一种特殊的滋养呢？他的创作力总是那么样地充沛，而他的心态又总是那么样地恬淡平和。他自称他培植的是"第一百零一朵花"，即计算"百花"时一般容易被人遗忘的"国际题材小说"那一特异的品种。鄂华是多才多艺的，他在北京大学学的是化学，自然科学知识优于许多作家，而且他对历史也有研究，所以他既能写关于伽利略的外国题材小说，也能写《在黛色的波涛下》那样的颇具科学文艺特色的书和《翼王伞》那样地道的中国历史小说。这些年来文坛上时常锣鼓喧天，我在热闹场中常常不能冷静，而鄂华总是甘于淡泊，他的精心结撰往往没能引出热烈的鼓吹和应得的褒奖，可是他只向往着更深更美的"下一部"，从不到热闹场中去浪费时间；自从那次同游东欧之后，我们很少来往，但偶尔的匆匆一会，鄂华总给我留下美好的印象。如长春南湖清亮的水面和葱绿的树丛，犹展现着纯净的境界与不息的勃勃生机。最最难得的是，鄂华从不嫉妒他人，尤其是对待年轻一代的作家，他总以喜悦的口气提到他们作为新星的升起，赞叹着他们的清辉。每当我想起长春，我便不由得想起鄂华。这位有着太多值得我学习的同行兄长，近来又在埋头耕耘着怎样的一片园地？

十年前去长春，与另外几位作家向文学爱好者谈过所谓创作心得，现在回想起来，自己那时真是浅薄幼稚，但十年过去，仍有长春的朋友来信，提及"听过您讲创作"，并关怀着我的现状。经过十年的人生磨练，我现在更懂得珍惜人间真情。倘若再去长春，同新老朋友们相会，我能有什么值得汇报的呢？想到这里，我只有更认真地洗涤自己的灵魂，更努力地埋头笔耕！

1991 年初于北京安定门

有聊才读书

旅美华人作家陈若曦有本随笔集叫作《无聊才读书》，光那书名就能令不少人共鸣。的确，人们常常在繁忙匆促的人生途程中与书交臂而过不及一顾，一旦闲下来，会感到心灵中的"蓄水池"已有惊人的消耗，从而产生一种赶快读书的欲望。陈若曦女士的命意或许并非如此。但我想在"无聊"时读书，以期在"有聊"时心灵中有更饱满的创造力与冲击力，当属读书人的一种典型心态。

但我自己，并且也包括一些朋友，乃至更多的人，却是"有聊才读书"。我们往往并不是因为心灵中有了空缺而是觉得淤塞，并不是因为无所事事而是因为觉得必须做事而竟一时无从入手，并不是因为闲情雅致袭上心来而是因为有着过多的严肃思绪，并不是因为时间从容环境舒适而是因为总觉得光阴梭得太快怕自己挨不住清贫，从而才读书。读书能使郁闷的心灵得到疏通，能使我们从小胡同转到大街上，能使我们的心弦适度松弛以防崩断，能使我们超越岁月的无情与世俗的牵引。

"无聊才读书"，所指的书不是无聊的书，因而很高尚。因为无聊时很容易就去吃香喝辣、搓麻将牌，或到歌厅舞场结一点"露水姻缘"，或粘在电子游戏机、卡拉 OK 机上成一只"懵懂虫"，乃至于无事生非、寻衅滋事。"有聊才读书"，所指的书却包括某些无聊的书。因为人在太有聊时，实在需要化解，需要调剂，需要轻松，需要超脱，因而适当地翻阅一些无益也无害、仅供一笑或一皱眉的文字，也并不减却其读书的高尚。

无论"百无聊赖"还是"百有聊赖"，不去寻求别的解脱法而首先想到读书，总是一桩好事。

1991 年 12 月 24 日

文化快餐的诱惑

各个大城市的快餐店多起来了。北京光是炸鸡快餐就有美式肯德基炸鸡、加拿大式邦尼炸鸡、匈牙利式炸鸡和完全国粹的中华田园鸡与茯苓炸鸡。快餐多是好事。

到各处书店去看看，你会感到文化快餐也多起来了。各类号称"辞典"而并非开列出辞条，只是将自古至今的名诗名词名曲名文辑成一厚册加以解说，严格地说只是一种供读者"速成"一个全面学问的"导读书"，在书架上已令人眼花缭乱、更有许多明白标出是"提要"、"选萃"、"辑要"、"精华",那出版说明中往往告诉读者"一册在手,可窥全貌"。我觉得台湾蔡志忠的那套古籍漫画,也可归类于这种出版物,它们都可称为文化快餐,文化快餐多起来,也是一桩好事。

古时候,一个知识分子,他是可以"把书读完"的。就是到本世纪初,一个中国士子,他也是可以大体上把按"经、史、子、集"分类的国粹经典全部了然于心的。但如今是个知识大爆炸的年代,每一分钟里世界上究竟又印出了多少本书,发表出了多少篇文章,那简直统计不过来,一个知识分子不要谈不可能把各个知识门类的主要书籍都读遍,就是他自己专攻的那一个领域,要想把所出的书籍文献都通读一遍,也只能是痴心妄想——他必须在吃"大餐"(即主要的、必读的书籍文献)外,还要频频依靠"快餐"(如各类书摘、文摘、情报资料)来补充自己的信息量。文化快餐是应运而生的时代宠儿,对青少年初学者具有特别的诱惑力。像我上面提及的那些实际并非"辞典"的"导读书",动辄五六百页至千多页。精装上市,售价颇昂,但销路都很畅。

一个人总以快餐填饱肚子,大概不至于产生健康上问题。但一个人单靠文化快餐去掌握文化,那就很危险了。这个问题,留待下回议论。

1992 年 1 月 14 日

萝卜快了不洗泥

文化快餐大量涌向书店是时代之必然,但仅止吞食文化快餐而不懂得读经典原著的必要性、重要性,那就不是一种必然。

我有一位年轻的朋友,他喜欢把报纸副刊上登出的哲人语录剪贴到笔记本上,那笔记本头几页上全是马克思和恩格斯的名言,但我问起他是否完整地读过一本马克思或恩格斯或二人合著的书，他只是摇头，我便劝他一定不要以为剪贴上百条乃至上千条的马、恩语录便等于知道了马克思主义，务必还要至少通读几本他们的原著才行。我也劝一位喜欢看蔡志忠漫画的女中学生，千万不要以为看过那一大摞漫画，就再用不着去直接读那些古典文献了，我想蔡先生的初衷，也是希望读者把他的漫画书当作一架接近中国传统文化的阶梯。

文化快餐的大量上市，难免良莠不齐，粗制滥造者不乏其例。我就购得一册1986年10月第一版的《红楼梦辞典》，印数达三万一千册，但漏讹之处实在太多。例如其"人物之部"，贾字头的有贾敦、贾珩、贾菱这些书中无具体形象可言的人物，却没有收入相当重要的贾蔷；赵字头的有赵天栋、赵天梁、赵国基却又没有赵姨娘，真不知道贾蔷和赵姨娘这两个人物是怎么迷失的，是著者的疏漏、编辑的失职、排字人的马虎、校对者的粗心，还是另有别的原因？我想，恐怕主要还是图快，急欲抢先占住这一角市场，北京话叫作"萝卜快了不洗泥"，来吃快餐的只好连萝卜带泥一齐吞下去。营养不全，那还好说；吃下损人健康，那就要问一声：该当何罪？

1992年2月4日

集体大厨

以往我们的翻译界翻译西方的社会科学包括文学名著，不仅一本书大多半由一人执译，甚至一位著者的书也大半由一人持之以恒地精心翻译，如朱生豪的译《莎士比亚全集》、傅雷的译巴尔扎克《人间喜剧》系列，汝龙的译《契诃夫小说集》，叶君健的译《安徒生童话全集》，等等。名著全译自然不是文化快餐也不是文化套餐，而可以拟为文化正餐了。译者自然也随之可比拟为大厨。

但时下一些文化正餐的推出，却往往不是一位大厨的手笔，而是由三四位乃至更多的厨师分头掌勺，汇聚而成，可称之为集体大厨。

集体大厨往往令人不那么放心，不那么敬畏，因为原书本系一人所撰，风格自然是统一的，现在由八位厨师分头爆炒炖煮，尽管最后也许有一位"统稿"者，但原著那统一的风格，恐怕也就四分五裂了，读者品尝时究竟还能领略到原著几分滋味，实在可疑。

不过我以为集体大厨的出现，实在也是一定历史阶段的必然。需知我们有一个从1966到1976的十年，那十年世界上别的地方的文化并没有因为我们主动与之隔绝便不复存在，也不能简单地判断为那些外部文化全是不堪借鉴的"破烂货"，因之，十年一觉神州梦后，即使从必须知己知彼的角度，我们也应译出一些外面的、有代表性的著作来才是，为补上十年所造成的近乎绝对的空白，以集体大厨的形式抢时间赶速度，尽快出版一些必要的译本，当是可行的办法之一。

近读上海科学技术文献出版社1991年1月第一版的法国米歇尔·福柯（1926—1984）的《性史》，就是由张廷琛等八九位译者在较短的时间里合译成的，通读全书，译风相近，序文颇有见地，对他们很是感佩——因为要了解本世纪六十年代中期至八十年代初期的法国的思想界主潮，实在不能不知道福柯，也实在不能不读这部《性史》。集体大厨的快捷性，实在是一大优点。

1992 年 5 月 26 日

读书写字味自醇

几年前在美国，到一位留学生的蜗居做客，他喜形于色地告诉我，那天他得到了一位美国陌生老人的表扬，那老人望着他说："好一位中国孩子，你在读书！"

乍听，我莫名其妙。读书算什么壮举，老人那话又算什么表扬？

经留学生朋友解说，我才恍然大悟。原来那天下午他在公园长椅上读一本严肃的著作，读得入神，连一位美国的白发老人走来与他久坐同一椅上，也未觉察，乃至一只松鼠从草坪上跑至他脚下，又循腿攀至他手捧的书上，调皮地觅食，他才从书里抽回魂儿来，一边从衣袋里抖出些饼干渣来喂那松鼠，一边才听到身旁那老人有如许的评论。老人将松鼠接过去，喂其开心果，并同他聊了一阵，老人感叹其同胞们，特别是年轻人，又尤其是某些大学生，这些年来越来越不懂得读书的乐趣，有的，简直根本是不读书了！

在美国访问的时间久了一些，我才知道，所谓美国大学生不读书，并不是说他们根本不学习，他们当然都在攻自己的专业，但因电脑的普及，他们几乎都患了一种"电脑依赖症"，资料通过个人电脑向储存终端索取，分析、研讨，也都几乎全在电脑上完成，最后打印也依赖电脑，所以，似乎不用去读那些印刷装订出来的书籍，也一样可以完成学业。在美国校园里你随时可以看见一些课堂出来或走向实验室的学生，女的挺着胸脯，披肩发一抖一抖，男的剃着刘易斯式板寸头，步幅好大，他们在走动中，右手右臂也都抱持着一叠学习用品，但大多并不是严格意义上的书，而是装着电脑资料的大夹子和报纸簿；业余生活中，他们要么从事各种体育活动，要么就是看电视看录像听音乐跳舞，当然也翻阅一些一遍过的报纸刊物及通俗小说，但并非公园中老人所指的严格意义上的书——那应当是严肃的出版物，即使并非经典著作，总得也是认真写出认真印出的东西。可是，对不起，时下读书的美国人确实是在锐减之中。

也是那一年在美国，我住一位旅居美国多年的台湾同胞家中，恰逢他的生日，从头晚便电话不断，第二天邮箱中便出现一叠远处寄来的信函，他的三子两女及其娘婿及孙儿孙女外孙外孙女，林林总总有二十多人，虽都不在身边，却都对他的生日有所表示，我便赞他好福气，他叹口气说："唉，我是好久没接过他们的信了！"我指着茶几上那一叠叠花花绿绿的信函说："怎么？那都不是信么？"他便摆摆手说："那是信么？你请看吧！"我拿过来一一过目，怎么说呢，确实不好算作"信"，因为都是现成的印好图画和祝福字句的贺卡，寄送者不过在其上匆匆签上一个名字罢了。我不得不佩服那些贺卡的设计者，真是想像力丰富，且妙语惊人，从最平实的画面字句到最抽象的装饰最匪夷所思的文句都有。我后来到美国的商店细看，才发现不仅许多书店卖通讯卡，文具店、礼品店乃至有的食品店都有陈列通讯卡的货架，百货商店和超级市场更不消说必有一个区域是专门陈列那种东西的地方，确实，你一路看过去，便知道对于一般美国人来说，亲笔书写一封信函真是太无必要了！你要祝贺别人生日么？不仅有泛泛设辞放之任何人皆准的贺卡，更有分门别类的，有的按辈分关系为你早已写好，有的按年龄月份为你早已齐备，你可选择格调严肃、庄重的，也可以选择幽默戏谑乃至于嘲弄和恶作剧的；贺卡也绝非贺生日一种，贺各种节日的自不消说，还有贺新婚、再婚、复婚及各种级别的婚年纪念的，一直到贺白金婚、钻石婚，当然也有贺生子、生女以及贺入学、毕业、获学位、获头衔、开业、就职、荣升、成名、出头……的；丧事的致悼卡也是要多少种有多少种；朋友之间互表怀念和致意祝愿的更是五花八门；当然也有情人卡，还有专给宠物的贺卡，我甚至看到过一种专供寄给敌人和仇家的表示和好的卡。美国人往往就到那些卡片架上抽出一张自己拟用的，草草签上一个名，标明时间，装入信封（有的也不粘口），贴上邮票，往近便处的邮筒里一掷，便算寄出一封"信"了。所以说当今大多数美国人会寄信却不会复信，一点也不奇怪。原来从报纸上看到关于美国大学生竟不会写信的消息，以为是一种夸张，并且怀疑地想，信都不会写，又怎么掌握高科技呢？现在明白了，那是真的。而不读课外的严肃出版物，不手书信函，并不影响他们使用电脑和到商店选择现成的通讯卡——那其实倒恰恰是高科技和精微服务的派生物。人制造出了智能机器，而人也变得越来越接近于仅是一架有智能的肉机器罢了；社会提供的服务越来越精微周到，人也就变得越来越图省事而"归档化"了。

　　中国和美国当然不同。我们的文化传统和现状都有极大差异。但时下中国城镇中也有了游戏机的普及，这类电子游戏占据了许多儿童少年读"字书"的时间；更有台湾蔡志忠的系列漫画，把古典的东西一律卡通化了，倘若有人读了他的漫画产生出一种可直接研读经典原文的愿望，并逐步付诸行动，那未始不是一桩好事，据说也是蔡先生之本意，但我确实很担心，一些中学生读过他的漫画书后，便自以为已经读过那些经典，到此为止了；最古怪的是时下的中国盛行卡拉OK，我在美国和西欧如德国、法国等处几乎没见到过公开营业的卡拉OK歌厅，更没见到过有人在家里咿咿呀呀地唱这个消磨时间，卡拉 OK 是日本的产物，十年前我去日本时在东京倒是见识过，但至少在那时的东京也不像时下的北京这般普及，"卡拉未必 OK"，我的一位文学评论家朋友已在报上发表了这样的意见——我很以为然；此外，文摘类的报纸刊物在时下的中国也有雨后蘑菇之势，有的确实办得不错，不啻金针菇、猴头蘑，品味颇高富有营养，特别是具有必要的微量元素，但我担心的是许多读者，他们一来二去的便弄得只读文摘而不懂得通读全书的乐趣了！依我想来，上述的种种文化，可比喻为"快餐文化"或"口香糖文化"，这些文化作为主流文化空隙间的填充物，或充当踏入高层次文化的阶梯，本无不可，甚或有益，但若一味地任其铺张席卷开来，那么，我们的中学生和大学生，我们的年轻一代乃至许多的识字者，恐怕也会有终于不读经典著作原文不读严肃写出严肃印出的文字的人，恐怕也会有终于不会以个性抒写情感思绪事理、只会引用照抄照搬现成文句的人——现在种种通讯卡不是已经在我们的商店和摊档上出现了吗？我真不愿自己越来越少地收到亲笔信而只收获一大堆的现成卡片，哪怕都印制得出奇地精美！

现在中国的城镇中，几乎家家都有沙发，有书桌书架，有台灯，有纸笔，我愿那沙发不仅用于会客聊天，书桌书架更不要只作装点，台灯下不要空虚无物更不要只有麻将扑克，纸笔亦更不要沦为占卜算命或什么算输赢的工具，请在工余饭后，落座于沙发之中，在落地灯的光照下，沉静地读一册认真写出认真印出的书，请在书桌旁，台灯的光区里，不仅能沉静地吮吸书香，更能铺纸操笔，写下你心中所想所思、所悟所得。读书，写字，这本是人生中最简单而便易的环节，我们怎能任其在"文化快餐"和"口香糖文化"的冲击掩没下消亡？

视听文化的迅猛发展，会使用文字符号系统构成的书籍一律成为文物么？电脑的进一步普及，会使我们的手指只习惯于按键而终于不再能握笔书写么？世事的变化也真是越来越诡谲莫测了，谁人敢于断言？

但至少于我，在这夜深人静之时，读书、写字，使我深深地感受到作为一个活生生的个体的庄严、神圣、幸运、愉悦。那生之趣味是深幽醇厚的。在生之终端出现之前，我将永不放弃读书和写字。

1991 年 11 月

请你喝咖啡

曾在一篇文章中说：火花犹如爆开的豆荚。蹦出的豆粒尽管渺小，便若能植入土中，说不定就会抽芽窜藤、再举豆荚。种豆得豆，是说一粒豆可悟大千世界。"这个专栏的命意便本于此。且说有一日，偶然议论到，在美国的一些银行，对光顾的客人不仅态度霭然、服务周到，还布置出一角空间，安排一些舒适的座位，供客户休息，还免费供应咖啡，并备有一些报刊以供翻阅……

"呀，那太好了！"一位听到这情况的朋友便说，"要是我在美国，就天天去那儿白喝咖啡！"

"你想天天去？"议论者便说，"如果你天天去，天天坐在那儿喝咖啡，那银行的经理该高兴死了！"

"他高兴什么？"朋友说，"我一不存钱，二不取钱，根本不同他们银行发生任何业务上的关系！他见我天天去白喝咖啡，总有一天会过来把我轰跑的！"

"轰跑？！"议论者把双手一握，耸耸肩说，"他怎么会把你轰跑呢？你知道吗？他不仅不会把你轰跑，还会走过去跟你道谢，而且很可能他会流露出那样的情绪，就是生怕你有一天突然不高兴，改了主意，不再到那儿去喝咖啡了……"

"那怎么会呢？"轮到朋友耸肩了，"他抽疯了吗？"

"他清醒得很，"议论者说，"他会跟你提出来，希望跟你达成一项协议，就是你天天按时去喝咖啡、看报纸杂志，而他不仅天天白让你喝咖啡，还要付你一笔酬劳，按小时计算……"

"他真是疯了？！"朋友大为惊愕。

"他的想法极为正常，"议论者说，"你要知道，在美国行业内部的竞争激烈得不得了，银行有许多家，每一家每一个营业点都力争有更多的业务，因此，那经理宁愿出钱雇你当活的广告……实对你说吧，我就一度在美国当过银行的活招幌。银行营业部给我钱，甚至给我定做漂亮的服装。每天我定时到银行面对大街的落地玻璃窗前喝咖啡、翻报纸，有时还装模作样地掏出计算器瞎按一通。逢到一些特殊的日子，我还把一些男女老少的朋友都带上。银行不仅白请我们喝咖啡，还附送精美的小点心给我们吃……我起的作用就是向窗外的行人显示：这家银行的业务很红火，信誉很可靠。瞧，总有人在那里等着办理金融业务……"

"呀，原来是这样！"朋友恍然大悟。

"可是我干了没多久就坚决不干了……"

"那又为什么呢？"

"因为用那相同的时间，我在别的地方可以挣到更多的钱，同时也因为我发现我这'招幌'确实吸引了若干显然是'额外'的储户。我向经理要求提成，经理不干，谈判破裂，所以就'拜拜'了……"

议论者的一番议论，确使我和我的朋友们感到新鲜有趣。

且慢褒贬——起码，我们可以由此拓展开自己的思路吧！

1992 年 4 月 26 日

好"托儿"和赖"托儿"

上周说到美国有的银行营业部雇人在落地窗内白喝咖啡、白看报纸，以招徕客户，不消说，那被雇的便是"托儿"，是洋银行的洋"托儿"。

"托儿"一词，起于近年，似又首起于北京，北京一些个体商店摊档常常雇一些人装成假顾客，每有真顾客路过，便佯作在那里挑选购买，或连连赞好，或频频杀价，甚或有假顾客偏要多买，乃至"包圆儿"。而真老板假作不允乃至严拒的"纠纷"场面出现。这样就至少从好奇心入手勾引了不少路人，而真的顾客便会从围观者中涌现，假顾客这时便进一步作出种种引导，或诱之以价廉物美，或警之以"过了这村没有这店"，又与真顾客结成"同一战壕中的战友"，一同要求卖主降价优惠，最后自然是各有所获——而待真顾客携货离去后，假顾客的手中之物便"完璧归赵"。这种假顾客俗称"托儿"，即一种活诱饵，有的是每达成一次骗局提一次成，有的是每日关板收摊时结算，也有按月付酬的，也有亲友临时客串票唱，收取一定实物礼品的。对于这类恶赖的"托儿"，报刊上时有文字和漫画加以揭露、讽刺、鞭挞，要害在于他们所"托"的大抵是假货劣货，具有不同程度的坑蒙拐骗性质。

但近来报刊乃至电视新闻之中，也常有这样的正面宣传：某大商场的服装帽饰销售部，售货员兼作模特儿，或竟雇请专职模特儿，不时更换着时装帽饰在那里走来走去，又摆出种种姿势，以吸引顾客，其目的不消说是为了推销那些时装和帽饰等商品。这些模特儿其实也是"托儿"，不过因为是好"托儿"，而"托儿"一词一出现便带有贬义，故而人们便不称他为"托儿"而誉称为"模特儿"或"推销员"了。

其实"模特儿"一词在中国至少在十多年前，还是很带有点贬义的，即使那词儿还算中性吧，干"模特儿"的也似乎很丢脸面。八十年代初中国第一批服装模特儿出现时，据当时报刊上的介绍，无论是他们的组织者还是模特儿本人，都大有"头一个斗胆吃螃蟹"的气势，穿着"惊世骇俗"的时装往台上那么一步三扭地走动，真不知台下会作出什么反应，一个个颇具"壮士一去兮不复返"的悲怜胸怀——但时至今日，你倒打听打听去，需要的模特儿数量与想当模特儿的青年尤其是女青年那数量之间的比例，竟前少后多到令人咋舌的地步！

时代在进步，观念在变化。产品一成为商品，一进入市场，市场一按竞争机制的正常规律运作，便不可避免地要作广告，要出现"托儿"或模特儿，这不是"无可奈何"的事，而是顺乎潮流合乎人心促进生产发展的事，不是"花落去"，而是"花正开"。

1992 年 5 月 3 日

"卡拉"过剩不"OK"

上周说到有的餐馆酒楼茶室咖啡厅装修漂亮、设施齐全、座位雅静、气氛优美、服务周到,其用意倒大半是"卖座位",而在商品经济发达的社会里,人们去这类地方也往往并非为了果腹或追求口腹的官能享受,倒往往主要也是着眼于用那样的地方进行一些为公为私或公私兼顾的社会活动,所以夸张一点说,也确实是为了"吃座位"。

但各国各地区的国情、区情不同,以我国特别是一些经济还不那么发达的地区的情况而论,尤其不能一律"店堂高雅化,价目昂贵化",必须要保留相当数目厅堂装修不必那么高雅(当然必须整洁)的不是"卖座位"而是卖吃的喝的、供顾客"果腹"的饭馆;此外,即使走"卖座位"的路子,也不能一律朝豪华型富丽型堂皇型看齐,价目更不能火箭式上升以"宰人"为乐,实际上像台湾、香港、海外的许多"卖座位"的餐馆酒楼茶室咖啡厅,你从作为电影电视剧的背景上就能看出来,是有多种层次的,有的专意于作年轻人特别是情侣的生意;有的专争取中产阶级的绅士淑女以为顾客;有的则极尽豪华人能事,非一掷千金者莫进——但此种数量较少;有的布置得特别适宜进行联谊式活动,有的则又布置得格外符合有诡秘动机需求的顾客,当然有相当数量的这类地方布置上更侧重于提供消遣消闲的方便,营造出一种欢快甜蜜的气氛……它们的收费标准绝不划一,有着不同的层次,并有相当的弹性,因而凡经营得好的,顾客进去后出来时绝不会有"挨了一刀"的感觉。

饭馆不光是填饱肚子的地方——这种观念在中国特别是大、中城市已然确立了。但不光为填饱肚子,那又还为了什么呢?许多人特别是开饭馆的人思路却并未打开。一般都只肤浅地意识到:饭馆不光为填饱顾客肚子,还得为顾客提供玩的,也就是说着眼于消遣消闲,于是乎饭馆兼营"卡拉OK"之风就可以毫不夸张地说几乎已吹遍了神州大地。

"卡拉OK"这种娱乐方式有若干优点,不必更不应反对。但凡装修得好一点的饭店均搞"卡拉OK",便使"卖座位"的意义全简化为"卖卡拉"了。一对恋人本是为了到一个座位比较优雅的饭馆互吐衷情,一对打算"好离好散"的夫妻本拟借那样一个场所谈判离婚协议,一位编辑本是想与一位作者谈谈创作进行组稿,两位商人本是为了进一步敲定他们生意中的细节,几个老同学老同事本是为了聚在一处忆旧论谊……但那"卡拉OK"的音响往往非常强烈,更不用说有的"卡拉"者发出的声音远非"OK",结果以上的顾客都不能得到他们"吃座位"的应有之乐或应有之意,试过一次两次以后只好遇事不再进那样的饭馆,而那样一些饭馆的生意也便渐渐萧条。我的一位在饮食行业工作的朋友就告诉我,目前北京的"卡拉OK"场所已明显有供大于求的过剩趋势。

请展拓开我们的思路吧,尤其是打算"卖座位"的一方。你们的"座位"究竟主要是为哪些类别出于哪些需求而设的?你们的收费标准高于"果腹"的场所这很正常,但那标准是足以令"愿者上钩"还是令人"望而生畏"?这实际是个消费文化中的重要课题,得大家好好研讨。

1992 年 5 月 17 日

香港女士为何脸红

有客自香港来,是位女士,我们算是华文文坛上的朋友。我招待过她,她要回请我。于是经她安排,我们一同到北京一家四星级饭店西餐厅吃法式大餐。

毕竟是四星级。餐厅的装潢自消说高档而雅致,餐桌上花瓶中插着娇艳的粉玫瑰,看上去像是当天清晨才剪下来的;餐具是特制的带有该饭店徽号的;桌上的玻璃盅中燃亮着粗短的蜡烛;餐厅一隅喷水池闪着银光铮铮有声;餐厅另一隅有一穿拖地长裙的女士在抚弄一架高大的竖琴,旋律沁人心脾;服务小姐上菜的方式中规中矩,而菜也烹饪得令香港女士连连感叹,说真出乎意料,北京也有这样好的西餐大厨……

她这样请我，是很破费的，但看来她很愉快，在这里可以娓娓谈心，同时也满足了她一种向我表示盛情的心愿。

谁知到进餐中途却发生了一桩我以为是小而又小她却认为是大而又大的事……

我点的酒是一种进口的白兰地，不知不觉中已快呷光一杯，香港女士问我要不要再加一杯，我说再加一杯也好——她也要为她点的那种法国干红葡萄酒再添一杯，于是她便招呼餐厅服务小姐，那小姐袅袅婷婷地走了过来。香港女士对她说："对不起，请为我们分别再添上一杯跟原来相同的酒。"

那服务小姐微屈着身子，脸上漾出一个绝非做作的微笑，柔声地对她说："啊，对不起……您等一等，管酒的人不在……"

香港女士愣住了，一刹时仿佛蜡像馆的蜡人。显然，她听不懂服务小姐的意思。她去过世界上几大洲许多国数不清的餐馆，要过无数次酒，大概还是头一回遭到拒绝，被命令"等一等"！

几秒钟后，香港女士从蜡人状溶化过来，她似乎是本能地又说："我要再来点酒……"

那服务小姐脸上仍满溢微笑，仍柔声地说："您等一等，管酒的人不在……"

香港女士仿佛遭到一个闷雷袭击，她一下子倚到高靠背椅上，呆若木鸡。

我忙替服务小姐解释——这时服务小姐已经走开了——"您别在意……我想这是因为管酒柜的那个服务员临时有事离开了，因为酒都是很贵的，所以他把酒柜暂时锁上了，这样那位服务小姐当然没办法给我们添酒……她态度还是蛮好的嘛，微笑着，很客气……"

但香港女士竟渐渐脸红起来，从浅红到深红，以至红涨到"满脸溅朱"，她原有的兴致荡然无存；我又把话扯开去，向她介绍大陆文坛一位新锐的一篇新作，她脸色才渐渐又由朱变红变浅终至恢复原色。

后来那服务小姐倒是也拿着酒瓶来给我们添酒，但一直到吃完餐后甜食，香港女士再没碰过她那只酒杯。

吃完我们一同走出餐厅后，香港女士一再向我道歉："刘先生，您看，真对不起，真没想到，真是的……不好意思啊！"

她花很多很多钱请我吃法式大餐，她还愿"更进一杯酒"以表达她对我的盛意，可是这家四星级的大饭店的服务小姐满脸微笑地柔声细语地请她"等一等"……结果她大败兴、红涨了脸，并忍不住向她所请的客人频频道歉……您说，她究竟是什么心理活动呢？那四星级大饭店服务上有没有问题？问题又在哪里呢？

1992 年 5 月 24 日

引风吹火

《红楼梦》里的王熙凤说："咱们家所有的这些管家奶奶们，哪一位是好缠的？错一点儿他们就笑话打趣，偏一点儿他们就指桑骂槐的报怨。'坐山观虎斗'，'借剑杀人'，'引风吹火'，'推倒油瓶不扶'，'站干岸儿'都是全挂子的武艺。"王熙凤说这话的用意且不论，她倒是生动地勾勒出一些"看客"的卑劣心态。时届 25 届奥运盛典即将揭幕。作为一个电视机前的看客，我愿以王熙凤的这段话作反面的座右铭，提醒自己不要看到"错一点儿。"便"笑话打趣"，看到"偏一点儿"便"指桑骂槐的报怨"。这样的大的一项活动，无论是主办者还是参与者，也无论是我国还是外国的运动员，无论老手还是新手，谁能保证一点儿不错、一点儿不偏呢？

但我这专栏叫"隔岸观火"，这是否有"坐山观虎斗"或至少有"站干岸儿"的嫌疑呢？"坐山观虎斗"和"站干岸儿"都有冷酷到"见死不救"的劲头，自然绝非我观 25 届奥运会盛况的心境，所以要特别说明："隔岸"所观之"火"，非战火也，亦非"城门失火"的灾火也，乃是象征世界和平和人类亲和的圣火也！因而我将王熙凤语录中"引风吹火"一词，转贬义而为褒义——愿借世人瞩目巴塞罗那之眼风，将和平亲善的圣火吹得更旺！

体育评论家评赛事，常借用兵家用语。如赛前是"秣马厉兵"，赛时是"拼搏厮杀",赛完是"鸣锣收兵";介绍一场足球赛,则常用"绿茵场上,烽烟四起","突出奇兵,又陷一城"等套话。人类的体育活动,原与军事行为有关,如马拉松比赛的起源,即为传讯人的长途奔跑。但我总觉得人类历史发展到今天,体育赛事尤其是奥运会这样的盛典,应更执著地高扬和平亲善的大旗,因而我们的体育新闻与体育评论用语,是否能逐步从"烽火狼烟"中解脱出来,而另外架构出一套活泼生动、幽默诙谐的符号系统呢?

1992 年 7 月 25 日

要听多明戈

中国运动员在第 25 届奥运会上究竟能得到多少块金牌?自然是这些天来的热门话题。有的报纸已开始连续刊登广告。某些厂家已发动顾客填写预测中国金牌数排名第几的抽奖单,揭晓后幸运者将获得令人生妒的重奖。

但也有人对本届奥运会的关注热点并不在此,比如我的邻居老唐,他最感兴趣的倒是西班牙风光,巴塞罗那市容,以及其他一些似乎与体育无直接关系的事物。今天凌晨,他兴致勃勃地收看开幕式的现场直播,他说用射箭方式点燃圣火及加泰罗尼亚民间舞蹈表演等场面固然绝不能放过,但最让他心痒的是西班牙著名的男高音歌唱家普拉西多·多明戈将引吭高歌的一曲《巴塞罗那》,还有另外三名歌唱家同多明戈同展歌喉,并有 20 个交响乐队在修饰一新的蒙锥克山体育场齐声发出优美祥和的轰鸣。

老唐最热衷的,是听多明戈唱歌,所谓"内行看门道,外行看热闹",这里要问:老唐是内行,还是外行?老唐还说,他将在 26 日下午 3 时,细看男子自行车 100 公里赛,以及尔后的几次男、女公路自行车赛,还有 8 月 1 日下午 3 时开始的赛艇决赛,等等。他的目的，倒还不在看谁夺牌，而是要借机一览巴塞罗那近郊景色与海滨风光，以及镜头中出现的西班牙观众及风土人情。这就更要问：他是个大外行，还是个大内行？

就专业角度而言，老唐自然是个外行，但就奥运会的宗旨而言，老唐这样的看客，恐怕就未必是外行了。因为奥运会的意义，实在早已超过了体育本身，从电视上看奥运，实际上是看人类如何通过体育竞技进行文化交流，并通过这一交流促进全人类的共同文明；奥运会的主办国主办城，实际上成为这一文化交流中的主要载体，因而那么多的看客通过电波观览其胜，实际上便是进入乃至熟悉了一种他民族文化，像老唐那样有心地从镜头中的吮吸西班牙文化风情，应当说他是一个看客中的大内行！

1992 年 7 月 26 日

排排坐吃果果

这回的巴塞罗那奥运会是个"全家福"——172 个奥运会成员国（或地区）终于都派运动员参加了。

一些相对来说比较小的国家和地区，之所以不那么热衷于参加奥运会，经济因素或许是一个方面，然而依我想来，体育运动方面缺乏能够夺牌的人材，恐怕更是一个"懒得参赛"的原因。这就不能不令一些过分热衷于奖牌又特别是孳孳汲汲地追求金牌的国家和地区的人们有所反省。历来奥运会的奖牌分布面都比较窄，总有绝大部分的参赛国或地区连一块铜牌都得不到；在参赛的运动员中，得不到奖牌的比例就更大了。因此，倘我们把奥运会当作是一次瓜分奖牌的活动，那么，许多国家和地区的许多的运动员也确实没必要迢迢千里地跑去陪着奖牌获得者"玩"。

奥林匹克运动会当然并不是单纯的联欢、联谊活动,它是促使人类将体现能从"更快、更高、更强"三个方面不断挖掘潜力,创造奇迹的竞技活动,达不到及格标准的运动员便不能进场;但奥林匹克运动会又确实绝非一个瓜分奖牌或排定名次的纯体育竞技活动,奥运会实际上是人类追求和平、合作以及最终实现大同的一种良知体现和理想象征。因此,我们一定不能让名次、奖牌尤其是金牌障住双眼,我们要为那些在入场式的标志牌后只有几个人乃至一个人的参赛国或地区的代表报以热烈的掌声,我们要为那些认真而快乐地参赛,但最终没有获得奖牌和好名次乃至名列最后的运动员给以美好的祝福。

巴塞罗那奥运会的"全家福"场面弥足珍贵!想起了儿时的歌谣:"排排坐,吃果果……"是的,不管竞赛的结果排名如何,不管脖颈上挂没挂上奖牌,每一个参赛国家和地区,每一个运动员,都该拥有一只丰美的"爱之果"!

1992 年 7 月 27 日

祈求好运

体育赛事,运动员个人或团体能否取胜,固然取决于种种说得清的因素,但有时那说不清道不明的因素却占据了上风,使眼看到手的胜利转瞬付诸东流,或使原无希望的处境戏剧性地转化为金榜题名。例如 1984 年洛杉矶奥运会女子 3000 米决赛中,美国名将玛丽·斯莱尼本有望夺标,却不料陡然被南非有"赤脚大仙"绰号的佐拉·巴德(那一回她作为英国运动员参赛)从旁绊倒,使她已快到手的奖牌顿成泡影,世界上亿万观众目睹了她倒地后痛哭失声的情景,令人扼腕不止。再例如中国男足的多次失利,除了可从理性上分析出若干"必然"外,那古怪的输法,黑色的"三分钟"或"九分钟",也实在含有强烈的非理性神秘感;至于女足在广州的首届世界锦标赛上就更输得莫名其妙；而最近的一次欧洲杯足球赛上，丹麦队以替补资格进入决赛圈，最后却由"丑小鸭"变成了捧金杯的"白天鹅"。那谁也说不清道不明的因素，便是所谓的"运"。刻苦训练、提高修养对一个运动员固然至关重要，祈求好运亦属不可或缺的心理张力。记得1984年洛杉矶奥运会的男子体操比赛中，日本老将具志坚在进入每项比赛之前．总要虔诚地翕动嘴唇念一阵佛。结果，他果然借好运赢得了本来似乎不一定非他莫属的全能冠军。据说前两天在巴塞罗那发了一阵高烧的男乒选手马文革自称"在扬州训练时我拜过佛！比赛准能打好！"在"万事俱备"的前提下，祈求好运的东风"送我上青云"，这一点也不好笑。

这回巴塞罗那奥运会上，倘有哪个本来大家预测看好的运动员或运动队失水准，我是不想去强作什么理性分析的，我会充满同情地说："唉，他们运气不好！"并同他们一起，祈求下一次的好运！

1992 年 7 月 28 日

举目应有亲

靓女庄泳百米自由泳摘取金牌，自然是激动人心的一幕，但电视机前的观众如看得仔细，便会发现赛场看台上仅有四五个同胞展示着一面五星红旗在那里欢呼，而同场得到银牌的美国姑娘汤普森和得到铜牌的德国选手，却都有起码上百的本国同胞在看台上雀跃着舞动大大小小的美国旗和德国旗，就连与奖牌无缘的日本选手，赛时和赛后也都有看台上众多日本人在那里挥旗"啦啦"，因而，我感觉到领奖台上及绕场一周的庄泳虽面带欣慰、自豪的微笑，手中的鲜花，也几次向看台上别国为她鼓掌的观众舞动，但总体而言，可说是颇有点"举目无亲"的味道，手中鲜花的舞动，不免欠些热度和力度，对此我不禁感慨系之。

巴塞罗那赛场上无论我国选手有多么精彩的表演，摘牌景象有多么辉煌，但每处看台上恐怕都难以有哪怕是仅仅上百的同胞聚集助兴，尤其是除却中国驻外机构人员、当地侨胞及留学生、体育官员、体育记者和团友队友以外，还能有几个是自费赶赴现场为庄泳们奋力"啦啦"和当场欢呼的中国看客呢？巴塞罗那是远了些，但离得也并不近的美国、加拿大、澳大利亚、日本、韩国的自费助兴客，显然为数不少。

当然，说到底是个钱的问题。另外对于普通中国人来说，出国还主要是一种谋求更多新机会、改善个人经济状况的手段，许多人千方百计出去为的是滞留不归获取"绿卡"，即使"大款"当中，也无很多人有出国短期游览、观赛、度假的愿望。问题当然还有更多的复杂因素。但不管怎么说，我总相信，不要太长时间，在外国举行的国际大赛看台上，将会出现越来越多的仅仅是为了观赛而去的中国平民，那时如有庄泳这样的夺魁者，她举目所见，当是无数面大大小小的国旗和无数同胞狂喜的面容！

中国中国，你再快些富起来啊！

1992 年 7 月 29 日

板寸之后是光头

前两届奥运会上，美国田径明星刘易斯光彩照人，因为他剃了个方形的板寸头，结果全世界有无数的"追星族"、"发烧友"都争相剃板寸头。北京地安门有一家小小的理发馆，连续几年生意火爆，其原因就是标榜"专剃板寸"，惹得一帮刘易斯的崇拜者——百分之九十九是尚在上学的少年郎——争先恐后地专程跑去剃个"正宗板寸"；因为那理发馆正处十字路口拐角处，故而常有因客满而等待进去剃板寸的"发烧友"骑坐在街边环状的铁栅上，活像落在电线上的一群麻雀，又可称作是"都市五线谱上的青春音符"。那小小店铺敢于仍叫理发馆而不称"发廊"、"发型屋"，敢于每剃一个板寸仅收 1.5 元，敢于保持朴素门面而不以花哨装饰炫目，就是因为老板看准了剃板寸是个起码可以火红几年的好生意，财源滚滚，何乐而不为？

但时髦风尚终归要不断变异，如今刘易斯因预选赛中失风，这回到巴塞罗那正式参赛仅跳远一项。从电视上看出，他亦不再保持原板寸发型，星光似已暗淡。这两天我们不难从电视上看到，许多体育明星，都剃个大秃瓢儿，例如首日赛事夺得男子游泳金牌的美国好手和男子自选手枪赛的独联体金牌得主，就都如是；美国"梦之队"的篮球明星中更充满了秃头壮汉。倘这几天有细心的电视观众追踪这一"新动向"，或许不难得出光头走俏的时髦端倪。

少男少女的追星，发烧到从发型、衣着、派头上模仿，是开放性社会中不可避免也不必避免的文化现象。倘若巴塞罗那奥运会尚未结束而北京地安门那家理发馆已从专剃板寸变化为专剃或至少是兼剃光头，我是一点也不会感到惊讶的！

1992 年 7 月 30 日

骆驼不瘦

俗话说"瘦死的骆驼比马大"，瘦而不死的骆驼当然更比马大，想象中瘦了的骆驼其实并不瘦，那就绝对比马大。

苏联解体后，不少人觉得苏联的体育优势必定"瘦化"，所以巴塞罗那奥运会开幕前，"揣肥瘦"时都将美国"看肥"，例如游泳决赛尚未开始，就有人断言美国必包揽所有项目的一半金牌，对于美国女泳的"四朵金花"，更刮起了一阵宣传旋风，以至附带也将我们中国自己的实力看小。头天开赛时，竟有体育官员带头说："庄泳没戏！"记者们也大都跑到别的赛场去迎接中国的头一面金牌，结果出人意料的是庄泳偏偏轻松夺魁。更值得玩味的是独联体运动员在泳池中不断折桂，还频破奥运和世界纪录。美国固然也有所建树，"四朵金花"的表现也可称不俗，却全然并非"神话"中那么"肥实"。

独联体到 29 日金牌数已达到 15 块之多，比中、美两家的六块加七块还多出两块，令我们不能不慨叹骆驼不瘦，众马欲与之"赛膘"，则洵非易事。独联体的优势，依我看电视转播的观感，则主要在各位运动员那骆驼般的坚韧与顽强。例如女子体操团体赛中，一位独联体姑娘在平衡木上失手得了个低分，虽痛苦得泪流满面，但在紧接进行的下面各个项目中，却带着未干的泪痕愈加兢兢业业地完成好每一个动作，使高分永踞不下，最后平均起来，依然处领先地位，结果全队稳取金牌。像这种在受挫乃至受大挫后仍以顽强毅力追求佳绩的"骆驼精神"，不是很值得我们大家学习吗？

1992 年 7 月 31 日

哥哥你大胆往前走

曾看到过海外一本杂志上的一篇影评，评电影《红高粱》，评论者所取的是所谓"女权主义批评"的角度，说高粱地里那场"野合"的戏及嗣后男主人公用嘶哑的嗓音吼出的"妹妹你大胆地往前走哇"的歌声，都表达出了一种被压抑的男性对女性的宰制欲望，实际上是一种阴盛阳衰的社会氛围和负面的投影云云。对该影评我不敢苟同，却也引出一些联想。最近几年春节的电视大联欢节目中，小品颇得青睐，而凡男女同台的小品，竟多有丈夫怕老婆、恋人中男方怕女方或并非亲情关系竟也男媚女刚的细节，有的男演员也以多次出色地扮演"妻管严"角色而成为红星。这就不得不问："难道我们真是阴盛阳衰了吗？"

　　一位朋友对这个问题的回答是肯定的。他说你看中国的球类运动，大多是女队能出线能夺冠，小球的女单、女双摘金也比男单、男双把握大。这两天看巴塞罗那赛场，至 29 日中国已夺得六块金牌，却是女五男一，就连他这离赛场几千里之外的"须眉浊物"，也不能不对妹妹们甘拜下风，他戏言曰：展示我"华夏雄风"，到头来还得靠我"中华雌儿"！

　　朋友的调侃，或许失之于刻薄，但我们电视机前的无数观众，对我们派往巴塞罗那的男运动员们的殷切期望，应是一致的——赛事尚未过半，机会仍多，尤其是一些男子强项，如体操中的双杠、鞍马、羽毛球单打等等，当力保夺金，就是夺不到金，摘银取铜也应当仁不让，至少要使原有的排名位，尽可能地提前；并且，人们也都期待着中国男性"黑马"扬鬃而过，爆出令人欣喜莫名的"冷门"。

　　隔着千山万水，我们要向巴塞罗那的全体中国男运动员们齐呼——哥哥你大胆地往前走哇！

1992 年 8 月 1 日

花开花落自有时

　　正当巴塞罗那蒙锥克山泳池中盛开出朵朵中华红莲花时，人们从荧屏上看到中国女排在同荷兰女排比赛时，呈现出一种花期已过落英缤纷的景象。据中央电视台奥运快讯专题节目主持人报道，北京有位母亲同女儿一起坐在沙发上看电视，因比赛拖得太长，母亲打瞌睡迷糊了过去，及至醒来时问女儿：谁赢了？女儿说荷兰队，母亲不由分说便掴了女儿一记耳光。

　　这位母亲的本能反应，说明中国女排在一般中国人心目中，已有着战无不胜或至少是只能败于少数几个世界名队的神圣地位,仿佛开不败的花朵,因此她不能接受,不能承认中国女排竟在小组预赛中不仅败于古巴队,而且又败于二流的荷兰队这一事实。

当然现在还不知道中国女排在这次奥运会上的最终结果。不过,有一点我们必须想得开:我们应当赢得起,也输得起;一种体育项目的勃兴,从积蓄到爆发,总有一个过程,而灿烂的爆发之后,由于自我消耗,由于后续力的成长有一个过程,因而,有一段低谷期,以进行新的积蓄,并不是什么反常的现象,正如花期过后,必有谢落乃至于凋零,但是经过一番休养生息和重新孕育,逢到风调雨顺,好化定能再度烂漫地开放,直到把花冠胀得浑圆。

想想中国女泳,何尝是一贯红莲盛开的?现在的娇艳芬芳,是以往多少默默无闻的汗水乃至功亏一篑的泪水浇灌出来的!而中国女排在经历了"五连冠"的大辉煌之后,即使迎来的确是一个"绿肥红瘦"的过渡期,那么,只要从各个方面再加努力,相信必会有红杏一枝再出墙的前景!

花开花落自有时,待到明春花还开!

1992 年 8 月 2 日

要演《虹霓关》

《虹霓关》是一出京剧。据内行介绍,《虹霓关》这出戏需要演员唱、念、做、打样样过硬,是比较难于藏拙的,因而敢于演这出戏,便显示出演员艺术造诣的全面与高超。

由此联想到,一个国家体育运动的总体水平,也需有类似《虹霓关》这样的"剧目"来加以检验。光会"唱"、"念",固然可在某些演出中令人击节赞赏;光擅"做"、"打",

也或许可令某些观众倾倒；但只会抱着肚子引吭高歌，或仅在武打方面有精彩表现，一张嘴却"沙嘶劈哑"，毕竟都令人扫兴。

体育竞技中的《虹霓关》，我以为乃是田径赛，它是"更高、更快，更强"的集中表现，所以奥运会项目最多奖牌最多的也是田径赛。我国这回共派了男运动员11人女运动员22人参加田径赛，根据最乐观的估计，可望得金牌仅一两枚而已。

现在我国在巴塞罗那赢得的金牌已不算少，田径以外的一些项目，还可望有多块金牌到手。我却忽然联想到《虹霓关》，并写出来，也许颇使读者诸君败兴。但我相信终会有一天，中华健儿们也能演出展示"全挂子功夫"的《虹霓关》来！

1992 年 8 月 3 日

数猴忘看山

一位朋友去四川峨眉山游览，出发之前，听说山上有不少猕猴，心向往之，进了峨眉山，他便一心一意寻猴。爬山之际，双眼只是到树丛山岩中去搜索猴影，后来，爬到一定高度，果然发现了猴群，他便兴趣盎然地点起数来……游毕归来，亲友们问他峨眉山风景如何，他竟不大能够形容，因为他数猴忘看山。好不容易去了一趟峨眉山，却未能充分领略那山景的奇诡秀美。

坐在电视机前观看巴塞罗那奥运会赛事的朋友们，应吸取这位峨眉山游客的教训，不要一天到晚只是在那里扳着手指头，计算奖牌特别是金牌的数目，心里头只梗着"金牌情结"而不能潇洒地进入体育审美的境界。体育竞赛所展示的人类向"更高、更快、更强"迈进的拼搏场面，实际上也是一种人类生命力的瑰丽赞歌，是一种独特的艺术。

是呀，这几天电视里所展现的，比如男子百米大决赛中英国运动员克里斯蒂的奔跑雄姿（尤其用慢镜头展现），中国陆莉和独联体帕森科在高低杠和平衡木上一气呵成、天衣无缝的表演……那雄浑灵动的美感，难道是金牌所能完全包含的吗？

我们要"数猴"，但更要紧的是饱览秀美神奇的体育山峦！

1992 年 8 月 4 日

高科技的较量

体育竞赛是一种独特的艺术，我们应进入体育审美的境界；同时，当今的体育竞赛在表面上由运动员及教练员出场露面在那里较量。而实际上，体育竞赛也越来越成为幕后的高科技的大较量。而一般坐在荧屏前观看巴塞罗那运动会的纯朴观众，往往还不能认识到这一点。

一些与器械联系紧密的运动项目，如赛艇、自行车，那艇和车的制造虽有国际上的统一规格和一些必要的限制，但在规格和限制之内，如何使其具有最利于创成绩的素质，便成为许多国家体育科研中的重要项目。但体育科研更重要的项目恐怕还是集中在人上，首先是选材。现在我们认识到，不是举重运动把运动员"压"成了粗短型，也不是高低杠和平衡木的艰苦训练使女子体操运动员似乎一代比一代更"袖珍"，而是体育科研人员帮助教练从一开始就进行科学选材，有时要动用许多高科技的手段，预测出候选者今后十年内的发育趋向，再从中严格遴选出有潜力有前途的"苗子"。各类竞赛项目的训练，更不是如一般人所想见的那样，仅仅体现为一个"苦"字，而是进入了相当精密的科学化系统，而且除体能、技巧、战术方面的训练外，心理素质的训练也绝非只是"作深入细致的思想工作"，大都有以人类学、社会学、心理学、行为科学等许多基础理论为指导的科学化手段……

当然，既是高科技，又事关赛场夺牌，因而各国体育界人士，对个中情况都讳莫如深，许多国家都将体育科研成果当作国家机密乃至绝密情报严防泄露。

我们一般观众虽然无从知晓体育高科技的神秘底蕴，但看到运动员们在台前拼力竞技时，能多少想象到那背后的高科技运作，亦是一大乐事。

1992 年 8 月 5 日

人生百味盆

运动场四周看台成坡形梯状上升，运动员竞技的场地凹踞其中，恰似一只巨盆。

那是一只人生百味盆。将世人有时需要若干年，十数年乃至终其一生才能尝到的百样滋味，浓缩地展示在看客面前，有时令人欣喜莫名，有时令人扼腕不止。或惊心动魄，或柳暗花明，几家欢乐几家愁，胜者成星败若尘，凝聚着多少喜怒哀乐，派生出多少生死歌哭！

巴塞罗那奥运会赛事过大半，守在电视机前的观众已饱览了多少瞬间展现的悲喜剧！

中国体育代表团至 8 月 5 日金牌数已升到 16 块，已超过洛杉矶奥运会战绩；泳池中的飞鱼跳台上的舞燕令世人眼花缭乱，不消说都是红绸飘飞的喜剧；而女排的沉沦、羽毛球的覆灭，却又是令人鼻酸唏嘘的悲剧；这还是粗线条的观察，谭良德的以银牌终结运动生涯，徐德妹的以国人傲瞩到不及格被淘汰而消然无影，李明才在竞走中途的力竭而倒，王艳在自行车追逐赛上猛然滚落……这些"滋味"可能还不难与他们共领，但今天从广播中听到获女子 10 公里竞走金牌的陈跃玲对记者说：以往我因被判违例罚出时，周围全是冷淡的眼光，现在我得冠军了，忽然周围全是热情的眼光，这滋味可真不同呀！她这话里的"滋味"，可就复杂而醇厚了！

天道持平，不分中外。从电视上看到，美国极有希望夺牌的男短跑健将威瑟斯庞在百米预赛中忽然腿伤倒地，被担架抬出时，捂着脸的双臂痛苦地颤动；而从癌症阴影下挣脱出来的女短跑健将德弗斯却摘取了百米桂冠，狂喜地绕场向观众飞吻……是人各有命亦各有运吗？而又从报上看到，法国运动员罗斯因法国田联官员的疏忽，未将他列入百米参赛名单，致使他到达奥运村后只能目瞪口呆地向隅而立，那滋味，恐怕更在一百种之外了！

看奥运，品人生，滋味无穷，思绪万千。

1992 年 8 月 6 日

还不值得"发烧"

邻居小丁是个"追星族"成员，亦即风风火火的"发烧友"。今天他穿着件不知哪里搞来的印着红黄两道一团蓝图案和"1992 年巴塞罗那"字样的圆领衫，晃晃悠悠地跑来对我说："刘叔叔，这回奥运会中国奖牌真不少，让人高兴！可是，老实说，不过瘾！一是女多男少，二是得牌的爷们，我觉得要么太像小朋友，要么太'肉头'，没个让人一看就打心眼儿里当偶像崇拜的主儿。看看以往的李宁！为什么'李宁服'销得那么好哩！你不光要能得金牌，你还得光彩照人才行！我真想让人印个'体育皇帝'像在'文化衫'上，可这回他们哪个值得我印呢？"

对小丁的"疯"话我本来只是一笑，但笑之后，觉得从一个民族的体育文化的建设这个大角度考虑，我们也确实应该在保证夺牌的前提下，注意培养出从相貌、体魄、风度、修养上都具有我中华男儿雄性魅力的体育巨星亦即"体育皇帝"来，使其构成一种对广大青少年具有魅力的阳刚符号；就目前的状态而言，如小丁一类的"追星族"确实尚无体育巨星可"追"，亦还不值得为谁"发烧"。

这丝毫没有贬低在本届奥运会上为争光的男运动员们的功绩风采的用意。打个比方，他们犹如京剧舞台上表演得相当出色的一流演员，但终究还不是谭鑫培，不是马连良，不是叶盛兰或裘盛戎，还没有能让"戏迷"们倾倒。京剧200年的发展史是以阶段性地出现天皇巨星的形式向前推进的，例如本世纪出现了梅兰芳，就连穷乡僻壤的一些文盲也知道他，在国外也赫赫有名。中国的现代体育运动何尝不需要阶段性地出现天皇巨星呢？人们在"追星"、"发烧"的过程中，也许便把尖端的东西普及的东西交融在一起了，从而得以大大促进我中华民族的身心健康！

1992 年 8 月 7 日

何妨尖叫

　　从电视里看蒙锥克山跳水比赛场的竞技，每当一位运动员跃入水中，总伴随着一阵观众席上发出的尖叫声，倘那动作难度大而完成得好，则尖叫声便更响。类似的尖叫声也出现在许多别的竞技场合。

　　体育作为一种文化，绝不是仅仅由运动员或教练员、裁判员等构成的，体育观众是绝对不可缺少的一个方面，而体育观众与戏剧电影观众的不同之处，就在于绝不是仅仅在那里"观"，而几乎要全身心地投入。固然好的戏剧演出也常引出观众的喝彩和鼓掌，现在还有一种新型的将观众引入剧中参与剧情的话剧，但毕竟观众总不能自始至终在那里狂热地"啦啦"，电影的放映过程中观众除了被喜剧场面逗得发笑或因悲剧情节发出唏嘘，就连鼓掌也少，更禁绝喧哗地谈话或喝彩。

　　"啦啦队"这个词汇不知是何时和根据什么而形成的，它颇为生动地概括出了体育竞技过程中观众一方的介入状态，其实现在观众何止是在那里"啦啦"，又何止只是尖叫，越来越多的观众开始以强烈的形体语言表达他们的情绪，"道具"也越来越多，化妆的程度也越来越高。我们从电视上经常可以看到一些外国观众用油彩在他们的面庞甚至躯身涂上该国国旗的颜色图案，而且群体鼓噪的方式也越来越盛行，或不断掀起"人浪"，或尽情手舞足蹈。

巴塞罗那奥运会中的观众表现，就我们从电视中所看到的画面音响而言，应当说是上乘的，特别是西班牙观众，他们常为非本国的双方或多方运动员热烈鼓掌；而一些狂热地为本国运动员加油鼓劲的观众，也都举止得体，看不到观众间互相意气用事酿成冲突的场面。我们从这回巴城盛会中不仅可以学到各国优秀运动员的长处，也可以学到各国特别是东道国观众的许多良好风范。

我们中国人常自诩具有东方民族的含蓄。其实，在观看体育比赛时，我们个性的良性释放何妨更畅快些，甚至何妨在高兴时发出尽兴的尖叫！

1992 年 8 月 8 日

小拇指拉钩

我小时是那样，直到如今孩子们玩一种游戏前还是那样：为表示对说好的规则"一言为定"，双方伸出小拇指拉一拉钩儿。

任何游戏总得有规则。没有规则的游戏，不按牌理出牌，那非乱套不可。"游戏规则"这个词语如今还被借用到政治、经济及社会生活的许多方面，人们针对某种混乱，某些怪事，往往会说："没有了游戏规则，那怎么行？"于是救助于法制的健全、道德的重整、秩序的确立。体育竞技是人类的一种既严肃又活泼的游戏，当然也得有规则，而制定了规则之后，便必须确立执行规则的裁判的权威。这很像是小朋友在讲定了如何玩耍后伸出小拇指拉钩。

这回巴塞罗那奥运会上，裁判执法中引出的"不公"之声接连不断，比较突出的如男排中美国与日本一场，美国球员事后以统统剃成秃瓢表达了他们对"不公"

的"无声抗议";再如美国轻量级拳王格里芬因裁判方式引入了计算机而少算了他的点数,莫名其妙地成了输家,于是他不服而两次上诉;最具戏剧性的是万米跑中,摩洛哥选手斯卡赫虽率先冲过终点,却被裁判以队友故意在后面阻挡肯尼亚选手切利莫之由而取消了他的名次,成为"连档作弊"的丑闻人物,但经申诉后,仲裁委员会却又把肯尼亚切利莫到手的金牌判还给他,让切利莫换领银牌,肯尼亚田径队因此集体大怒,扬言要退出全部比赛。

裁判的不公,倘无证据确定其有意为之,也只好抗议而已,抗议无效,而竞技的结果只好录入史册,其奈他何!

虽然如此,在规则没有修改以前,我们还得遵守规则;面对的不管是哪国哪方的裁判,既已最终裁定,我们也只得认可;这并不是窝囊,谁让我们在参与之前,就已经"小拇指拉钩"了呢?

人类相处,能"小拇指拉钩",总是一桩好事啊!

1992 年 8 月 9 日

明朝有意抱琴来

"隔岸观火"的头一段从《红楼梦》说起,这末一段呢? 一位朋友就劝我也以《红楼梦》作结。《红楼梦》里的小红不是讲了吗:千里搭长棚,没有个不散的筵席。一些人这半个多月里天天开电视看奥运会的节目,好几回是大半夜里从床上爬起来揉开眼睛看的。最兴奋的大概是已放暑假的学生们,奥运会这顿"盛筵"把他们"吃"得都有点消化不良了,天天唧唧喳喳乃至吵吵嚷嚷地预测、评议、品味、争论,一阵阵雀跃欢喜,一阵阵胡愁乱恨。相信不仅运动员、教练员们会得到雪片般的信函,体育官员们,电视台有关人员和报社记者编辑们,也会在相当一段时间内持续地被热心的体育迷们"纠缠"。但不管怎么说,盛筵还是要散,即使是"吃撑"了的人,也总有终于消化净尽的一天,巴塞罗那奥运会当然会是一个缤纷的记忆,但肯定要在时间的流逝中逐渐褪色。

评价整个 25 届奥运会,分析总结中国体育代表团这次得失,展望今后世界和中国体坛的潮流与发展,预测下一届奥运会的水平与再下届奥运会终究会在哪里举行,都非我这外行的"观火"者所能置喙的话题。我只是想说,一场牵心动容的"盛筵"散掉了,确令人有意犹未尽的惆怅之感。但我们终究不能只胶着在一桩热闹事上,在一次盛筵与另一次盛筵之间,有许多平常的日子,一般人往往必须吃许多的粗茶淡饭。我们唯有过好每一个平凡的日子,习惯于日常的粗茶淡饭,才有资格、有兴致赴另一次盛筵,品超常的美味。在这次的巴塞罗那"盛筵"中,许多运动员在瞬间中使我们欣喜若狂,但我们不应忘记他们在那"盛筵"前的亿万个瞬间构成的日子里所进行的是鲜为人知的寂寞枯燥的苦练。而"盛筵"结束后,他们中的大多数又要沉入那漫长的寂寞枯燥的苦练中了。"我醉欲眠君且去,明朝有意抱琴来。"无论颂扬还是批评,我想大嗡隆的日子应当已经过去,参赛者和观看者双方,都应回归平凡乃至平淡的日子,扎扎实实地去积累和推进下一次的热闹与辉煌!

1992 年 8 月 10 日

蝴蝶·松鼠·电池

一位朋友告诉我他有两次心灵的震撼,都是小小的事情引起的。

一次是在乘船游览长江三峡的时候,游客们都在甲板上观看风景,忽然有一对拳头大的蝴蝶飞到了甲板上方,这时,不少中国游客,有老有少,有男有女,就都本能地去扑捉那对蝴蝶,顿时乱作一团,或者也可以形容为欢声雷动,他也有伸臂捞取的动作。这时他旁边正好有一对来自英国的夫妇，他们只是静静地站在那里望着蝴蝶，也许是因为那些捉蝴蝶的人把蝴蝶吓坏了，它们不知该怎么逃逸，惊恐中竟落到了那英国妇女的肩头，于是有人朝她丈夫嚷："嘿，你怎么不赶紧抓住它？"那丈夫当然没有去抓，蝴蝶在吵嚷中也就飞到江面上去了。等人声寥落下来时，那会说中国话的英国男子对旁边我那朋友说："你们不是把它们叫做梁山伯与祝英台吗？"朋友听了，没回应，可是心里久久地不是滋味。

另一次是他到美国探亲，看他女儿一家。头一回去西方国家，头一回走进单栋"号司"的花园，头一回看到松鼠若无其事地在花园的树木与草坪上跑动叨食，他就本能地朝女儿女婿开玩笑说："哈，你们吃松鼠肉不用花钱呀！"当时女儿愣愣地瞪着他的表情，让他至今想起来还心悸。女儿没说反驳他的话，只是脸红得像樱桃。女婿是美国人，懂中文不多，直问女儿爸爸说什么呢，女儿忙用英语告诉他没什么没什么。

朋友对我忏悔说，他的文化心理中，有很糟糕的一种"本能意识"，那就是看到活物就想捕捉，就想占有，乃至想把它吃掉。这是不是很多中国人心理上都有的缺陷，他不敢断定，但他愿意从自己开始，就此时常地搞搞"心理卫生"。由此引申，对文物的态度，往往也是并不知审美的乐趣，比如拥有一张名家书画，一件古代好瓷，或者一套多年前的特种邮票，竟很少摆脱掉其"值钱几何"的意识，难得平心静气地对其作纯粹的艺术鉴赏，所热衷的，只是"又升值到了什么价位"的讨论。那么，如果他主持一处地方的事务，那地方恰好有被收录到世界文化与自然遗产名单里的景点，他一定也就会充满占有的欢喜，然后津津有味地将其"连皮带骨地吃掉"，也不是把那经济上的收益都据为己有，但一定会把那遗产交给报价最高的商家去承包，然后敲骨吸髓地，以短、平、快方式，掠取自己这一任上的"经济政绩"。他说还好这只是一种假想，倘若真让没有克服、消弭掉那卑劣文化心理的他去管理文化与自然遗产，后果不堪设想。

朋友讲这两件事，有美化洋人和洋文化之嫌。但我觉得其中确实有值得我们对比反思之处。他的自我忏悔意识，我很赞赏。许多中国人还都不能具有这种自觉的忏悔意识，一事当前，还没等人家说出话来，就马上推卸责任，或者总觉得责任比自己大而且直接、具体的人士尚未忏悔，自己却先忏悔了，岂不吃亏，岂不是成了"傻B"？更有认为"罪不罚众"的，明知不对，也去参与，那就更不知忏悔为何意了。

当然，也不是没有意识清明的中国人，我就知道一位同龄人，他儿子和一群朋友开车去郊区某列入世界自然遗产名单的地方游玩回来，跟他讲到野餐的快乐，在他追问下，儿子道出他们未将那些餐后的遗弃物带出景区投入垃圾箱，就那么任由它们散落在草丛里了，他心里非常难过，不仅严肃地批评了儿子，还在第二天儿子上班后，自己坐出租车去了那地方，深入到那野餐区域，也不管是他儿子还是别的什么游客遗弃的垃圾，尽行拾取，带到有垃圾桶的地方装了进去，虽然累得够呛，但心里才觉得舒服，他还特意把两节被遗弃在那地方的五号电池带回了家，见到儿子后，他把那两节电池交给儿子，命令儿子将废电池扔到附近百货公司里专设的回收桶里去，儿子照办了，并将这事告诉了他的朋友们，这些年轻人无不愧悔，从此再无污染环境之举。

我没蹲门口

中国公民出境旅行的越来越多，接待中国游客的境外场所开始出现中文标识，已有人撰文，说在某西方国家旅馆，触目所见的几乎全是西方文字，惟一的专为中国游客准备的告示牌上，用中文赫然写着："请勿随地吐痰！"令看到的同胞们心堵气闷。吐痰，或啐口水，特别是随地吐啐，吐啐后有时还要用鞋底擦抹，甚至开车或坐车时从车窗里往外吐啐，我得承认，确实是不算太少的同胞，时时不能自禁的一种陋习，以至到了境外还是"吐啐没商量"，弄得人家不能不特别摆出那样的告示牌——有的告示牌上，只写着"请勿吐痰"，一位同胞对之更愤愤然："有痰就得吐！不随地吐就是了！怎么还限制吐痰！他们西方人就没痰吗？他们的痰都怎么处理

难 以 忏 悔

的？"我算是多次出境访问过，确实记不得看到过那边的人在公共场所吐痰，不管是随地吐还是不随地吐，似乎都没见过，也不仅是在西方国家没见过，在日本、新加坡、马来西亚等地也没见到过。是呀，怎么中国人喉咙里似乎总盛产着粘痰，不管到了哪里，什么场合，都必得一吐为快呢？我虽十二万分地爱国，爱同胞，却不能不承认，在公共场合，当着别人吐痰，尤其是随地吐痰，包括啐唾沫，已构成一种被异国异族鄙视的"集体无意识"，实在是应该集体有意识地加以克服、禁绝！

倘若我在境外见到专为中国游客设置的"请勿吐痰"的中文标识，我也许会比较心平气和。尽管我个人从不随地吐啐，人家因若干我的同胞确有那陋习而特别提醒，也算得事出有因吧。

但是，前些时，我在境外一家旅店，登记时，服务台递给我一张单子，上面用亲切的方块字，开列着若干注意事项，其劈头一条是——"请勿蹲在旅店门口及大堂内"——那句子蹦进我的眼睛，烫了我的心！蹲在门口及大堂内？从何想来？再一条是——"请勿坐在大堂经理桌及沙发靠背上"——我几乎气得背过气去！我看完了，又取了一份英文资料，看了看，立即去向该饭店大堂内的值班经理提出抗议，指出给我这样的"旅客须知"是一种人格侮辱！他们为其他旅客准备的英文材料，里面就没这样的内容，因而，这也是对我，以及来自中国大陆的旅客的一种歧视！

经理脸上挂出做作的微笑，让我把怨怒倾泻个够，且不作解释。但这时旅店门外停下了一辆旅游大巴，从中涌出了成群的游客，他们一进大堂，便用我熟悉的乡音高声交谈；领队去服务台办理住宿事宜，那大堂里免费歇坐的沙发不够用，他们其中有的人就坐在了花台边上，我望着那些同胞，心里默默祈祷：可别坐沙发背啊，别坐啊……就是路上累了，略忍一忍吧……可就有那么一位，偏偏"自然而然"地，坐到了一架沙发的靠背上，还捶着旅伴的肩膀纵声大笑……

进了客房以后，我的坏心情久久不能平复。后来，有机会和那来自国内的旅游团领队交谈，我愤然地对他说，真想到门口蹲一蹲！一个人的肢体取什么姿势，是他的自由，这和吐痰和坐沙发靠背都不一样……他笑了，劝我别赌气，别抬杠，他说，人家那样做并无恶意。据他说，现在中国的普通公民，自费出境旅游的人数猛增，不仅大城市的白领，就是先富裕起来的乡镇里的农民，也有参团旅游的。中国的综合国力确实是提高了，中国人确实是富起来了，境外的旅游业，现在都开始重视中国游客这个前景不可估量的买方市场，像我所入住的这家旅店，它现在主要的客源就是来自中国大陆的游客，从根本利益上说，它是犯不上得罪中国人的。不过，刚富裕起来的中国人，其言谈举止的平均文明程度，确实也还不高，旅店那中文"旅客须知"所开列的注意事项，就他的带团经验而言，比如他所带的一个由乡镇企业家及其家属所组成的旅游团，就有来了这儿暂且蹲在门口和大堂里的，旅店觉得有碍观瞻，影响别的国家旅客的入住情绪，"不得已而为之"，提出忠告，是可以理解的，也应当接受的，何况那"须知"里，也有考虑到中国人习惯喝开水，因此特别注明打几号电话可以让服务员送开水进房的一项嘛……

当然，我没蹲门口。旅途中，我的心情渐渐好转起来。我意识到，我的国家，我的同胞，还有我自己，都处在一种发展的过程中。现在尽管还有一些中国人，抱着无论怎么样，也要出国去发财、过生活的想法，甚至不惜花大价钱给"蛇头"，参与偷渡，或拿到个短期旅游签证，去了逾期不归，"黑"在那边，打黑工苦熬的。与此相联系的，是一些发达国家怕我们的游客有"移民倾向"，还不敢向我国公民开放旅游市场，对去考察、访问的人员，签证也极谨慎。但也有越来越多的中国人，打开了眼界，提升了对外部世界的认知，懂得生活在自己的母语中，浸润在自己民族的文化传统里，对自己来说有多么重要；而进入异国异族的语言、文化，溶解其中，要付出多么沉重的，有时更是难与人言的代价。因此，国一定要出，"西洋景"一定要看，但旅游就是旅游，滞留不归作甚！——抱这样态度的中国人与日俱增。而一些国家也看出，自己的发展状态，未必就比中国好，中国人有几个愿意"黑"在那儿的！因此，大举吸引中国游客，大做中国游客的生意。虽说他们现在为中国游客打印的"须知"，措辞似乎还不够尊重，潜意识里甚至还确有不甚看得起、颇为鄙夷的成分，但随着中国游客总体文明水平的提升，以及他们因中国迅猛发展而对中国、中国人尊重度乃至羡慕度的提高，"请勿吐痰"、"请勿蹲在旅店门口及大堂内"的告示，是一定会成为历史陈迹的。

喧嚣文化

对中国公民开放旅游的国家和地区越来越多，中国人真是富起来了。许多中国旅游者首选地是欧洲，而且往往都把法国巴黎作为第一站。从巴黎方面传来消息：中国游客太喧嚣。说话声音特别大，像卢浮宫的画廊，中国游客一到，回音轰响，多半是表达惊奇、兴奋与快乐，但其他游客总不免对中国人侧目，管理人员则对此无可奈何。在圣母院或其他宗教场所，中国游客也总是众声喧哗，管理部门为此贴出了许多写着"沉默"两个汉字的告示，但多数中国游客对之熟视无睹，无论是表达感受还是相互招呼的声音，分贝值都颇高，在那些哥特式建筑的穹隆里多次折射，形成声浪污染。

当今的中国游客，有些像上世纪70年代的日本游客，到了旅游地舍得花钱，一掷千金的气概不仅让东道国人士瞠目，就是来自其他富裕国家的游客，也都印象深刻。中国人的钱不能不赚，但同时也就必须忍受中国人的种种毛病。据说欧洲有家博物馆现在一听中国旅游团要来，馆长就万分紧张，因为根据前面的接待经验，某些中国游客会完全无视有关的参观规定，他们会频频伸手摩挲不许触摸的展品，会毫无顾忌地违反规定用闪光灯拍照，甚至满不在乎地越过隔离栏，去贴着雕像拍"到此一游"照。当然不是所有的中国游客都有这类毛病，在每个旅游团里，这样的游客在比例上可能也只有四分之一以下，但中国旅游团的到来，就意味着这类出格的表现一定会出现，区别只在多与少、轻与重，以至出现了这样的事态：某欧洲著名博物馆听说有个中国旅游团将在下午来参观时，在焦虑中，作出了提前闭馆的决定。如果说乱摸乱动一类的毛病还不见得是每个中国旅游团都会带来的，但大声喧哗却是必有的现象。

也不仅是中国一般游客有说话声大的特点，笔者在国外访问旅游时，多次遇到过从国内过去的考察团，有时还会遇到出公差的三五个人的小团队，无论是在机场候机厅和机舱内，还是在百货公司和餐厅之类的地方，本来很安静，忽然声浪起，我就会喜惭交集，喜的是异国闻乡音，惭的是为什么人家都能做到"跟谁说话让谁听到就行"，我的同胞却非要把两个人或几个人之间的招呼、对话，用那么大的分贝值表达出来，而且一点也不在乎对同一空间里的其他人造成干扰？

根据笔者自己的生命体验，中国人（不是所有，但为数不少）嗓门大，在公众空间里也毫不收敛自己的嗓门，形成大声喧哗的效果，是在起码从上个世纪初以来就形成的一种社会文化，而在上个世纪后半叶的前二十几年，这种文化更加普及，表现出来也就更加强烈，目前通过中国旅游团在外部文化对比下凸显出来的这一喧嚣文化，只不过是其余绪罢了。

在上个世纪前半叶，这种喧嚣文化是伴随着进步的社会革命而生成的，有其宝贵的历史价值。像陈天华的《警世钟》，邹容的《革命军》，李大钊的《庶民的胜利》，鲁迅的《呐喊》，郭沫若的《凤凰涅槃》等激动过亿万中国人的名篇，光那题目就显示出与细语低吟相反的高呼畅啸。在掀翻三座大山的艰苦卓绝的革命进程里，中国民众的喧嚣呐喊体现出了醒狮的气派，而这醒狮不是单个的人，是一个集体，是革命的阶级。在那样的一种历史进程里，个人的声音是微不足道的，不仅渺小，甚至可以判定为有害，甚至反动。个人总是必须汇聚到集体中，发出共同的呐喊，才算获得了一种正面价值。

上世纪 50 年代前后的土地革命，简称"土改"，曾使投身其中的丁玲等一批作家爆发出创作热情，周立波就把他的长篇小说命名为《暴风骤雨》，丁玲的长篇小说题目稍微温和一些，叫《太阳照在桑乾河上》，但里面对众声喧哗的革命话语有着极其细致而真切的描写，比如农会主席程仁发动群众斗争地主钱文贵的场面——

程仁问大家说："……他吃咱们的血汗压迫了咱们几十年，咱们今天要他有钱还债，有命还人，对不对？"

"对！有钱还债，有命还人！"……

台上台下吼成了一片。

……人们都涌了上来，一阵乱吼："打死他！""打死偿命！"

一伙人都冲着他打来，也不知是谁先动的手，有一个人打了，其余的便都往上抢，后面的人群够不着，便大声嚷："拖下来！拖下来！大家打！"

虽然两旁有人阻拦，还是禁不住冲上台来的人，他们一边骂一边打，而且真把钱文贵拉下了台，于是人更蜂拥了上来，有些人从人们的肩头上往前爬。不仅声浪喧嚣到极致，而且伴随着狂暴的肢体语言。在这样的群众运动中，虽然是有领导者在场，但事态往往会发展到如此无审判规则、无语言和行为限制的局面，这一方面是因为被革命者积恶甚多积怨深重，一方面是因为革命领导者认定"群众运动天然合理"。一种喧嚣文化也就在对这类场面的推广肯定甚至赞美中，在人们的心理上浸润开来，在行为上惯常起来。

1949 年以后，按说应该尽快从政治斗争转轨到经济建设上，但一方面确实是"树欲静而风不止"，一方面恐怕也是"树欲动而白生风"，群众运动，众声喧嚣，一群人斗争一个人，声浪一波高过一波，竟成为了我们社会生活中最主流的现象。在涂光群所写的《丁、陈一案小窥》（收入《中国三代作家纪实》一书，1995 年 6 月第一版）中，他这样写到丁玲、陈企霞被指认为组成了"反革命小集团"后，于 1957 年 7 月 25 日开始中国作家协会多次召开的批斗丁玲的数百人大会：

……会上形成一边倒式的揭发、批判气氛，使被揭发的人难以为自己申辩……记得第一次开会，丁玲出场，她在台前站立，人们纷纷要她交代为何"向党进攻"，她有口难辩，半天只做不得声，突然她伏在桌上痛哭失声。

这离丁玲写下我上面所引的关于斗争地主钱文贵的文字，还不到十年，被她以文字所肯定的众声喧嚣的斗争，竟落到了她自己身上，斗争她的作家们总算还没有叫喊"打死她"，肢体语言大概也还只是举臂呼口号，没把她拽下台来，但那种个人在群啸中被剥夺了自辩权的深重痛苦，是非常具有历史的悲剧意味的。

笔者的青年时代就是在这样的喧嚣文化中度过的，也被训练出了一定的话语技能。笔者十九岁起就到一所中学任教，在教研室里，如果两位教师凑在一处低声说话，那就会被旁观者认为起码是思想情绪不健康，我后来就总保持住一种对一个人说话也总让同室者听到的分贝值，以免旁耳误会。在后来所参加的批判会批斗会上，我不仅一定跟着高呼暴烈的口号，而且还总怕自己的声音相比之下太低或者肢体语言（比如举臂）太软而遭致"温情主义"甚至"假批判真包庇"的指摘。

在上世纪中后期，不仅阶级斗争是众声喧嚣，生产斗争和科学实验也大体是处于那样的一种"声境"。比如 1958 年大跃进时的民谣，后来被郭沫若和周扬编选为一本《红旗歌谣》，其中绝大多数都必须吼出而不是吟出，最著名的当然是那首《我来了》：

天上没有玉皇,

地上没有龙王,

我就是玉皇!

我就是龙王!

喝令三山五岳开道,

我来了!

还有一首《中国人多英雄多》:

中国人多英雄多,

一人一铲就成河。

中国人多好汉多,

一人一镐把山挪。

中国人多画家多,

一人一笔新山河。

中国人多诗人多,

一人一首比星多。

当时读这首歌谣很兴奋,现在读来就感到虽然其中有"一人"的字样,其实还是以集体、族群替代个体生命,这宏大的声音里,并不包含尊重个体的独立生命的因素。

到"文革"时候,中国人的喧嚣文化达到了本民族有史以来的最巅峰。那时候屋顶、电线杆上的高音喇叭每天会连续很久地广播出声色俱厉的话语。当然,有时候也会播放"特大喜讯",比如1968年后各省市相继成立实现了"革命三结合"的"革命委员会",于是形成一个竞相以当时认为是最美丽豪壮的语言发布"给毛主席的致敬信"的"声浪",下面是从中摘录出的一些片断:

凯歌高奏,红旗漫卷……我们欢呼,我们跳跃,我们热血翻腾!

千言万语涌心头，心潮逐浪热泪流，我们一千遍、一万遍地欢呼……

[青海省]

在您的率领下，我们征腐恶，缚鲲鹏，扫尽人间害人虫。让您的光辉思想的伟大红旗插遍天下，红透全球！

[江西省]

敲起欢腾的锣鼓，拨动铮铮的月琴，手捧金色的芦笙，跳起快乐的锅庄，千遍万遍欢呼，千遍万遍歌唱……

[四川省]

革命的长河，汹涌澎湃；历史的车轮，滚滚向前……您是真理的代表，黎明的曙光，人类的救星，世界的希望……我们头可断，血可流，您的伟大思想永不丢；海可枯，石可烂，忠于您的红心永不变！

[河北省]

这些只能是吼出的诗化的句子里，"千遍万遍欢呼"是非常写实的白描，那就是我这一辈前后的几辈人，都亲身体验过的，我们的生命就是在诸如此类的喧嚣声里穿越过来的。

当然，如对喧嚣文化的生成作深入的学术研究，讨论就还需要细化，比如：在中国的传统文化里，究竟是不是已经埋伏着喧嚣的因子？像老庄的道家文化，不是特别强调静默吗？儒家所提倡的是"中庸之道"、"克己复礼"，也并不主张把事情包括发声推向极致啊。难道是法家提倡了"大喉咙狂呼"？愿有专家学者给我点拨：以喧嚣为先导来集合群体，以期改造世界甚至改造每一个独立生命，究竟肇始于什么？一位青年学人著有一本对经历过多次文化斗争的文化人访谈的书，书名为《人有病，天知否？》，不知我怎么搞的，读了他那些访谈，我总觉得书名改成《天有病，人知否？》似更恰切。

进入改革开放阶段以后，中国的情况在各方面都发生了巨大的变化。虽然现在常有人用"众声喧哗"来形容时下的社会话语情势，但那是用来表达对文化现象已趋多元的一个形容。从意识形态角度来说，上面所引述的那些喧嚣话语即使还有，也非主流，文学艺术方面的个性化程度已经相当地高，"我是自己"的"独立生命个体意识"在年轻一代里已经相当普及，但是，残存的喧嚣积习仍在，又增添了商业社会无情（至少是薄情）的竞争中的新喧嚣，这新喧嚣是欲求快速暴富、一夜成名的浮躁嘶喊，也是欲望不能满足甚至还遭致失败沉沦的焦虑嚎叫，浸润到社会上各类人群，则会表现在各个方面，在刚开始不久的欧洲游中惊动了西方人的游客喧嚣，其实是"老喧嚣文化"和"新喧嚣文化"嫁接出的怪胎，其中最主要的是两种成分，一种是不懂得尊重他人也忽视了自尊，表现出"群嬉中的习惯性放纵"；一种则是"新富国民"的"炫富"心理，认为无论到了世界上什么地方，"老子有钱就可以随随便便"。

对于我们自己的这种喧嚣文化，不能简单地加以否定，它当中沉淀着历史的合理性、必然性，有极其悲壮甚至可以说惨烈的足令我们生出大宽恕、大悲悯的成分，但毕竟这种文化是应该更自觉地退出社会主流的时候了（我不主张让其出局，当然它本身也不会自动出局），在建构新的国民文化品性的过程里，应该让平和敦厚的文化占据主流，体现在声音上就是要氤氲出"尊重别人也保持自尊"的话语修养。相信在不久以后，中国出境游的人们不再会让某些国外的接待者因"他们总是喧嚣"而厌烦甚至焦虑。

2005 年即将到来时，写于温榆斋

独立评格

1987 年在美国，见到一位《纽约时报》书评版的编辑，他很为自己报纸的书评和自己的工作自豪。的确，《纽约时报》的书评很能呼风唤雨，经它一评，那本书十有八九便会畅销起来。读者、出版者对《纽约时报》十分买账，作者更对《纽约时报》的捧场感激不已。我问那位编辑："你们的书评为什么有这么大的效力呢？"他的回答十分干脆："因为我们有独立不倚的评论人格。"

　　他当然是"老王卖瓜，自卖自夸。"不过，听他细细道来，却又深感"他山之石，可以攻玉"。据他说，他们首先坚持一条：绝不应人请求而评，绝不！美国各大出版社，每出新书，必送到他们那里，希望他们置评；有的作家不仅寄自己的书来，还附上言辞恳切的长信；也有跑到编辑部来恳谈，并"附带"要留下一点"小小纪念"给编辑部的；书商们更有种种妙招，期望能打动他们将某本书加以宣传；但他们是铁面无私、一概回绝。他们怎样确定被评的书目呢？第一步，是大量的阅读；第二步，是听取社会上的广泛反应，特别是读者的反应，这就决定了他们对虽已出版但未上市的书一概不予置评的原则；第三步，是选定若干入围的书，所有负责书评的编辑都读，再从中圈定要评的书；第四步，是选定撰稿人，或由他们自己中的某位写书评，或约请他们信得过并对路数的评论家写书评。这样的书评一经刊出，便产生出重大影响。他们这样坚持了几十年，因此他们的书评不仅在美国，在整个西方世界都享有权威地位。他们也确实造就了一批又一批畅销书和畅销书作家。

　　《纽约时报》的书评，当然并非篇篇都有预期的效应。而且，从我们的角度看去，他们的价值判断体系，以及他们的审美趣味，都包含着偏见与偏颇，特别是评到有关中国内容的书时，更往往显示出他们对中国历史、中国社会的缺乏了解与分析失当，未免大惊小怪，视浅为深，如去年他们大力赞赏的郑念用英文写成的回忆"文革"中遭遇的《上海生死劫》。起码我在美国所遇到的读过这本书的中国血统的作家和记者、编辑们，就大都以为实际上是本描写很浮华、内涵很浅简的书，只不过作者经人帮助所写出的英文，很适合当代美国人的阅读习惯，这也许才是该书能在美国大行其道的关键因素。

　　不管怎么说，《纽约时报》那位编辑所强调的独立评格，对我们来说还是有借鉴意义的。我们时下的评论界应人之约而写评论的风气正炽，有的评论家自觉地与一些作家结盟，形成文学小圈子，或美称一点，叫"文学沙龙"吧，他们的视野基本是就滞留在那一小角文学上；更有一些写评论的人，对两种明明针锋相对的文学追求与审美趣味都分别作评叫好，自相矛盾，而并不想圆其说。据说因为两边都是朋友；有的作品刚刚印出乃至尚未付印，读者们尚未读到并不可能作出反应时，评论者已同步评论高度赞扬；有的评论者毫不吝惜地向不止一个作家一部作品抛出诸如"天才"、"大手笔"、"世界水平"、"经典性作品"等赞语；至于通过写赞扬性评论而得到实际好处的事情，我们也不必面对社会为文学界自身讳，实实在在是可举出例子来的。

现在的中国文坛，实在是需要一批有着独立不倚的评论人格的大批评家，他们首先应当做到的一条，便是不与任何文学小圈子结盟，并且绝不仅仅应人请求而评，绝不！

1988 年 4 月 2 日

难以忏悔

二十世纪过去了。在二十世纪末，关于忏悔的诉求似乎越来越多，但是，真正称得上忏悔的文本，究竟出现了多少呢？

一般奉为忏悔楷模的，是巴金老人在《随想录》等短文里，坦陈自己曾在"文革"前的多次政治运动里，说了违心的话，错误地批判了别人；他那严于责己的心怀，固然令人钦佩，但仔细一想，他何尝在哪次政治运动里，领导过整人的事情；何尝打过"小报告"、主动交出过用以罗织罪名的私人信件；又何尝在哪次参与批判的发言和文章里，捏造过事实、拔高过挨批者的罪名？更何况，到了"文革"当中，他自己成了特大号的反革命，所谓"黑老K"，被批斗得死去活来，在上海还曾有过现场直播的大型批斗会，那样地运用电视这一人类文明成果，绝对是空前，但愿能绝后，所以说，既然我们已达成"文革"是"浩劫"的共识，那么，最应该站出来忏悔的，是在"浩劫"中参与了"劫"的那些人，我们不能因为巴老这样的被"劫"者有大善良的心怀，表示从历次政治运动发展到"文革"，自己竟也有着一份责任，于是便心安理得地认为"我们中国终于有了忏悔文字了"。

试问，仅就"文革"中上海那次电视现场转播的批斗会而言，举凡主持者、发言者、揪着巴老膀臂将其押上台，不时令其"坐喷气式"的打手，以及现场领呼口号者……当然还有摄像、导播等方面人士，加起来，应该不是一个小数目

——至于一般被组织去坐在现场举拳头跟呼暴力口号的人，我们还姑且不论——这么多年过去，世纪都已更迭，怎不见有一位站出来说话的？且先不要求其忏悔——至少可以把当时情况尽可能忠实地记录下来，以为后人的戒惕警策吧？

"文革"后的周扬，曾在"文代会"那样的大场合，大声当众向被他整过的作家道歉，我亲眼目睹耳闻，感慨良多。后来他以论述人道主义的文章，体现出他的反思勇气，影响非凡。倘若他能顺那良心之路走下去，说不定会有回忆录式的忏悔文本留给我们，但他却立即遇到了带蒺藜的篱藩，警示他"不能走那条路"，遭到指斥，以至病倒，以至从动物变为植物，最后化为灰土。连他那样复出后拥有一般人望尘莫及的发言权的人物，尚且难以忏悔，这事真令人思之神伤。

在我近二十多年的阅读经验里，觉得有些文本接近忏悔，或至少是只于忏悔隔着一层窗户纸。比如戴厚英的那本《人啊，人》。戴厚英力图为自己那样的"文革小将"（她一度被称为大批判中的"小钢炮"）勾勒出一幅"心路历程"，并坚定地表白要与旧我旧路一刀两断，而皈依于过去参与猛烈批判的人本主义。这样的文本非常有价值，她写得也颇机智，但显然，她不愿取直接忏悔的角度，她为自己作这样的辩护：我有我的道理，我在自己的情理之中。还有老鬼的两本回忆录式的纪实小说，其中不乏精彩的片断，我记得他写到这样的一个场面：在中学里热烈申请，甚至歃血为誓地渴望入团，却始终不能其门而入的他，却在"文革"中批斗团中央第一书记胡耀邦时，成为了把胡耀邦揪上来押下去，令其大受苦头的"革命小将"。他如实地写出了当时那觉得出了一口恶气的痛快心情。"文革"中有很多参与了揪押折磨大号"牛鬼蛇神"的青年人，这是我见到的第一个站出来公开自己那段历史的写作者。但老鬼的回忆虽然极其坦率，通体而言却并非立足于忏悔。实际上，从某种意义上说，老鬼在那个"浩劫"里，父母姐姐和都是被"劫"者，他自己后来也几乎"万劫不复"，论忏悔，那就还轮不到他，我们也不该那么要求他。陈凯歌的"文革"回忆录比上述的都更接近于忏悔录，他并且在备受争议的影片《荆轲刺秦王》里自己扮演了吕

不韦，并坦言那一角色融进了他父亲陈怀皑的影子，他是想通过那一扮演，体味当年被他揪斗过的父亲，后来那对儿子爱恨交织的复杂心理。陈凯歌的这些作为令人肃然起敬。但就"浩劫"中他的角色而言（只是一个在"红卫兵"运动里处于边缘化、竭力向往加入主潮的中学生），为世人提供一个能震撼人心的忏悔文本，他也仍不够"格"。这恐怕也是他的回忆录写得很好却反响并不怎么太大的根本原因。会有陈凯歌那一代人里的，真正处于主潮中的"红卫兵"，如实地写出当时怎么"破四旧"毁坏文物、怎么抄别人家、怎么抢带铜扣的皮带打人至残至死、怎么在大字报上以语言暴力伤害人的心灵、怎么反人道反人情反人性的吗？我们期待着。这不是追究责任。这是一种神圣的期待。这批人现在都五十来岁了，有的更奔花甲而去。他们中应该有人为我们民族，为人类，特别是为他或她自己，以及他们的嫡传后代，留下可以流传的忏悔文本。

但我深知，在中国，虽然从带三个九的年头，一步跨过世纪的门槛，到了带三个圆的的年头，但忏悔之难，仍难于上青天。

有"青春无悔"之说。其实，回顾人类的文明史，赞美青春固然是一个永恒的主题，青春过后的"壮悔"更是一个永恒的主题，中外古今皆然，概莫有外。更有"客观情况"之推脱，比如"文革"，有"四人帮"已被审判，有伟大领袖晚年的错误已写进决议，都可作为自己无责任的遁词，似无再加回顾反省之必要。有怕重提"文革"会惹出联翩控诉哀愁，不利向前看乐观进取之忧，但"文革"是二十世纪影响遍及全球的大事件，怎能只当它不曾有过？我也并不热中于一再地抚摩"文革"伤痕，一哭三叹，现在所期盼的高姿态的忏悔文本，应是心灵的升华，发表之阅读之是最能鼓舞人向前向上的。无妨回味一下列夫·托尔斯泰的《复活》，那聂赫留道夫（其中分明有托翁自己的影子）倘"青春无悔"，那会是怎样的另一出戏？聂赫留道夫也没有把自己应付的责任推到沙皇或社会客观状况上去，所以《复活》能在世界上处处出版、在人类中代代流布，那里面凝聚着忏悔之美之力之悟，实在是我们文学以及各种文字里所匮乏的。

但"文革"非空穴来风，是由那之前历次过火的政治运动一路引致了"满爆"。"文革"前历次政治运动里刻意把人往狠里整的人，可能到"文革"时也一度被扫进了"牛棚"，这就使得他们更难进入忏悔的心灵境界。他们当中有的人整人成嗜，甚至"文革"后仍有机会便欲抡圆了胳臂施展其整人之技，这样的人他倘若也已经被边缘化，不再出来整人，便已是民族的福气，哪还能指望由他们写出忏悔的文字？但他们却有可能对勇于忏悔者扣以罪名施加压力。中国的这种复杂情势，也使得忏悔格外艰难。

说到头，忏悔必须有个是非善恶的前提。更可怕的是这个前提正被某些人士抹煞。比如"文革"，"红卫兵"，"造反有理"，他认为都并没有错。我也知道，中国的"文革"起来后，曾在西方，比如法国，引出热烈的呼应，巴黎有"红卫兵"运动，大作家、哲人萨特还曾带着红袖章，到街头散发传单，以至有"难忘的1968"之说。也知道关于"文革"的研究中，有"两个'文革'"之说，即若干社会力量并没有完全在毛划定的圈子里活动，他们的"文革"创造出了民间空间、民间话语、民间艺术，应予高度肯定，等等。我更知道，现在世界上有"新左派"，他们认为如今"历史为零"，沦于一元格局之中，跨国资本正吞噬着全球，这是人类的更大危机，为此，必须持批判、反抗的态度，必须致力于进行制度创新，因此，从"十月革命"，到"文化大革命"，包括"红卫兵运动"，都是可利用资源。我尊重人们的种种思路。但我也希望人们能尊重我的思路。我是中国人，外国的事不怎么清楚，1968年巴黎的"红卫兵"是否抡皮带活活打死了手无寸铁的俘虏？大概并无一例，但我那时亲眼目睹的就不止一例，中国"红卫兵运动"的血腥气息至今令我心悸气闷。"两个'文革'"？倒也不失为一种有创意的分析，但我现在只是要坚决否定明摆着的那一个"文革"，它使我所生活的这片土地千疮白孔，使许多无辜的人丧生，并切实危及到我个人的生存权利，那是错的，是罪恶，这是我不拟改变的良心认知。"新左派"我敬而远之，我对他们的不佩服，在于他们怎么不去找那在中国造成"零历史"，并引进跨国资本的责任者算帐，怎么净缠着不负那个责任的一般知识分子乃至俗众絮絮指责？他们其中有的人，甚至根本就在责任体制里面，属于什么什么级别的官员，享受着其种种好处，恋栈难舍，这更令我齿冷。

本来，在中国，忏悔者就吃亏，一般人会把忏悔等同于"坦白交代"，啊，原来他做过那样的事啊！即使当成"坦白交代"，人们往往也并不对忏悔者"从宽"，不为之感动，更不会引为借鉴，反照自己；倘若连忏悔的是非善恶的前提也模糊了，那忏悔者就更显得是"大傻冒"了。

据说，西方人的忏悔，是因为受基督教文化熏陶，承认自己有原罪。他们的忏悔，既是内心的，也诉诸语言和文字，形成文本。中国人无宗教信仰的多，有的人似有信仰，其实只是陷于浅陋的迷信之中；因此中国人多半没有什么原罪意识，做了坏事，亏心事，伤害别人的事，破坏大自然的事，不得已时，或一概推诿于客观因素，或只是泛泛地认个错，赔个不是，做一点所谓自我批评，而不是从自身那人性里的恶，去穷究不已，产生出强烈的救赎意识，从而认真地做出深度忏悔来，既超度自己，也警策他人。

这么说，中国人简直没办法忏悔了？或者说中国人根本无须忏悔，因为中国本无忏悔文化？

不。我认为应有中国人站出来当众忏悔。没有原罪意识，不一定要通过皈依宗教来解决问题，可以加强关于人性的探究，使国人渐渐习惯于一错当前，多从自身人性的弱点缺陷里找原因，并努力自我提升心灵境界。就算中国真的没有忏悔的文化传统吧，那么，在这新的世纪里，生命力依旧鲜活的中国人，为什么不能创造出一个忏悔文化的源头来？

1999—2000之交　绿叶居中

附录一 刘心武文学活动大事记

1942 年

6 月 4 日生于四川省成都市育婴堂街。

后在重庆度过童年。

父母兄姊均热爱文学艺术，深受家庭熏陶。

1950 年

随父母迁居北京，从此定居北京。

在隆福寺小学上小学，在北京 21 中上初中。

1958 年

在北京 65 中上高中。

给若干报刊投稿，屡被退稿。

8 月，在《读书》杂志发表《谈〈第四十一〉》一文，是投稿第一次成功。

1959 年

在《北京晚报》"五色土"副刊陆续发表一些儿童诗、小小说。

为中央人民广播电台少儿部《小喇叭》（对学龄前儿童广播）编写若干节目；其中快板剧《咕咚》经编辑加工、录制后大受欢迎；"文革"中录音带被销毁；1991 年重新录制播出。

1961 年

毕业于北京师范专科学校，分配到北京 13 中任教。

至"文革"前，在《北京晚报》《中国青年报》《人民日报》《光明日报》《大公报》《北京日报》《体育报》《儿童时代》《大众电影》等报刊上发表了约 70 篇小小说、散文、杂文、评论等文章。

1966—1976 年

"文革"中,因 1964 年曾发表过一篇关于京剧的文章,以"反江青"罪名被冲击。

1974 年后再试写作,曾写一关于"教育革命"的长篇小说,由出版社联系获准脱产修改,但终未达到当时出版要求。

1976 年

写出一个大院里孩子们同坏蛋斗争的中篇小说《睁大你的眼睛》并得以出版(北京人民出版社)。

又按照当时政治要求写出一些短篇小说、散文,有的到次年才收入多人合集中出版。

调到北京人民出版社(后恢复"文革"前社名:北京出版社)文艺编辑室当编辑。

1977 年

11 月,在《人民文学》杂志发表短篇小说《班主任》,产生重大影响——被认为是"伤痕文学"的开山作,也是"新时期文学"的发端;从此成名。

从《班主任》后,写作冲破懵懂,沿着认定的方向跋涉,穿越风云,锲而不舍。

1978 年

参加《十月》杂志(开始以丛书名义出版)创刊工作,在创刊号上发表短篇小说《爱情的位置》,经转载和广播,影响巨大。

在《中国青年》杂志上发表短篇小说《醒来吧,弟弟》,反应亦极强烈。

《班主任》《爱情的位置》《醒来吧,弟弟》均被改编为广播剧,由中央人民广播电台多次广播,《醒来吧,弟弟》被搬上话剧舞台;此年发表的短篇小说《穿米黄色大衣的青年》亦由电台播出。

1979 年

在首届全国优秀短篇小说评奖中《班主任》获第一名。颁奖会上,从茅盾先生手中接过奖状。

参加中国作家协会第三次全国代表大会，被选为中国作家协会理事。

成为中华全国青年联合会常务委员，至 1993 年卸任。

9 月，参加中国作家代表团访问罗马尼亚，此系"文革"后第一个作家出访团。

在《人民文学》杂志发表短篇小说《我爱每一片绿叶》，写作技巧有长足进步。

1980 年

调至北京市文联当专业作家。

《我爱每一片绿叶》获 1979 年全国优秀短篇小说奖。

《看不见的朋友》获 1954—1979 年第二届全国少年儿童文学创作奖。

在《十月》杂志发表中篇小说《如意》，其弘扬人道主义的追求引起争议。

出版《刘心武短篇小说选》(北京出版社)。

1981 年

在《十月》杂志发表中篇小说《立体交叉桥》，引出更大争议，一些评论家认为"调子低沉"是步入了写作上的歧途，另有评论家则认为此作标志着刘心武的小说创作在反映现实、探索人性及艺术工力上均达到了新的水平。

5 月，应日本文艺春秋社邀请访问日本。

1982 年

应导演黄健中之请，改编《如意》；北京电影制片厂拍成彩色艺术片《如意》。

1983 年

11 月，参加中国电影代表团赴法国，在南特"三大洲电影节"上，《如意》在开幕式上放映，获好评；后陆续在法国、西德电视台播出。

1984 年

冬，应邀访问西德，参加"中德大学生会见活动"，并在波恩大学、波鸿大学与威尔兹堡大学介绍中国当代文学。

年底，参加中国作家协会第四次全国代表大会，再次当选为理事。

在《当代》文学双月刊第 5、6 期连载长篇小说《钟鼓楼》。

1985 年

出版长篇小说《钟鼓楼》(人民文学出版社),并获第二届茅盾文学奖。

因《钟鼓楼》获北京市政府嘉奖。

7月,在《人民文学》杂志发表纪实小说《5·19 长镜头》,反响强烈。

11 月,又在《人民文学》杂志发表纪实小说《公共汽车咏叹调》,引起轰动。

1986 年

年初,应当代文艺出版社邀请访问香港。

6月,调中国作家协会人民文学杂志社,任常务副主编。

在《收获》杂志设《私人照相簿》专栏,进行图文交融的文本尝试。

散文集《垂柳集》出版,冰心为之作序。

1987 年

1月,被任命为《人民文学》杂志主编。

2月,《人民文学》杂志1、2 期合刊发表马建写的小说《亮出你的舌苔或空空荡荡》违反民族政策,承担责任,停职检查。

9月,复职。

冬,应邀赴美国访问。参观美洲华侨日报;在哥伦比亚大学、三一学院、哈佛大学、麻省理工学院、康奈尔大学、芝加哥大学、旧金山大学、斯坦福大学、伯克利加州大学、洛杉矶加州大学、圣迭戈加州大学等处演讲,介绍中国当代文学,并参观耶鲁大学;参加爱荷华大学"作家写作中心"的纪念活动;游览华盛顿等地。

1988 年

3月,应香港《大公报》邀请,赴香港参加五十周年报庆活动;在《大公报》安排的大型报告会上作关于改革开放与文学创作的报告。

5月,应法国文化部邀请,参加中国作家代表团访问法国,除在巴黎活动外,还访问了西部港口城市圣·拉扎尔。

《私人照相簿》在香港出版(南粤出版社)。

《我可不怕十三岁》获 1980—1985 年全国优秀儿童文学奖。

以上数年中，若干小说、散文还分别获得过《当代》《十月》《小说月报》《小说选刊》《中篇小说选刊》《儿童文学》《北方文学》等杂志，《人民日报》《文汇报》等报纸副刊的奖；拍成电视剧播出的有《没工夫叹息》《熄灭》（电视剧名《火苗》）《今夏流行明黄色》《到远处去发信》《非重点》《公共汽车咏叹调》和八集连续剧《钟鼓楼》；若干作品被英国、美国、西德、苏联、日本、瑞士、瑞典、法国、意大利等国翻译为英、德、俄、日、法、意、瑞典等文字出版；自 1987 年起被世界上有威望的英国欧罗巴出版社《世界名人录》收入词条。

1989 年

春，应香港中文大学翻译中心邀请，与妻子吕晓歌赴香港访问。

1990 年

3 月，以任届期满，免去《人民文学》杂志主编职务。

香港中文大学翻译中心编译的英文小说集《黑墙与其他故事》出版。

秋，以"鱼山"笔名在《钟山》杂志发表中篇小说《曹叔》。

1991 年

出版小说集《一窗灯火》。

除小说外，开始发表大量散文、随笔。

1992 年

长篇小说《风过耳》在内地（中国青年出版社）、香港（勤＋缘出版社）分别出版，反响颇为强烈。

长篇小说《四牌楼》完稿，交上海文艺出版社出版。

《献给命运的紫罗兰——刘心武谈生存智慧》由上海人民出版社出版，受到读者欢迎。

在《收获》杂志发表中篇小说《小墩子》，后由中国电视剧制作中心改编拍摄为电视连续剧。

至该年，在海内外出版的个人专著按不同版本计已达 43 种。

在《红楼梦学刊》1992 年第二辑上发表论文《秦可卿出身未必寒微》,在"红学"界和读者中均引起注意；另有若干《红楼梦》人物论和《红楼边角》专栏文章发表。

冬，应瑞典学院邀请（斯堪的纳维亚航空公司赞助）赴北欧访问；在挪威奥斯陆大学、瑞典斯德哥尔摩大学和隆德大学、丹麦哥本哈根大学和奥胡斯大学的东亚系汉学专业以《九十年代初的中国小说》为题作学术报告；12 月 7 日，参加诺贝尔文学奖有关活动，听 1992 年得主德里克·沃尔科特发表受奖演说。

1993 年

华艺出版社出版《刘心武文集》（1—8 卷）。

出版长篇小说《四牌楼》。

1994 年

1 月，应台湾《中国时报》邀请赴台参加"两岸三地文学研讨会"。

《四牌楼》获上海优秀长篇小说大奖，到沪领奖。

1995 年

出版随笔集《人生非梦总难醒》（上海人民出版社）。

出版小说集《仙人承露盘》（华艺出版社）。

1996 年

出版长篇小说《栖凤楼》（人民文学出版社）。至此，由《钟鼓楼》《四牌楼》《栖凤楼》构成的"三楼"长篇小说系列竣工。

应《南洋商报》邀请赴马来西亚访问并顺访新加坡。

1997 年

应日本文化交流基金会邀请，与妻子吕晓歌访问日本。其长篇小说《钟鼓楼》、儿童文学作品《我是你的朋友》、短篇小说《王府井万花筒》等此前已相继译为日文在日本出版。

1998 年

建筑评论集《我眼中的建筑与环境》由中国建筑工业出版社出版，在建筑界产生影响。

应美国科罗拉多大学邀请，赴美参加金庸作品国际研讨会，在会上提交关于《鹿鼎记》的论文《失父：一种生存困境》。

1999 年

出版纪实性长篇小说《树与林同在》（山东画报出版社）。

出版《红楼三钗之谜》（华艺出版社）。

赴新加坡出席国际环境文学研讨会。

2000 年

应邀访问法国，并应英中协会和伦敦大学邀请，从巴黎赴伦敦讲《红楼梦》。

至此年底在海内外出版的个人专著（不含文集）按不同版本计达 101 种。

2001 年

出版包含建筑评论的随笔集《在忧郁中升华》（文汇出版社）。

在北京电视台录制播出《刘心武谈建筑》系列节目。

2002 年

出版小说集《京漂女》（中国文联出版社），自绘插图。

应澳大利亚雪梨华文写作协会邀请赴澳大利亚访问。

2003 年

以马来西亚《星洲日报》世界华人文学"花踪奖"评委身份赴吉隆坡参加相关活动。

台湾联经出版社出版小说集《人面鱼》。此前台湾已出版过刘心武多种作品，如皇冠出版社出版了《钟鼓楼》，幼狮文化事业公司出版了《四牌楼》《为他人默默许愿》（散文集）。

2004 年

赴法参加巴黎书展活动。书展上展出了译为法文的著作有小说《树与林同在》《护城河边的灰姑娘》《尘与汗》《人面鱼》《如意》与歌剧剧本《老舍之死》。

建筑评论集《材质之美》由中国建材工业出版社出版。

小说集《站冰》出版（人民文学出版社），自绘封面插图。

2005 年

出版集历年研红成果的《红楼望月》（书海出版社）。

应 CCTV-10（中央电视台科学教育频道）《百家讲坛》邀请，录制播出《刘心武揭秘〈红楼梦〉》系列节目 23 集，反响强烈，引出争议。

《刘心武揭秘〈红楼梦〉》第一、二部相继出版（东方出版社），畅销。

2006 年

应美国华美协会邀请，赴纽约在哥伦比亚大学讲《红楼梦》。

应邀参加香港书展。

出版《刘心武揭秘古本〈红楼梦〉》（人民出版社）。

2007 年

继续应邀到 CCTV-10《百家讲坛》录制节目，并出版《刘心武揭秘〈红楼梦〉》第三部、第四部（东方出版社）。

访问俄罗斯。

2008 年

出版随笔集《健康携梦人》（中国海关出版社）。

自 1986 年出版《垂柳集》，至此所出版的散文随笔集已逾 30 种。

2009 年

在《上海文学》杂志开《十二幅画》专栏，每期发表一篇写人物命运的大散文，并配发自己的画作。

4 月，妻子吕晓歌病逝，著长文《那边多美呀！》悼念。

2010 年

再应 CCTV-10《百家讲坛》邀请，录制播出《〈红楼梦〉的真故事》系列节目。

至此在《百家讲坛》录制播出关于《红楼梦》的个人系列讲座累计达 61 集。

出版《〈红楼梦〉的真故事》（凤凰联动·江苏人民出版社），在争议声中畅销。

4 月，应台湾新地文学社邀请赴台参加"21 世纪世界华文文学高峰会议"。

出版《命中相遇——刘心武话里有画》（上海文艺出版社）。

加快《刘心武续〈红楼梦〉》的写作，次年完成推出。

至本年底，在海内外出版的个人专著，文集不算在内，重印亦不算，按不同版本计达 182 种（按不同书名计则为 141 种）。

年底，筹备编辑《刘心武文存》。

附录二 刘心武著作书目

只包括在中国大陆、台湾、香港和海外出版的书（同一著作每种版本单列）；不包括散发于报刊尚未出书的篇目，亦不包括多人合集中的篇目。第一个数字表示不同版本的排序；[ ]中的数字表示剔除同一书名的版本后的排序；注意：文集8卷不参加排序。

1976 年

1.[1]《睁大你的眼睛》[儿童文学·中篇小说]

北京人民出版社 1976 年 1 月第一版

1978 年

2.[2]《母校留念》[儿童文学·小说集]

中国少年儿童出版社 1978 年 7 月第一版

1979 年

3.[3]《小猴吃瓜果》[低幼读物·画册]

少年儿童出版社 1979 年 4 月第一版

1980 年 6 月第二次印刷

4.[4]《班主任》[短篇小说集]

中国青年出版社 1979 年 6 月第一版

1980 年

5.[5]《我是你的朋友》[儿童文学·中篇小说]

北京出版社 1980 年 7 月第一版

6.[6]《绿叶与黄金》[中短篇小说集]

广东人民出版社 1980 年 8 月第一版

难 以 忏 悔

7.[7]《刘心武短篇小说集》

北京出版社 1980 年 9 月第一版

1981 年

8.《这里有黄金》[中短篇小说集]

广东人民出版社 1981 年 4 月第二次印刷

有平装、软精装两种

9.[8]《大眼猫》[中短篇小说集]

浙江人民出版社 1981 年 8 月第一版

1982 年

10.[9]《如意》[中篇小说集]

北京出版社 1982 年 5 月第一版

1983 年

11.[10]《中国现代作家选（Ⅲ）刘心武〈我爱每一片绿叶〉〈深谷小溪默默流〉》

[日本] 东方书店 1983 年第一版

12.[11]《同文学青年对话》

文化艺术出版社 1983 年 10 月第一版

1984 年

13.[12]《到远处去发信》[中短篇小说集]

四川人民出版社 1984 年 4 月第一版

有平装、软精装两种

14.[13]《如意》[电影文学剧本]（与戴宗安联合署名 ）

中国电影出版社 1984 年 6 月第一版

1985 年

15.[14]《嘉陵江流进血管》[中篇小说集]

陕西人民出版社 1985 年 2 月第一版

16.[15]《日程紧迫》[中短篇小说集]

群众出版社 1985 年 5 月第一版

17.[16]《我可不怕十三岁》[儿童文学集]

新世纪出版社 1985 年 8 月第一版

18.[17]《钟鼓楼》[长篇小说]

人民文学出版社 1985 年 11 月第一版

有平装、软精装两种

1986 年 5 月第二次印刷

1986 年

19.[18]《公共汽车咏叹调》[纪实小说]

湖南文艺出版社 1986 年 1 月第一版

20.[19]《都会咏叹调》[小说集]

作家出版社 1986 年 3 月第一版

21.[20]《垂柳集》[散文集]

陕西人民出版社 1986 年 4 月第一版

22.[21]《立体交叉桥》[中短篇小说集]

人民文学出版社 1986 年 6 月第一版

有平装、软精装两种

23.[22]《巴黎郁金香》[访法散文集]

群众出版社 1986 年 11 月第一版

24.[23]《木变石戒指》[中短篇小说集]

青海人民出版社 1986 年 12 月第一版

1987 年

25. *Little Monkey Triesto Eat Fruit* [科学童话·英文]

海豚出版社 1987 年第一版

有平装、精装两种

26.[24]《斜坡文谈》[文学理论]

上海文艺出版社 1987 年 4 月第一版

27.[25]《王府井万花筒》[中篇小说集]

湖南文艺出版社 1987 年 9 月第一版

有平装、精装两种

28.[26]《5·19 长镜头》[小说自选集]

四川文艺出版社 1987 年 11 月第一版

29. げくけきの友たちだ[《我是你的朋友》日译本]

[日本] 福武书店 1987 年 12 月第一版

1989 年 3 月第二版

1991 年 2 月第三版

1988 年

30.[27]《她有一头披肩发》[中短篇小说集]

台湾林白出版社 1988 年 4 月第一版

31.《钟鼓楼》[长篇小说]

香港天地图书有限公司 1988 年第一版

1993 年第二版

32.[28]《私人照相簿》[纪实文学]

香港南粤出版社 1988 年 11 月第一版

33.[29]《刘心武代表作》

黄河文艺出版社 1988 年 12 月第一版

1989 年

34.《小猴吃瓜果》[科学童话]

开明出版社、海豚出版社 1989 年 3 月第一版

35.《钟鼓楼》[长篇小说]

台湾皇冠出版社 1989 年 4 月第一版

36.[30]《一片绿叶对你说》[文艺随笔集]

河北教育出版社 1989 年 12 月第一版

1990 年

37.[31]*BLACK WALLS AND OTHER STORIES*[小说集·英译本]

香港中文大学翻译中心出版社 1990 年第一版

38.[32]《王府井万花镜》[小说集·日译本]

[日本]德间书店 1990 年 9 月第一版

1991 年

39.《母校留念》[小说]

[日本]骏河台出版社 1991 年 4 月第一版

40.[33]《一窗灯火》[中短篇小说集]

华艺出版社 1991 年 10 月第一版

1993 年第二次印刷

1992 年

41..[34]《列奥纳多·达·芬奇》[传记]

江苏教育出版社 1992 年 5 月第一版

42.[35]《有家可归》[散文随笔集]

广东旅游出版社 1992 年 5 月第一版

43.[36]《风过耳》[长篇小说]

中国青年出版社 1992 年 6 月第一版

1992 年 12 月第二次印刷

1993 年 3 月第三次印刷

1995 年 8 月第五次印刷

1996 年 3 月第六次印刷

44.《风过耳》[长篇小说]

香港勤＋缘出版社 1992 年 6 月第一版

45.[37]《献给命运的紫罗兰——刘心武谈生存智慧》

上海人民出版社 1992 年 6 月第一版

1992 年 11 月第二次印刷

1995 年第三次印刷

1996 年 12 月第五次印刷

46.《刘心武代表作》

河南人民出版社 1992 年 6 月第二次印刷·精装本

47.[38]《蓝夜叉》[中篇小说集]

香港勤 + 缘出版社 1992 年 9 月第一版

1993 年

48.《北京下町物语》[长篇小说·《钟鼓楼》日译本]

[日本] 东京恒文社 1993 年 2 月第一版

1994 年第二版

49.[39]《为你自己高兴》[随笔集]

内蒙古人民出版社 1993 年 3 月第一版

50.[40]《杀星》[小说集]

香港勤 + 缘出版社 1993 年 6 月第一版

51.《我是你的朋友》[儿童文学·中篇小说·增订本]

希望出版社 1993 年 6 月第一版

52.[41]《四牌楼》[长篇小说]

上海文艺出版社 1993 年 6 月第一版

1994 年 4 月第二次印刷

1996 年 11 月第三次印刷

53.[42]《我是怎样的一个瓶子》[随笔集]

成都出版社 1993 年 9 月第一版

54.[43]《沉默交流》[随笔集]

中国华侨出版社 1993 年 11 月第一版

55.[44]《富心有术》[随笔集]

群众出版社 1993 年 12 月第一版

1995 年第二次印刷

56.[45]《中国当代名人随笔·刘心武卷》

陕西人民出版社 1993 年 12 月第一版

☆《刘心武文集》[1—8 卷]

华艺出版社 1993 年 12 月第一版

☆《刘心武文集·〈钟鼓楼〉〈风过耳〉》(简装本)

☆《刘心武文集·〈四牌楼〉〈无尽的长廊〉》(简装本)

华艺出版社 1997 年 5 月第一版

1994 年

57.[46]《仰望苍天》[随笔集]

知识出版社 1994 年 1 月第一版

1995 年第二次印刷

东方出版中心 1996 年 7 月第三次印刷

58.[47]《男扮女妆与女扮男妆》[随笔集]

中原农民出版社 1994 年 2 月第一版

59.[48]《相对一笑》[小小说集]

中共中央党校出版社 1994 年 2 月第一版

60.[49]《秦可卿之死》[专著]

华艺出版社 1994 年 5 月第一版

61.《四牌楼》[长篇小说]

台湾幼狮文化事业公司 1994 年 8 月第一版

62.[50]《为他人默默许愿》[散文集]

台湾幼狮文化事业公司 1994 年 10 月第一版

63.[51]《中国小说名家新作丛书·刘心武卷》

> 海峡文艺出版社 1994 年 11 月第一版

64.[52]《红楼梦（缩写本）》

> 接力出版社 1994 年 12 月第一版
>
> 1995 年第二次印刷
>
> 1997 年 9 月第三次印刷

1995 年

65.[53]《人生非梦总难醒》[名人日记·随笔集]

> 上海人民出版社 1995 年 1 月第一版
>
> 1995 年 3 月第二次印刷

66.[54]《仙人承露盘》[中短篇小说集]

> 华艺出版社 1995 年 3 月第一版

67.[55]《女性与城市》[杂文集]

> 中国城市出版社 1995 年 6 月第一版

68.《我是你的朋友》[增订版·"小学生成才书架"系列之一]

> 希望出版社 1995 年 10 月第一版

69.《在胡同里转悠》[随笔集]

> 陕西人民出版社 1995 年 11 月第二次印刷

70.[56]《刘心武海外游记》

> 华文出版社 1995 年 12 月第一版

1996 年

71.[57]《刘心武小说精选》

> 太白文艺出版社 1996 年 2 月第一版

72.[58]《开发心大陆》[随笔集]

> 吉林人民出版社 1996 年 3 月第一版
>
> 1997 年 3 月第二次印刷

73.[59]《你哼的什么歌》[散文集]

　　　　　　　　　　　　　　湖南文艺出版社 1996 年 6 月第一版

74.[60]《刘心武张颐武对话录——"后世纪"的文化了望》

　　　　　　　　　　　　　　漓江出版社 1996 年 7 月第一版

75.[61]《边缘有光》[随笔集]

　　　　　　　　　　　　　　汉语大辞典出版社 1996 年 8 月第一版

76.[62]《刘心武怪诞小说自选集》

　　　　　　　　　　　　　　漓江出版社 1996 年 8 月第一版

　　　　　　　　　　　　　　　　　　有平装、精装两种

77.[63]《我是刘心武》

　　　　　　　　　　　　　　团结出版社 1996 年 9 月第一版

78.[64]《刘心武》[中国当代作家选集丛书]

　　　　　　　　　　　　　　人民文学出版社 1996 年 10 月第一版

79.[65]《刘心武杂文自选集》

　　　　　　　　　　　　　　百花文艺出版社 1996 年 11 月第一版

80.《秦可卿之死》[修订本]

　　　　　　　　　　　　　　华艺出版社 1996 年 11 月第二版

81.[66]《栖凤楼》[长篇小说]

　　　　　　　　　　　　　　人民文学出版社 1996 年 12 月第一版

　　　　　　　　　　　　　　　　1998 年 3 月第二次印刷

1997 年

82.[67]《封神演义（缩写本）》

　　　　　　　　　　　　　　接力出版社 1997 年 1 月第一版

　　　　　　　　　　　　　　　　1997 年 9 月第二次印刷

83.[68]《胡同串子》[中短篇小说集]

　　　　　　　　　　　　　　北京燕山出版社 1997 年 8 月第一版

84.《私人照相簿》

上海远东出版社 1997 年 9 月第一版

1998 年 2 月第二次印刷

2000 年换封面版权页称 2000 年 6 月第二次印刷

85.[69]《中国儿童文学名家作品精选丛书·刘心武作品精选》

河北少年儿童出版社 1997 年 8 月第一版

86.[70]《把嘴张圆》[随笔集]

上海远东出版社 1997 年 12 月第一版

1998 年

87.[71]《我眼中的建筑与环境》[建筑评论随笔集]

中国建筑工业出版 1998 年 5 月第一版

1999 年 5 月第二次印刷

2000 年 6 月第三次印刷

2001 年 6 月第四次印刷

88.《钟鼓楼》[茅盾文学奖获奖书系]

人民文学出版社 1998 年 3 月第一次印刷

1998 年 7 月第二次印刷

1998 年 8 月第三次印刷

1999 年 3 月第四次印刷

2000 年 1 月第五次印刷

2001 年 1 月第六次印刷

2001 年 8 月第七次印刷

2002 年 8 月第八次印刷

2003 年 1 月第九次印刷

1999 年

89.[72]《树与林同在》[非虚构长篇小说]

山东画报出版社 1999 年 3 月第一版

2006 年 7 月第二次印刷

90.[73]《八十六颗星星》(*The Eighty-Six Stars*）[儿童文学小说·汉英对照]

希望出版社 1999 年 6 月第一版

91.[74]《红楼三钗之谜》[刘心武红学探佚精品]

华艺出版社 1999 年 9 月第一版

92.[75]《蓝玫瑰》[中短篇小说集]

中国华侨出版社 1999 年 10 月第一版

93.[76]《过隧道的心情》[随笔集]

华东师范大学出版社 1999 年 12 月第一版

2000 年

94.[77]《一切都还来得及》[随笔集]

中国青年出版社 2000 年 1 月第一版

95.[78]《善的教育》[儿童文学]

辽宁少年儿童出版社 2000 年 2 月第一版

96.[79] Le Talisman (version bilingue)[《如意》中、法文对照版]

Librarie You Feng 2000 年 4 月第一版

97.[80]《作家刘心武〈班主任〉手迹》

线装书局 2000 年 5 月第一版

98.[81]《楼前白玉兰》[小小说集]

中国广播电视出版社 2000 年 7 月第一版

99.[82]《刘心武侃北京》

上海文艺出版社 2000 年 10 月第一版

100.[83]《我爱吃苦瓜》[茅盾文学奖获奖作家散文精品]

广州出版社 2000 年 10 月第一版

2002 年 10 月第二次印刷

101.[84]《了解高行健》

香港开益出版社 2000 年 12 月第一版

2001 年

102.[85]《亲近苍莽》

中国旅游出版社 2001 年 1 月第一版

103.[86]《在忧郁中升华》

文汇出版社 2001 年 2 月第一版

《刘心武谈建筑——在忧郁中升华》2007 年 8 月第二次印刷

104.[87]《人在风中》

作家出版社 2001 年 8 月第一版

105.《风过耳》

时代文艺出版社 2001 年 10 月第一版

有平装、精装两种

2002 年

106.[88]《京漂女》(自绘插图)

中国文联出版社 2002 年 1 月第一版

107.[89]《深夜月当花》

中国工人出版社 2002 年 1 月第一版

108.[90]《春梦随云散》

人民文学出版社 2002 年 4 月第一版

109.[91]《藤萝花饼》

台湾二鱼文化事业有限公司 2002 年 4 月第一版

110.[92]《刘心武自述》

大象出版社 2002 年 10 月第一版

2003 年

111.[93] L'arbre et la forêt [《树与林同在》法译本]

Bleu de Chine 2003 年 1 月第一版

112.[94]《人面鱼》

台湾联经出版事业股份有限公司 2003 年 2 月初版

113.[94] La Cendrillon Du Canal [《护城河边的灰姑娘》法译本]

Bleu de Chine 2003 年 4 月第一版

114.[95]《画梁春尽落香尘》["红学" 专著]

中国广播电视出版社 2003 年 6 月第一版
2003 年 9 月第二次印刷
2004 年 1 月第三次印刷
2005 年 6 月第四次印刷

115.[96]《眼角眉梢》

新华出版社 2003 年 8 月第一版

116.[97]《钟鼓楼》[初中生语文新课标必读]

人民日报出版社 2003 年 9 月第一版

117.[98]《天梯之声》

中国青年出版社 2003 年 10 月第一版

2004 年

118.[99] Poussiêre et sueur [《尘与汗》法译本]

Bleu de Chine 2004 年 1 月第一版

119.[100] La mort de Lao SHe [《老舍之死》歌剧剧本法译本]

Bleu de Chine 2004 年 3 月第一版

120.[101] Poisson à face humaine [《人面鱼》法译本]

Bleu de Chine 2004 年 3 月第一版

121.《如意》[电影伴读中国文学文库·附电影光盘]

中国青年出版社 2004 年 1 月第一版

122.[102]《泼妇鸡丁》

台湾二鱼文化事业有限公司 2004 年 4 月第一版

123.[103]《在柳树臂弯里——刘心武随笔》

光明日报出版社 2004 年 5 月第一版

124.[104]《材质之美——刘心武城市文化酷评》

中国建材工业出版社 2004 年 5 月第一版

125.[105]《站冰——刘心武小说新作集》(自绘插图)

人民文学出版社 2004 年 6 月第一版

126.《四牌楼》

上海文艺出版社 2004 年 8 月第二版

127.[106]《大家文丛：刘心武》

古吴轩出版社 2004 年 8 月第一版

2005 年

128.《钟鼓楼》(中国文库·文学类)

人民文学出版社 2005 年 1 月第一版第一次印刷(平装)

2005 年 1 月第一版第一次印刷(精装)

129.《钟鼓楼》(茅盾文学奖获奖作品全集之一)

人民文学出版社 1985 年 11 月第一版、2005 年 1 月第一次印刷

2005 年 5 月第二次印刷

2005 年 7 月第三次印刷

2006 年 3 月第四次印刷

2008 年 4 月第七次印刷

2009 年 8 月第八次印刷

2010 年 1 月第九次印刷

2011 年 7 月第 15 次印刷

2011 年 9 月第 16 次印刷

2011 年 11 月第 17 次印刷

130.[107]《心灵体操》

时代文艺出版社 2005 年 1 月第一版

131.[108]《刘心武作文示范》

少年儿童出版社 2005 年 1 月第一版

132.[109] La Démone bleue (《蓝夜叉》法译本)

Bleu de Chine 2005 年第一版

133.[110]《红楼望月》

书海出版社 2005 年 4 月第一版

2005 年 6 月第二次印刷

2005 年 7 月第三次印刷

2005 年 8 月第四次印刷

2005 年 9 月第五次印刷

2005 年 9 月第六次印刷

134.[111]《刘心武揭秘〈红楼梦〉》

东方出版社 2005 年 8 月第一版

至 2005 年 19 月共十三次印刷

2005 年 11 月第二版

至 2005 年 12 月已第十八次印刷

至 2007 年 7 月已第二十八次印刷

2007 年 12 月第三十次印刷

2008 年 4 月第三十二次印刷

135.《红楼解梦——画梁春尽落香尘》

中国广播电视出版社 2005 年 9 月第二版第五次印刷

136.《楼前白玉兰——刘心武最新小小说集》

中国广播电视出版社 2005 年 9 月第二版第二次印刷

137.[112]《刘心武揭秘〈红楼梦〉》[第二部]

东方出版社 2005 年 12 月第一版

至 2007 年 7 月已第十五次印刷

2007 年 12 月第十七次印刷

2008 年 4 月第十九次印刷

138.[113]《刘心武解读人世情》

时代文艺出版社 2005 年 12 月第一版

139.[114]《刘心武感悟平常心》

时代文艺出版社 2005 年 12 月第一版

2006 年

140.[115]《刘心武自选集》

云南人民出版社 2006 年 1 月第一版

141.[116]《刘心武点评〈红楼梦〉》

团结出版社 2006 年 1 月第一版

142,《刘心武精品集·第一卷·钟鼓楼》

东方出版社 2006 年 1 月第一版

143.《刘心武精品集·第二卷·四牌楼》

东方出版社 2006 年 1 月第一版

144.《刘心武精品集·第三卷·栖凤楼》

东方出版社 2006 年 1 月第一版

145.《刘心武精品集·第四卷·献给命运的紫罗兰》

东方出版社 2006 年 1 月第一版

146.[117]《戴敦邦绘刘心武评〈金瓶梅〉人物谱》

作家出版社 2006 年 4 月第一版

147.[118]《红楼拾珠》

云南人民出版社 2006 年 5 月第一版

148.[119]《藤萝花饼》

云南人民出版社 2006 年 5 月第一版

149.《刘心武揭秘〈红楼梦〉》[第一部]

台湾好读出版有限公司 2006 年 6 月初版

150.《刘心武揭秘〈红楼梦〉》[第二部]

台湾好读出版有限公司 2006 年 6 月初版

151.《我是刘心武》

天津人民出版社 2006 年 8 月第一版

152.[120]《刘心武揭秘古本〈红楼梦〉》

人民出版社 2006 年 12 月第一版

同月第二次印刷

2007 年

153.[121]《四棵树》

二十一世纪出版社 2007 年第一版

154.[122]《用心去游》

上海三联书店 2006 年 12 月第一版

2007 年 1 月第一次印刷

155.[123] Dés de poulet façon mégère [《泼妇鸡丁》法译本]

Bleu de Chine 2007 年 4 月第一版

156.《一切都还来得及》

中国青年出版社 2005 年 5 月第一版

157.[124]《刘心武揭秘〈红楼梦〉》[第三部·黛玉之谜及古本之秘]

东方出版社 2007 年 7 月第一版

至 2007 年 8 月已第四次印刷

2007 年 12 月第六次印刷

2008 年 3 月第七次印刷

158.[125]《刘心武说世道人心》

中国青年出版社 2007 年 7 月第一版

159.[126]《刘心武说寻美感悟》

中国青年出版社 2007 年 7 月第一版

160.[127]《刘心武说草根情怀》

中国青年出版社 2007 年 7 月第一版

161.[128]《长吻蜂》

上海人民出版社 2007 年 8 月第一版

162.《私人照相簿》

华龄出版社 2007 年 10 月第一版

163.《善的教育》

华龄出版社 2007 年 10 月第一版

164.[129]《刘心武揭秘〈红楼梦〉》[第四部·宝钗湘云之谜暨红楼心语]

东方出版社 2007 年 11 月第一版

2008 年 3 月第三次印刷

2008 年

165.[130]《健康携梦人》

中国海关出版社 2008 年 4 月第一版

166.[131]《刘心武小说》

吉林文史出版社 2008 年 5 月第一版

167.[132]《刘心武散文》

吉林文史出版社 2008 年 5 月第一版

2009 年

168.《钟鼓楼》(共和国作家文库)

作家出版社 2009 年 4 月第一版

169.《四牌楼》(共和国作家文库)

作家出版社 2009 年 4 月第一版

170.[133]《人在胡同第几槐》

中国文联出版社 2009 年 6 月第一版

171.《钟鼓楼》(新中国 60 年长篇小说典藏)

人民文学出版社 2009 年 7 月第一版

172.[134]《刘心武短篇小说》

现代教育出版社 2009 年 8 月第一版

173.[135]《刘心武中篇小说》

现代教育出版社 2009 年 8 月第一版

174.[136]《刘心武散文随笔》

现代教育出版社 2009 年 8 月第一版

175.《刘心武揭秘〈红楼梦〉》上卷(共和国作家文库)

作家出版社 2009 年 8 月第一版

176.《刘心武揭秘〈红楼梦〉》下卷(共和国作家文库)

作家出版社 2009 年 8 月第一版

2010 年

177.[137]《人情似纸》

江苏文艺出版社 2010 年 1 月第一版

178.[138]《红楼梦八十回后真故事》

江苏人民出版社 2010 年 3 月第一版

179.[139]《刘心武小说精选集》

[台湾] 新地文化艺术有限公司 2010 年 4 月第一版

180.《红楼望月》

江苏人民出版社 2010 年 6 月第一版

2010 年 9 月第二次印刷

181.[140]《命中相遇——刘心武话里有画》

上海文艺出版社 2010 年 7 月第一版

182.[141]《红楼眼神》

重庆出版社 2010 年 9 月第一版

2011 年

183.[142]《刘心武续红楼梦》

江苏人民出版社 2011 年 3 月第一版

江苏人民出版社 2011 年 4 月第 4 次印刷

184.[143]《红楼梦》(曹雪芹著刘心武续)

江苏人民出版社 2011 年 3 月第一版

185.《刘心武续红楼梦》[繁体字竖排本]

香港明报出版社有限公司 2011 年 3 月初版

186.《刘心武揭秘〈红楼梦〉》精华本（一）

江苏人民出版社 2011 年 4 月第一版

187.《刘心武揭秘〈红楼梦〉》精华本（二）

江苏人民出版社 2011 年 4 月第一版

188.《刘心武揭秘〈红楼梦〉》精华本（三）

江苏人民出版社 2011 年 4 月第一版

189.《刘心武揭秘〈红楼梦〉》精华本（四）

江苏人民出版社 2011 年 4 月第一版

190.《刘心武续红楼梦》[繁体字竖排本]

台湾城邦文化事业股份有限公司商周出版 2011 年 4 月第一版

191.《〈红楼梦〉的真故事》

台湾人类智库数位科技股份有限公司 2011 年 6 月第一版

192.[144]《听刘心武说房子的事儿》

中国商业出版社 2011 年 8 月第一版

193.[145]《刘心武心灵随感》

时代文艺出版社 2011 年 11 月第一版

2012 年

194.[146]《刘心武种四棵树》

漓江出版社 2012 年 1 月第一版

195.[147]《风雪夜归正逢时——我是刘心武》

漓江出版社 2012 年 1 月第一版

196.《献给命运的紫罗兰》

漓江出版社 2012 年 1 月第一版

197.[148]《人生有信》

江苏人民出版社 2012 年 3 月第一版

198.Poussiêre et sueur [《尘与汗》法译本 folio 袖珍版]

Gallimard 2012 年 8 月出版

199.La Cendrillon du canal [《护城河边的灰姑娘》法译本 folio 袖珍版]

Gallimard 2012 年 8 月出版